VICTOR-LÉV...

Victor-Lévy Beaulieu est .... scrute l'espace intérieur autant que l'uni...... ......teur. Il est sans doute le plus prolifique des auteurs contemporains. Né en 1945 dans la campagne jouxtant Rimouski, transplanté à Montréal-Nord (« Moréal-Mort, » dit-il), il est employé de banque avant d'entrer en écriture pour s'y donner avec la fureur d'un Balzac iconoclaste. VLB possède la constance, la force et la persistance d'un géant passionné. Lecteur affamé, romancier niagaresque, polémiste dangereux, critique tranchant, dramaturge énorme, éditeur-sourcier-casse-cou, Victor-Lévy Beaulieu a pratiqué toutes les formes de l'écriture y compris le journalisme et le télé-feuilleton (Race de monde). Victor Hugo ne compte pas de lecteur plus fervent que VLB.

POUR SALUER VICTOR HUGO

Ce livre invite à lire Victor Hugo. Il ouvre aussi la porte sur l'oeuvre de Victor-Lévy Beaulieu qui ne cesse de s'agrandir pour exprimer de mieux en mieux la lumière et l'ombre de notre réalité. Ces pages ferventes disent toute l'admiration d'un jeune auteur pour un Maître. Elles constituent un dialogue entre le Maître et le jeune auteur qui sent son talent s'épanouir. Finalement c'est le récit *des commencements* d'un jeune écrivain, de son entrée dans l'ascèse de l'écriture. Comment devient-on écrivain? Voilà ce que raconte cet hommage sans pareil. Tout apprenti sorcier des mots, tout lecteur qui se souvient d'avoir lu Victor Hugo, devrait lire ce passionnant témoignage.

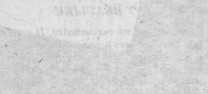

Pour saluer
Victor Hugo

La collection Québec 10/10 *est publiée sous la direction de*
Roch Carrier.

Illustration de la page couverture: Suzanne Brind'Amour

Éditeur: Éditions internationales Alain Stanké

© Victor-Lévy Beaulieu, 1971

ISBN: 2-7604-0258-4

Dépôt légal: troisième trimestre 1985

Imprimé au Canada

Victor-Lévy Beaulieu
Pour saluer
Victor Hugo

Stanké   essai

À JACQUES FERMAUD
À LÉONCE PEILLARD

À HUBERT AQUIN
À FERNAND DUMONT

PREMIÈRE PARTIE

Hugo,
Ce vieux de la montagne et de la poésie.

1

J'avais treize ans. Nous venions de déménager de Saint-Jean-de-Dieu à Rivière-des-Prairies. Nous étions treize enfants à la maison et mon père, qui était journalier, rapportait peu, de sorte que nous n'avions, comme disait ma patiente mère, que l'essentiel, c'est-à-dire la nourriture et le gîte. Pour le reste, il fallait attendre puisque nous n'avions pas les moyens de nous le payer. Je me souviens qu'à cette époque je possédais cinq ou six livres que j'avais reçus comme prix de fin d'année à l'école, livres que je lisais régulièrement tous les trois mois ! Il y avait *Le Bossu* de Paul Féval, *Le Glaive de Cologne* de Jean-Louis Foncine, *La Couleuvrine* de je ne me rappelle plus qui, *Pieds nus dans l'aube* de Félix Leclerc, et un martyrologue romain illustré de véritables dessins pornographiques qui, enfant, m'avaient donné bien des émotions sexuelles (Oh, que cela était suggestif, tous ces hommes à robe qu'on crucifiait à des croix de saint André, tête en bas, et cuisses nues !).

J'avais aussi deux autres sources de lecture : les seize volumes de l'Encyclopédie de la Jeunesse de Grolier, que mon père, dans un geste noble (puisque c'était au moment de la crise), avait acheté peu de temps après son mariage. Presque toute mon enfance est dans cette

11

Encyclopédie : j'y ai lu Perrault, Musset, Buffon, Chateaubriand, et ces contes terribles que sont *Alice au pays des merveilles* (quels cauchemars je dois aux longues mains et au long cou d'Alice que j'embrassais quand j'allais chez l'une de mes tantes aux joues pleines de fard !), le Petit Poucet, et la belle histoire de Blanche-Neige, et celle, horrible, de l'ogre qui mange les petits enfants après les avoir mutilés, et celle de Jack le tueur de géants, et des dizaines d'autres comme ces oies qui sauvèrent Rome, les Chevaliers de la Table Ronde, Attila, Scipion l'Africain, et ce merveilleux clown au chevet de l'enfant qui va mourir, et qui pleure sous son masque.

Mes autres lectures, c'est à mon oncle que je les devais. Tous les ans, il venait à la maison et, parce que mes parents lui donnaient des légumes et des caisses de linge, il nous apportait des boîtes pleines de *X-13*, d'*Albert Brien* et de *Pit Verchères*. Dès que mon oncle était parti, ma mère faisait monter au grenier la grosse caisse que nous allions éventrer aussitôt que nous en avions l'occasion. Les *X-13* surtout me fascinaient. Je me souviens que le supplice du tourne-vis me troublait particulièrement.

Mais j'avais treize ans maintenant. Et c'était dorénavant la ville, hostile, et cette espèce de taudis que nous habitions à Rivière-des-Prairies. Près de la maison, il y avait de grands champs déserts où je poursuivais les mulots que j'assommais d'un bâton lorsqu'ils mettaient la tête hors de leurs trous. Je ne savais pas très bien ce que je venais faire à la ville et je m'y ennuyais dans cette ignorance que j'avais d'elle. Mes livres et mes souvenirs d'enfance ne me suffisaient plus : ne venais-je pas de changer de monde ?

A treize ans, c'est un professeur qui me fait découvrir la Bibliothèque Municipale où il avait eu l'intelligence de m'emmener. En retournant chez moi ce soir-là, j'avais sous le bras trois recueils de poésies de Grandbois, Desrochers et Crémazie. J'épuisai bien vite la liste des ouvrages que m'avait suggérés mon professeur, et j'allai au hasard dans mes lectures. Puis, brusquement, après quelques mois, j'abandonnai les poètes : leurs livres étaient si peu volumineux que j'en lisais trois dans une soirée, ce qui m'obligeait, le lendemain, à faire une heure d'autobus pour me rendre de nouveau à la Bibliothèque, et cela, comme disait ma mère, finissait par coûter cher. Je me mis donc à lire des romans. De gros romans parce que j'en avais pour plus longtemps sans aller à la Bibliothèque. Évidemment, je n'étais pas très difficile après tous ces X-13 et ces *Pit Verchères* que j'avais lus dans le grenier de cette triste maison du Rang Rallonge, à Saint-Jean-de-Dieu.

En consultant un fichier à la Bibliothèque, je tombai finalement sur *Les Misérables* (une version amputée d'au moins un tiers, mais quelle importance cela avait-il ?), et je fus tout de suite passionné par cette histoire immense, et envoûté par cette épopée gigantesque. Oh, quels sombres personnages que ces Claquesous, Thénar-

13

dier, Valjean, Gavroche et Gillenormand ! Je passai des
soirées entières dans le ventre de l'Éléphant de la place
de la Bastille et vis défiler devant moi les rats, les gros
rats d'égout de la ville souterraine de Paris. (Oh, elles
sont pures, ces premières émotions littéraires. Quand
je lis l'histoire de Fantine ou de Javert, quand je rêve
à Marius ou au Petit-Picpus, je deviens roman, intrigue
et sentiments. Mes premières lectures des *Misérables*
me laissaient épuisé et incapable de jugement sur Hugo.
Aujourd'hui, je voudrais retrouver la joie de ces moments
initiatiques qui me faisaient oublier l'hostilité du Grand
Morial et notre pauvreté.)

Victor Hugo écoutant Dieu.

14

Treize ans donc. Et Victor Hugo qui m'est déjà une espèce de Dieu. En faisant le rat de bibliothèque, je découvre dans un bouquin une vieille photographie de Hugo : il a cinquante ans peut-être, de longs cheveux qui lui arrivent aux épaules, un front très large, de grands yeux sombres et pochés, une bouche sensuelle et, sous ces traits olympiens, une présence troublante. *Victor Hugo écoutant Dieu.* Voilà ce que Hugo a écrit au bas de la photographie qu'à l'aide d'une lame de rasoir (oui !) je coupe et glisse dans ma poche.

Les fins de semaine, je travaillais dans une épicerie. Six dollars que ce bon patron à la grosse verrue au bout du nez me remettait gentiment en clignant de l'œil. Six *piastres*, une fortune ! Avant de quitter l'épicerie, je regardai une dernière fois la pile de caisses de bière et d'eaux gazeuses que j'avais transportées pendant ces trois premiers jours. Et j'étais content de moi, fier d'avoir si bien besogné. Pourquoi alors n'aurais-je pas siffloté tout le long du chemin qui conduisait à la maison ? Demain, me disais-je, j'aurai enfin une édition complète des *Misérables.* Autrement dit, quelque chose d'immense allait m'arriver, j'allais découvrir des mondes (selon l'expression consacrée), et faire une rencontre qui, j'en étais sûr parce que je le voulais, me marquerait à jamais. Et il y eut dans la cuisine une senteur d'oignons frits et de navets bouillis que, pour la première fois, je ne parvins pas à mépriser. Il me semble que je vois encore Mam et son grand tablier à pois bleus et la dizaine d'enfants s'attablant pour manger. Je vois Pa, silencieux au bout de la table, et les yeux fixés sur son bol de soupe, Pa qui sort tout à coup de son mutisme pour me demander combien j'avais gagné et ce que j'entendais faire avec l'argent. Et sans que j'aie le temps de lui répondre, il dit que cela l'aiderait bien pour finir le mois ces cinq dollars... Huit fins de semaine passeront encore avant que je puisse m'acheter *Les Misérables* dans les deux gros tomes de Marabout. « Des foleries ! C'est des foleries ! » n'a-t-elle pas dit cette pauvre et fatiguée mère aux yeux cernés quand elle m'a vu déballer mon trésor en tremblant. — Oui, Mam, c'étaient des foleries que *Les Misérables*, mais de gigantesques foleries.

Et lui aussi, ce vieil Hugo que je vénère, il a eu quatorze ans un jour. Dans son cahier d'écolier, à la date du 16 avril 1816, il a écrit cette phrase : — « Je serai Chateaubriand ou rien ». Ce qui, dans son langage, voulait dire : — Je serai le génie de ce siècle ou je ne serai rien. Moi, j'étais plus modeste à cet âge, et moins confiant dans la vie (et voici l'éternel refrain toujours à recommencer : nous n'avions pas d'argent, j'allais devoir abandonner mes études bientôt, traîner ma viande dans une banque pouilleuse du carré Saint-Louis, entre trois ou quatre maniaques qui se payaient gentiment ma gueule parce que je griffonnais de misérables poèmes au verso des bordereaux de tête et que je me demandais naïvement qui j'étais. Aujourd'hui, j'ai lu Jack Kerouac, et cette phrase surtout, si totalement désespérante, si réelle quand je pense à ce que nous étions, perdus dans

16

L'enfant sublime.

la grande ville, incapables d'oublier le passé, la terre abandonnée, les souvenirs de misère, de maladie et de longs hivers : « Je suis stupide aussi, et même crétin, peut-être seulement Canadien français, qui sait. » Puis j'allais être transporté d'urgence à l'hôpital où, rongé par les microbes de la polio, je penserais bien mourir. Mais . . .).

Ce qui m'a tout de suite ébloui chez Hugo, c'est cet éclatement de la parole, c'est ce jaillissement du mot, c'est cette œuvre colossale, ces milliers de phrases qui, une fois lues, m'incitèrent à écrire car, pour la première fois de ma vie, je me rendais compte qu'avec la laideur, la pauvreté, le blasphème et l'ignorance, il était possible de faire de la beauté. Et j'étais au fond de moi si désemparé que j'avais besoin de m'appuyer sur quelque chose de solide et de vaste ; il fallait, pour que je me commence, qu'il y ait une ambition d'être, et d'être beaucoup. Voilà donc le mythe de moi-même que j'ai toujours poursuivi en Hugo : il fallait être démesuré, éclater par tous les possibles, vivre toutes les errances et toutes les folies et tous les bonheurs. Et ne baisser les yeux devant rien, et dire toujours, et dire de plus en plus pour défoncer cette porte étroite derrière laquelle brille le mot retrouvé, le mot vivant, le mot Dieu. (Et puis, je sentis tout de suite qu'il était peu important que Hugo n'oubliât jamais qu'il était Victor Hugo, qu'il jouât à l'ogre en se laissant aller à tous ses démons et à toutes ses outrances. Au contraire, je trouvais cela libérateur, il y avait tout à coup beaucoup de lumière

18

à l'horizon. Il faut que j'ajoute que même aujourd'hui Hugo m'est inépuisable puisque je reviens toujours à lui, que j'y trouve ma vérité, cette vérité qui est mouvante comme ma vie, et qui fuit vers le silence, le silence de l'achevé, le silence froid de la mort. Cette mort qui est aussi la hantise de Hugo. Et la hantise de tous les hommes. C'est pourquoi il faut l'apprivoiser dit Hugo, c'est pourquoi il faut apprendre à vivre en elle :

... à l'heure où va luire pour moi
Ce grand jour de la mort qui se fait sur tout homme.

C'est ce qui vint sous la plume de Hugo pensant à sa fin, à la fin de son œuvre. Ces vers furent les premiers de lui que je notai dans un calepin, ils furent les seuls que j'appris par cœur. Il faut que je dise aussi que je n'avais pas à cette époque une très bonne santé et que, d'aussi loin que je me souvienne, j'ai toujours eu peur de mourir. Ce sentiment n'avait fait que croître depuis que nous étions déménagés à Rivière-des-Prairies, peut-être parce que j'avais été brutalement coupé de mon passé et qu'en faisant ce long voyage vers Morial, j'avais traversé une mort symbolique. Après cela, il n'y aurait plus jamais d'enfance, le connu deviendrait ce qui ne pourrait plus se vivre et, à ce moment, j'ignorais que l'écriture pouvait être un pont entre l'enfance et ma nouvelle vie. Hugo parlant de la mort m'était donc tout proche, je voyais un vieux et beau bonhomme étendu dans son lit funéraire, sa barbe blanche dissimulant le visage irrémédiablement fermé. Et je me voyais prendre sa place, m'allonger et fermer les yeux. Or cela m'effrayait sans vraiment m'effrayer. Il y avait de la fausseté dans cette représentation que je me faisais de la mort. Ce n'est que plus tard, délirant et brisé par la poliomyélite, que je compris mieux ce qu'était — ou ce que pouvait être — la mort, c'est-à-dire un déchaînement de douleur et de cauchemar, une descente vertigineuse dans l'horreur et l'éclatement du temps.)

Mon premier calepin fut bientôt rempli des phrases que j'aimais chez Hugo. L'une d'entre elles m'a longtemps bouleversé parce qu'elle m'ouvrait une voie, me traçait une route à suivre, m'exhaltait par ce qui, en elle, était exigence et démesure. Puisque j'avais décidé d'être, je n'allais pas le devenir à moitié. J'abusais donc de cette phrase parce qu'elle m'était une nourriture. Je crois bien que ce qui m'avait frappé en elle, c'était cette impression qu'elle donnait d'être un fleuve charriant les plus grandes promesses de vie. Hugo avait écrit :

« . . . Il y a des hommes océans. Ces ondes, ce flux et ce reflux, ce va-et-vient terrible, ce bruit de tous les souffles, ces noirceurs et ces transparences, ces végétations propres au gouffre, cette démagogie des nuées en plein ouragan, ces aigles dans l'écume, ces merveilleux levers d'astres répercutés dans on ne sait quel mystérieux tumulte par des millions de cimes lumineuses, têtes confuses de l'innombrable, ces montres entrevus, ces nuits de ténèbres coupées de rugissements, ces furies, ces frénésies, ces tourments, ces roches, ces nauvrages, ces flottes qui se heurtent, ces tonnerres humains mêlés aux tonnerres divins, ce sang dans l'abîme ; puis ces grâces, ces douceurs, ces fêtes, ces gaies voiles blanches, ces bateaux de pêche, ces chants dans le fracas, ces portes splendides, ces fumées de la terre, ces villes de l'horizon, ce bleu profond de l'eau et du ciel, cette âcreté utile, cette amertume qui fait l'assainissement de l'univers, cet âpre seul sans lequel tout pourrirait ; ces colères et ces apaisements, ce Tout dans Un, cet inattendu dans l'immuable, ce vaste prodige de la monotonie inépuisablement varié, ce niveau après ce bouleversement, ces enfers et ces paradis de l'immensité éternellement émue, cet insondable, tout cela peut être dans un esprit, et alors cet esprit s'appelle génie, et vous avez Eschyle, vous avez Isaïe, vous avez Juvénal, vous avez Dante, vous avez Michel-Ange, vous avez Shakespeare, et c'est la même chose de regarder ces âmes ou de regarder l'océan. »

2

Comme le temps passe ! Je dois bien avoir dix-sept ans maintenant. Je lis beaucoup : du Gide, du Flaubert, du Mauriac, du Green, le *Jean Santeuil* de Marcel Proust, et les inoubliables romans de Jean Giono, cet admirable *Grand Troupeau* et ce *Que ma joie demeure* qui me bouleverse tant par tous les rappels au passé qui me viennent, tout se déroulant comme si, à l'intérieur du roman de Bobi, je lisais le roman de mon enfance, embelli mille fois par les belles phrases de Giono, savoureuses comme ces bons fruits que nous commencions enfin à manger.

Le soir, je m'assois devant la vieille machine à écrire que je loue au mois chez les Frères des Écoles Chrétiennes, et j'écris, inlassablement et avec rage, d'énormes romans qui me laissent dégoûté de moi-même, éreinté, convaincu que je n'ai aucun talent. Et ma pauvre Mam au bout du corridor, qui me regarde travailler sous cet éclairage épouvantable, qui pense à mes yeux, et qui me dit : « Mais quand donc vas-tu cesser d'écrire tes foleries ? Veux-tu donc finir ta vie à Saint-Jean-de-Dieu ? » Pa, lui, est plus tolérant : « Bah ! laisse-le faire. Au moins il ne nous donne pas de trouble quand il besogne comme ça. » Moi je me bouchais les oreilles, me concentrais sur le clavier de ma machine à écrire, et pestais intérieurement parce que la vieille table à cartes chancelle sur mes genoux dans le corridor mal éclairé et plein des bruits de voix de mes douze frères et sœurs.

Un jour, je n'y tins plus et j'envoyai chez l'Éditeur un premier roman : *Ti-Jean dans sa nuit*. Ce n'est que plusieurs mois plus tard que je lirai *Docteur Sax* dont le héros s'appelle Ti-Jean et ressemble au Ti-Jean de mon livre. L'oncle du Ti-Jean de Kerouac lui avait dit cette phrase qui me paraissait si juste, qui disait si bien ce que nous étions encore, que je l'écrivis sous une note de Hugo :

« Mon enfant pauvre Ti-Jean, sais-tu mon âme que tu es destiné d'être un homme de grosses douleurs et talent, ça aidera jamais vivre ni mourir, tu vas souffrir comme les autres, plus... Oh ! les pauvres Duluozes meur toutes ! Enchaînés par le bon Dieu pour la peine, peut-être l'enfer ! »

Cela aussi faisait une trouée en moi ; à force de transcrire dans mon cahier de telles phrases, je me créais des points de repère, mon imagination apprenait à se fixer sur certaines choses, à les creuser comme dit Hugo, à les approfondir. Je me les appropriais en quelque sorte, elles seraient bientôt des espèces de tremplins sur lesquels je m'élancerais pour écrire mes propres livres.

Le manuscrit que j'avais soumis à l'Éditeur me revint par la poste trois semaines plus tard. La fin n'avait pas plu au directeur littéraire qui me conseillait de la reprendre. Ce que je fis, enthousiasmé. Puis, j'envoyai de nouveau mon livre. J'attendis un mois. Inquiet, je téléphone à l'Éditeur qui me fixe un rendez-vous... Je me dis aujourd'hui que je devais être bien ridicule dans mon étroit pantalon en pied de poule et dans la chemise trop grande que j'avais empruntée à mon frère ! Mais qu'importe. Je suis tout rouge de timidité quand j'entre dans le bureau de l'Éditeur, et si énervé que je ne me souviens pas de ce qu'il me dit au sujet de mon roman que, de toute façon, il ne compte pas publier. Je reviens un peu à moi lorsque l'Éditeur me demande quels sont les auteurs que je fréquente. Je réponds que je suis en train de relire pour la troisième fois *Les Misérables*. Il me dit : « Il est bon d'avoir lu ça une fois, oui, mais il ne faut pas s'y arrêter. Victor Hugo est sans doute l'écrivain français du XIXe siècle qui possède le plus vaste vocabulaire, mais le style dans lequel il écrit est tellement ampoulé que sa lecture vous nuirait au lieu de vous aider. Pour apprendre le génie de la langue, ses subtilités, vous devriez plutôt étudier Georges Duhamel. Vous trouverez ses livres à la Bibliothèque. »

J'étais si fiévreux d'apprendre que je courus à la Bibliothèque Municipale et me procurai les trois premiers tomes de l'ennuyeuse chronique des Pasquier. Mais je m'entêtai : comment un directeur littéraire aurait-il pu se tromper sur ce qu'il connaissait si bien ? C'est ainsi que je lus presque tout Duhamel, en essayant de me convaincre que c'était là la vraie littérature de laquelle il me faudrait partir si un jour je voulais vraiment écrire. Je fis même des fiches sur le minable Salavin (pourtant, j'ai tout oublié de cela aujourd'hui, sauf cette émotion ridicule que j'éprouvai lorsque Salavin est troublé par la saignée d'un bras nu de femme, ce qui m'a rappelé Hugo et les chevilles de Cosette qui émouvaient Marius dans le Jardin du Luxembourg).

Gavroche
rêveur

La littérature fut d'abord pour moi un acte visuel : pour qu'un roman me passionnât, il me fallait le voir, il me fallait devenir ce qu'était le personnage, me dédoubler en lui, faire ses gestes, dire ses paroles, habiter sa maison, travailler comme lui. En lisant Gide, cela ne m'était pas possible, sauf dans certaines scènes amoureuses alors que je pouvais devenir le petit garçon qu'un vieux bonhomme voulait embrasser. Mais je ne pouvais être que cela. Je n'ai jamais rien été dans l'œuvre de Mauriac, ni dans celle de Green. Je les lisais parce que je voulais écrire et qu'ils étaient des écrivains qu'on me recommandait. Chez Hugo, je m'identifiais facilement aux personnages : par exemple, je me suis longtemps amusé à être Javert et surtout Gavroche. Quand j'étais Javert, je filais les femmes dans la rue, à la tombée de la nuit de préférence. J'avais toujours avec moi un vieux manche de parapluie avec lequel je râclais la surface du trottoir. Si j'étais Gavroche, je m'inventais un langage, je disais des phrases obscures qui me donnaient l'impression d'une grande liberté. J'arrivais également assez bien à être Valjean : que de fois j'ai vécu cette scène où le vieillard, pour montrer son courage devant le gang de Patron-Minette, se brûle le bras avec un tisonnier porté au rouge !

Dans les premiers temps de l'exil.

3

Les bons écrivains ne seraient-ils pas ceux qui savent nous faire rêver ? Or qu'est-ce donc que le songe sinon la recherche inconsciente de soi-même, le désir brûlant de se connaître par le passé à quoi on se raccroche désespérément quand la vie, écartelée par trop d'impossibles, se déchire ? Alors je reste seul, petit et ridicule, sombre dit Hugo, et inquiet parce que je me rends compte que le temps passe et qu'il continuera bien sans moi à poursuivre son inéluctable et lent mouvement dans l'espace.

C'est peut-être ce que je recherche dans les livres que je lis : des mots de moi-même, des gestes écrits qui me confirment dans ce que je suis, qui me rassurent sur la fin d'un destin que je refuse. Mourir, cela est si bête et cela arrive si tôt. Aussi est-ce la vie que j'appelle de toutes mes forces quand je lis, c'est la vie que j'ai vécue, que j'ai perdue et qu'à mon tour, après tant d'autres, je voudrais, en quelques phrases impatientes, fixer éternellement dans ma mémoire.

Et c'est d'abord à l'enfance que je pense, à cette première enfance qui ne vécut que de sa mort. Ce que je veux dire, c'est que mes premiers souvenirs vont aux tombes et aux croix de cimetière que parfois nous traversions pour aller chez Grand-Père. Et il y a la maladie, les cris horrifiants des cochons qu'on égorgeait distraitement à Saint-Jean-de-Dieu dans le froid de décembre, la foudre, les ténèbres opaques des nuits mouillées. Je retrouve parfois cela dans certains livres, chez Hugo évidemment car personne n'a comme lui été épouvanté par l'obscurité et les voix entendues dans le noir et les morts, mais chez d'autres aussi, comme Kerouac :

« J'ai vu mon frère dans un cercueil capitonné de satin, il avait neuf ans. Il gisait là, avec sur son visage la même fixité que ma première femme dans son sommeil, femme accomplie, femme regrettée. Cercueil au bois veiné, les araignées joignent les mains de mon frère, par en dessous — il reposera au soleil des larves qui cherchent les agneaux du ciel... ET A TRAVERS DU SATIN QUI POURRIT. »

Il y eut aussi les premières lectures de l'enfance qui sont remplies des Macchabées de la Bible, du Bonhomme Sept-Heures et des démons qui, la nuit, viennent vous tirer les doigts de pied, disait Pa. Et aussi les histoires sombres des adultes riant de votre peur. Je dois beaucoup de cauchemars aux cadavres que l'on disait avoir mis sous mon lit : « Est-ce que tu te rends pas compte que ça pue ? »

Heureusement, il y a l'autre enfance qui est maternelle, tendre, pleine de soleil et des jeux naïfs dans le sable chaud, et les petits bateaux sombrant presque joyeusement dans l'eau boueuse de la rivière Boisbouscache, les premières découvertes sexuelles (oh, petits pénis et petites vulves blanches dans le sous-bois silencieux derrière l'école du Rang Rallonge), l'insouciante croissance toute tournée vers la vie, et fuyant les symboles maléfiques de la mort. L'enfance du rire, de la joie, du soleil, des fleurs, de l'eau virginale. Tout cela, Hugo l'a connu et aimé quand il habitait Impasse des Feuillantines. J'imagine d'ailleurs que tout le monde a eu dans son enfance un ténébreux puisard désaffecté derrière la maison, un gouffre noir qui suintait de moisissure et dans lequel on jettait des pierres et perdait ses jouets. J'imagine que tout le monde a eu ce symbole de l'Ombre derrière la maison. Et je me souviens : à Saint-Paul-de-la-Croix, il y avait dans la cour ce grand trou sombre : au printemps ou aux chaudes et humides journées d'été, nous y chassions, mes frères et moi, les crapauds. Nous ne les tuions pas tous. Quand nous arrivions à chiper une cigarette, nous faisions fumer la pauvre bête dont le ventre se gonflait tant de fumée qu'il en éclatait. Dans *l'Ane*, c'est de cela que parle Hugo :

> Un homme qui passait vit la hideuse bête,
> Et, frémissant, lui mit son talon sur la tête ;
> C'était un prêtre ayant un livre qu'il lisait ;
> Puis une femme, avec une fleur au corset,
> Vint et lui creva l'œil du bout de son ombrelle ;
> Et le prêtre était vieux, et la femme était belle ;
> Vinrent quatre écoliers, sereins comme le ciel...
> Le crapaud se traînait au fond du chemin creux.

C'était l'heure où des champs les profondeurs s'a-
                                    [zurent ;
Fauve, il cherchait la nuit : les enfants l'aperçurent
Et crièrent : « Tuons ce vilain animal,
Et puisqu'il est si laid, faisons-lui bien du mal ! »
Et chacun d'eux riant, — l'enfant rit quand il tue, —
Se mit à le piquer d'une branche pointue,
Élargissant le trou de l'œil crevé, blessant
Les blessures, ravis, applaudis du passant...
Et le sang, sang affreux, de toutes parts coulait
Sur ce pauvre être ayant pour crime d'être laid ;
Il fuyait ; il avait une patte arrachée ;
Un enfant le frappait d'une pelle ébréchée...

Et je me suis toujours demandé : pourquoi certains
écrivains nous lassent-ils, ou ne nous touchent-ils pas,
alors que pour plusieurs ils sont des espèces de dieux
exigeants qui les arrachent à eux-mêmes et forcent leur
intimité ? Pourquoi me mis-je à aimer Hugo ? Pourquoi
ce désir d'apprendre par cœur quelques-uns de ses
poèmes, moi qui, pour ce genre de choses, suis si paresseux et possède si peu de mémoire ? J'y songe maintenant, et je me dis que Hugo a envahi ma vie il y
a déjà longtemps, qu'il m'a habitué à son inquiétante
présence, et qu'il vit en moi, qu'il m'est actuel beaucoup
plus que des dizaines de gens que je connais, à qui
je serre les mains et dans les yeux de qui se meurt un
terrible regard vide, dépossédé. Et je me demande
aussi : qu'est-ce qui m'a poussé à m'intéresser à Hugo,

à lire les dix mille pages qu'il a écrites ? Et je crois que c'est d'abord sa puissance, sa force, son indomptable énergie, son inconcevable faim d'écrire. Très tôt, Hugo a été happé par le profond mystère de la magie des mots, par la luminosité des images, par le contrepoids des antithèses (et son Verbe ne lui appartenait bientôt plus, il était possédé par lui, et invulnérable !). Personne n'a comme Hugo présenté un tel amalgame de perspectives, de rencontres, de lieux communs, de perles, d'oppositions ; il est lui-même au centre de l'antithèse et de la contradiction : tantôt il est le jour, et tantôt la nuit l'enferme en lui-même, le pousse au Délire. Hugo a donné une belle définition de ce qu'il était quand il a dit que « comète scintillante il allait s'écraser dans un embrasement d'étoiles ». Pas de milieu chez lui. Que du prodige. Que de la grandeur. Que de la démence. Si je me passionnai d'abord pour lui, c'est à cause de ce qu'il disait de la nuit et des arbres, ces deux grandes peurs de mon enfance déchirée par les mystères des ténèbres (oh, pourquoi me disait-on qu'il y avait des Squelettes dans notre cave ? Et pourquoi affirmait-on que ces Squelettes sautaient sur les petits enfants, la nuit, et qu'ils leur crevaient les yeux avec leurs longues mains décharnées et moisies qui étaient comme des branches d'arbre ? Autre symbole de la mort, de la fin de moi-même qui me mouillait de sueur, et je me cachais la tête sous les couvertures et je frissonnais, convaincu que la Mort me saisirait aux chevilles et me jetterait dans les Enfers !)

Hugo, tu écris quelque part :
>   L'étang mystérieux, suaires aux branches noires,
>   Frissonne . . .

Et :
>   Les étoiles, pointes d'or, percent les branches
>   noires ;
>   Le flot huileux et lourd décompose les moires
>   Sur l'océan blême :
>   Les nuages ont l'air d'oiseaux prenant la fuite ;
>   Par moments le vent parle, et dit des mots sans
>   suite,
>   Comme un homme endormi.

Car pour Hugo, que pourraient être les arbres si ce n'est de gigantesques squelettes agitant follement leurs bras ? Et les bois, que représentent-ils sinon des puits d'ombre, des gouffres, et les gouffres ne sont-ils pas « l'égout du mal éteint », de « la nuit liquide qui luit », c'est-à-dire « l'Ombre », c'est-à-dire « le sombre océan où des bêtes enfoncent leurs gueules dans l'eau » :

>   Alors souffle le vent, le vent hideux du soir.
>   Chaque brin d'herbe siffle et semble une vipère ;
>   La nuit pâle, éveillant les loups dans leur repaire,
>   Vient et mêle aux buissons les sentiers tortueux ;
>   On entrevoit, au seuil des antres monstrueux,
>   Des sphinx aux yeux de femme accroupis sur leurs
>   [pattes ;
>   C'est l'heure des Circés, des larves, des Hécates ;
>   On croit voir briller l'œil des magiques griffons ;

34

Sur le Rocher des Proscrits à Jersey.

Et le noir voyageur, dans les ravins profonds,
Se hâte, sans oser regarder en arrière ;
L'affreux hallier frissonne autour de la clairière,
L'eau sinistre soupire, et l'arbre aux sombres nœuds
Se tord, farouche au fond des bois vertigineux.

Pour ce vieil Hugo, assis sur le rocher des Proscrits
de l'île Jersey, la nuit est un maléfice. Le soir, Hugo
a peur, comme le plus effrayé des enfants ; il entend
des voix dans son sommeil, il lui semble que des coups
sont frappés contre les murs de sa chambre, que des
spectres se penchent sur son lit ; il se réveille tout en
sueur, il est victime, affreusement, du Cauchemar. C'est
qu'avec l'obscurité se mettant à vivre les Invisibles,
les Dames Blanches qui donnent des rendez-vous dans
les cimetières, les Fantômes gélatineux, les Pieuvres du
Vide, les Ectoplasmes :

       . . . . Tout s'efface.
L'horreur sort de l'abîme et me monte à la face.
O ténèbres ! sinistre et morne vision !
Partout l'ombre. On dirait que la création,
Sans faire plus de bruit qu'une pierre qui tombe,
Entre dans cette nuit comme dans une tombe,
Et se dissout au fond de ce gouffre béant
Dans l'immense et profond silence du néant.

Ce que j'ai tout de suite compris en lisant de tels
vers, c'est encore une fois le symbolisme que Hugo
mit dans le mot nuit. C'est dans les ténèbres qu'ap-

paraissent les gnomes, les hydres, les monstres de tous genres, ces « inconnus de la nuit » au « rire obscur et sinistre ». L'homme, une fois que le soir tombe, est poursuivi par

La chimère Effroi, monstrueuse et vivante,
Et tous ces noirs chevaux, Horreur, Rêve, Épouvante.

Tout est alors si effrayant que Hugo dit : « C'est en vain que ta voix crie et nomme » ; rien ne peut être entendu, l'homme étant, pour toute la durée de la nuit, une « espèce de fantôme en suspens sur deux mondes ». Je me souviendrai toujours de ce paragraphe des *Misérables* alors que la petite Cosette est envoyée, la nuit, dans le bois pour prendre de l'eau. Elle est toute tremblante, et si épouvantée que Hugo écrit :

« L'obscurité est vertigineuse. Il faut à l'homme de la clarté. Quiconque s'enfonce dans le contraire du jour se sent le cœur serré. Quand l'œil voit noir, l'esprit voit trouble. Dans l'éclipse, dans la nuit, dans l'opacité fuligineuse, il y a de l'anxiété, même pour les plus forts. Nul ne marche seul la nuit dans la forêt sans tremblement. Ombres et arbres, deux épaisseurs redoutables. Une réalité chimérique apparaît dans la profondeur indistincte. L'inconcevable s'ébauche à quelques pas de vous avec une netteté spectrale. On voit flotter, dans l'espace ou dans son propre cerveau, on ne sait quoi de vague et d'insaisissable comme les rêves des fleurs endormies. Il y a des attitudes farouches sur l'horizon. On aspire les effluves du grand vide noir. On a peur et envie de regarder derrière soi. Les cavités de la nuit, les choses devenues hagardes, des profils taciturnes qui se dissipent quand on avance, des échevellements obscurs, des touffes irritées, des flaques livides, le lugubre reflété dans le funèbre, l'immensité sépulcrale du silence, les êtres inconnus possibles, des penchements de branches mystérieux, d'effrayants torses d'arbres, de longues poignées d'herbes frémissantes, on est sans défense contre tout cela. »

Je dirai seulement, pour montrer la crainte que j'avais du noir quand j'étais enfant, que la nuit j'étais terrorisé par une ampoule vissée au plafond au-dessus de mon lit. Dans l'obscurité cette ampoule était une face mystérieuse dont les deux yeux, c'est-à-dire les vis qui la fixaient dans le bois, étaient un regard maléfique. J'identifiai finalement l'ampoule à Dieu et cette tête de mort me terrifiait. Cela dit, il est plus facile de comprendre que le Gilliatt des *Travailleurs de la mer* devint rapidement le héros auquel je m'identifiai le plus. Car Gilliatt ressemblait à Hugo et, « parfois la nuit » quand « il ouvrait les yeux et regardait l'ombre », il « se sentait étrangement ému » puisque « l'œil ouvert sur le noir » amène une « situation lugubre : l'anxiété ». Hugo dit que « le ciel noir, c'est l'homme aveugle », donc l'homme effrayé qui sait que « l'obscurité est habitée ». Hugo parle alors « de rencontres d'accouplement et de combat » dans le noir, il a l'intuition « des prodiges s'entrepoursuivant dans les ténèbres », il imagine « des enfoncements de mondes », « des sphères en fuite », « des roues qu'on sent tourner » :

> La racine effrayante aux longs cous repliés,
> Aux mille becs géants dans la profondeur noire,
> Descend, plonge, atteint l'ombre et tâche de la
> [boire.

Hugo ira même jusqu'à comparer la nuit à une gueule des ténèbres qui s'ouvre et se ferme et où « l'énorme Spizona râle, échoué dans l'ombre ». Ce que Hugo voulait dire, c'est que face aux ténèbres, il ne saurait y avoir que de l'épouvante. Alors on comprend que terrorisé, à moitié fou dans sa chambre remplie d'ectoplasmes, il ait eu ce cri désespéré :

> Vents ! ô vents du matin, quand donc souffle-
> [rez-vous ?

4

Pauvre Hugo ! Oh, pauvre Hugo de l'adolescence ! Oh, petit bourgeois satisfait de toi-même, et roucoulant sous les jupes de maman, et commettant de plats poèmes qu'elle lit par-dessus ton épaule, heureuse de son cher poète ! Oh, pauvre Hugo ambitieux ! Je me demande si tu n'aurais point accepté de faire des courbettes devant quelque loufoque ami des Zarts si tu avais été certain d'obtenir ce succès que tu désirais. Oh, mon pauvre Hugo ! Tu songes déjà à ta carrière d'homme de lettres, et tu n'as même pas dix-huit ans. « Le plus grand littérateur, dis-tu. C'est ce que je deviendrai maman. » Mais qu'est-ce donc que l'homme de lettres au moment où tu te mets à écrire ? C'est un bonhomme à fausses boucles et au médiocre talent que compense toutefois l'art de l'intrigue, et que les petits enfants naïfs comme toi vont voir pour se faire patronner. Évidemment, je sais que la situation n'a guère évolué, et je pense à moi-même rougissant dans le bureau de mon premier Éditeur, buvant ses conseils et, sans doute aussi, éprouvant au fin fond de moi-même une certaine jouissance sexuelle à être là, face à cet homme ventripotent qui m'invite chez lui où il me lira quelques

Sa mère.

pages d'un essai paru dans une revue, et je me souviens
qu'il puait terriblement de la bouche, l'Éditeur.

J'avais peut-être dix-huit ans à ce moment-là.
J'aspirais moi aussi à la carrière de l'homme de lettres
patenté. Voilà pourquoi j'écrivais roman après roman,
en laissant soin à l'Éditeur de les condamner sans
appel. Mais cela était sans grande importance puisque
j'apprenais. Dans l'un des romans que j'avais écrits,
je racontais un rêve que j'avais fait durant mon enfance.
Je me rappelle encore maintenant qu'il y avait une arène,
dans ce rêve, un énorme taureau aux cornes luisantes sous

le soleil, des dizaines de milliers de personnes dans les estrades, et moi, tout petit, presque infirme, abandonné et seul devant le taureau qui, je le devinais, était là pour me castrer. L'Éditeur avait trouvé cela bien beau, et m'avait dit :

— Kafka raconte quelque chose d'analogue dans l'une de ses œuvres.

Kafka ? Mais je ne connaissais pas Kafka ! Qui c'était, ce monsieur Kafka ? Je courus à la librairie de monsieur Tranquille qui me vendit *La Muraille de Chine*, *L'Amérique* et *La Métamorphose*. C'était dans le temps où monsieur Tranquille avait dans les rayons de sa librairie des œuvres essentielles comme *Le Golem* de Gustav Meyrink, *Le Nœud gordien* de Jünger et *Les Demeures philosophales* de Fulcanelli... Mais Kafka ? Je lus tous ses romans, toujours pour découvrir le fameux passage qui me resta à jamais inconnu. J'en fis mon deuil finalement et retournai à mes livres. Cette histoire de sexe avait toutefois creusé un énorme trou en moi. Je me mis à me questionner, à me torturer, surexcité brusquement par des sentiments indéfinissables qui m'accablaient par leur violence.

Auparavant, cela ne m'avait jamais troublé, le sexe. J'ai grandi à la campagne, et j'ai vu trop d'animaux faire comme des hommes ce que les hommes font comme des bêtes pour m'inquiéter des choses sexuelles. Et puis, j'étais plutôt un garçon sensuel, à dix-huit ans. J'étais comme tout le monde amoureux fou d'une fille à la belle peau brune, et dont les cuisses m'obsédaient ;

le soir, dans le parc près de la maison de la rue De Castille du grand Morial Mort, nous nous bécotions et nous touchions, mais je n'aimais rien mieux que de mettre ma tête sur ses cuisses pour goûter l'odeur de soleil et de sable dont elles étaient pleines. Parfois, allions-nous à la plage des Mille-Isles, et avais-je le droit, dans les fourrés, de caresser ses seins et de la prendre, rapidement, dans la mousse. Je m'étendais par-dessus elle comme pour la protéger, elle si petite, si poupée quand elle était toute nue et que je ne songeais plus à ses cuisses fortes et aux veines saillantes à la hauteur des chevilles. Il m'a fallu lire beaucoup de livres avant que je comprenne que l'amour, c'est quelque chose d'infiniment plus compliquée que cela.

Oh, qu'aurais-je pu comprendre à ce que Kafka disait à sa Miléna chérie ? Qu'aurais-je pu comprendre à ce grand amour se faisant et se défaisant sans cesse, étant et n'étant jamais ? Qu'aurais-je pu comprendre à de belles phrases comme celle-ci, moi qui n'étais qu'un péquenot, qu'un illettré, qu'un pauvre Québécois sans culture et habitué à la facilité des X-13 et des affreux romans de la collection du *Fleuve Noir* :

« Je n'ai guère fait aujourd'hui que rester assis, lire ça et là, en picorant, et surtout, principalement, rien, ou écouté une légère souffrance qui me travaillait dans les tempes. Tout le jour j'ai été occupé de tes lettres, tourmenté, amoureux, soucieux, en proie à la crainte imprécise de quelque chose d'imprécis dont l'imprécision consiste surtout à dépasser démesurément mes

44

forces. Je n'ai pas osé relire tes lettres, il y en a même une demi-page que je n'ai pas osé lire du tout. Pourquoi ne puis-je prendre mon parti du fait qu'il n'y a pas mieux à faire que de vivre dans cette tension du suicide constamment différé ? (Tu m'as dit plusieurs fois quelque chose du même genre, et j'essayais de me moquer de toi quand tu le faisais.) Pourquoi est-ce que je relâche cette tension afin de m'échapper comme un animal fou (et qui pis est, comme l'animal, pourquoi est-ce que j'aime cette folie ?), dérangeant l'électricité, l'affolant, attirant ainsi toute la décharge sur mon corps au risque d'être foudroyé ? Je ne sais exactement ce que je veux dire par là ; je ne cherche qu'à capter les plaintes proférées ; et je le peux, car au fond ce sont les miennes. Que nous ayons dû connaître aussi un tel accord dans le domaine des ténèbres, c'est le plus étrange de tout, et je ne puis vraiment y croire qu'une fois sur deux. »

Oh, qu'aurais-je pu comprendre à ce grand et douloureux amour, moi si platement sexuel, et si heureux des élans physiques de ma petite amie que je sentais chaude et palpitante sous moi ?

Au contraire de Kafka, Hugo, lorsque j'avais quinze ans, m'était mille fois plus accessible ; ce qu'il disait de la femme et de l'amour, je le comprenais tout de suite, les images de ce qu'il écrivait se formaient irrésistiblement en moi, vivaient d'une vie qui me violentait. C'était la trivialité de Hugo qui me plaisait. Je notais ses bons mots sur des bouts de papier, et je les lisais aux camarades dans le parc de la rue De Castille. Ma scie préférée fut longtemps cette grossièreté : « L'homme a reçu de la nature un clef avec laquelle il remonte sa femme toutes les vingt-quatre heures. » Puis j'obtins un beau succès en récitant ce quatrain que Hugo avait entendu de la bouche de l'académicien Ancelot :

> J'ai joué je ne sais plus où
> Sur un billard d'étrange sorte ;
> Les billes restent à la porte,
> Et la queue entre dans le trou.

Il y avait aussi :

> Ton conseiller ? Veux-tu qu'à l'oreille, entre nous,
> Je te dise son nom ? Il s'appelle bas-ventre.

Je ne me lassais pas de ces phrases si suggestives qui réveillaient en moi le besoin d'être parfois obscène. De toute façon, je compris très rapidement que les filles aimaient généralement cette verdeur qu'elles croyaient tout à fait mienne, ce qui n'était pas pour me nuire auprès d'elles. Quand, après Hugo, je disais qu' « il y a des femmes qui s'allument comme des allumettes » et que j'aimais « les jeunes femmes et non les vieilles » parce que je n'étais pas « bouquiniste en amour », j'étais peut-être grossier, mais cette grossièreté me plaisait comme elle plaisait à ceux à qui je les répétais, par exemple les employées de la BCN où je travaillais, écœuré et malheureux comme cela n'est pas possible parce que toute la journée on m'enfermait dans l'un

des guichets qui puait la moisissure. Oh, laideur propre
au style banque. J'essayais d'oublier tout cela en écrivant
de monotones poésies inspirées des *Contemplations,* cette
bible que matin et soir je lisais sur mes genoux dans
l'autobus pleine de nauséabondes odeurs de sueur, d'huile
crue et de petits pieds ...

Mais Hugo — je l'avais déjà senti en lisant *Les
Misérables* — n'était pas que l'homme de la vulgarité
sexuelle. La sexualité, chez lui, devait être quelque
chose d'infiniment plus complexe, comme chez Kafka.
Ne s'était-il pas marié vierge et n'avait-il pas, dans
la même nuit, fait neuf fois l'amour à sa femme ? Et
pendant qu'ils commettaient cet acte, son frère Eugène
n'était-il pas devenu fou ? J'aimais assez cette image :
Eugène avait fait de la lumière dans sa chambre et,
à l'aide d'un grand sabre, il avait éventré les fauteuils.
Oh, symbole de la castration ! Oh, symbole d'une mutilation, d'une humiliation qui allait le conduire chez
les fous. Cela aussi, c'était tout proche de moi : mon
père n'avait-il pas sacrifié beaucoup, mon père si bon
n'était-il par parti de Saint-Jean-de-Dieu parce que, tout
à coup, il avait été écrasé par la misère morale des
internés du Mont-Providence où il était allé travailler
pour réduire notre pauvreté ? Et ce père si humble, si
clément aussi, si totalement chrétien, ne veillait-il pas
toutes les nuits sur cinquante jeunes garçons (« Ils ont
ton âge ») privés d'amour et d'avenir, et déments à force
de désespoir ? Un jour, mon père m'avait emmené au
Mont-Providence ; il y avait dans la cour de l'hôpital

de pauvres enfants morveux et sales qui me regardaient, la bouche ouverte, et les yeux fixes. J'étais si lâche que, refusant d'aller travailler avec mon père, je préférai à cette maison des morts un stupide emploi de colporteur : je vendais des beignes et des gâteaux, de porte à porte, un panier sous le bras, dans cet apprentissage d'une autre sorte de démence et d'une autre sorte d'humiliation dont je me vengeais dans la trivialité.

L'appétit charnel de Hugo a toujours eu pour moi quelque chose de bouleversant : pouvait-on (me demandais-je à dix-sept ans) tant aimer l'amour ? Est-ce que tout le monde était un satyre ? Mais comment ne pas me rappeler ce prêtre qui me disait que la chasteté excitait chez le poète le besoin de créer et transfigurait ses poésies ? Mais comment ne pas me rappeler mon éducation puritaine, ces mots tabous et synonymes de perdition, comme pénis, comme vulve, comme seins (que Grand-Mère dissimulait sous de petites taies d'oreiller en plumes de poule) ? Mais comment oublier la joie que j'avais de contempler en photo le pubis velu d'une jeune femme nue au sortir de son bain, photo que j'avais achetée d'un camarade (pour vingt-cinq cents), et à la vue de laquelle je me livrais à ce que l'aumônier de l'école appelait de vilains jeux de mains ? Oh, ce pauvre plaisir solitaire dont on m'avait dit quand j'étais tout petit qu'il me conduirait tout droit dans les Enfers pour l'éternité ! « Et tu souffriras par là où tu as péché », m'affirmait-on. Et moi, dans ma folle innocence, je m'imaginais que Satan me lierait à un

Léonie d'Aunet-Biard.

Juliette Drouet
à l'époque de *Lucrèce Borgia*.

Judith, fille de Théophile Gautier.

Sarah Bernhardt.

poteau et qu'il poserait sur mon pénis en érection des charbons ardents, et il me semblait que mon pubis grillait et que le feu brûlait jusque dans mon crâne !

Que d'horreurs nous a-t-il fallu vivre avant que nous apprenions la banalité du sexe !

C'était l'affreux temps de la misère à la campagne où nous étions perdus, mon père ne sachant rien des choses de la terre, pestant à cause de cette ignorance qui lui faisait perdre tant d'heures — et les douze enfants à nourrir, croix quotidienne et lassante et hostile, et la petite école dans le champ et les filles que nous transportions sur nos épaules, et cette belle Noëlla aux cheveux noirs et longs et qui avait de si belles cuisses que mon frère mettait à nu quand il la faisait monter sur lui, et moi trop timide, n'osant le faire, et m'imaginant la pression des cuisses dans mon cou, la chaleur de l'entre-jambes, et moi rougissant, et moi rêvant éveillé. Et mon frère et moi nous avions entraîné une jeune fille dans le bois et l'avions déshabillée (oh, fesse et tache noire sur la fesse). Et ce grand taureau qui broutait paisiblement dans le pré, et que nous agoussions avec des cailloux quand nous allions aux fraises, et le grand taureau furieux qui écornait les buttes de terre, grognait, piochait, sortait son long sexe, et nous battions des mains quand, obsédé par le va-et-vient de son membre, il se recroquevillait, s'arqueboutait, la gueule ouverte, fou de ce désir qu'il avait de couvrir une femelle. Et plus tard encore, dans le petit parc derrière la maison, ces longues conversations sur les prostituées,

51

et cette phrase que j'avais entendue : « Est-ce qu'on pourrait lui entrer une bouteille de bière dans son sexe à Simone ? » Oui, cette vulgarité qui était notre lot à tous et de laquelle nous ne sortions jamais parce qu'elle nous ressemblait trop, qu'elle était à notre image, celle de l'enfance sans poésie. Et femmes toujours femelles et jamais femmes ! Et hommes tristes, dépossédés, dont la copulation malaisée n'était qu'acte de chair et non pas manifestation d'amour. Et pourtant la joie de l'ignorance — les ressorts des lits qui craquent sous la violence des coïts furieux — les grandes herbes écrasées sous le soleil — la bonne humidité des fornications dans les meules de foin. Oh, que serions-nous donc devenus si nous n'avions eu un sexe quand nous ne possédions rien ?

Et ceci dans *Les Canadiens errants* de Jean Vaillancourt, cette phrase si parlante :

« Ce sont de vraies jeunes filles canadiennes-françaises de la province de Québec, et j'ai jamais parlé à une depuis que j'suis au monde », songeait le silencieux Richard avec des sentiments extraordinaires. « J'pourrais parler à ces deux-là avant qu'y s'en aillent, si je l'osais. Si j'étais pas un tramp. Si j'savais seulement comment on parle à ces filles-là. Si j'parlais pas depuis six ans la langue française comme on marche dans le fumier et comme on sent l'écurie. Si j'étais pas si gêné devant des filles d'icitte et si j'avais pas si câlicement raison de l'être. Si j'étais pas un revenant. Si j'avais pas peûre de leur faire peûre et si j'savais seulement quoi leu' dire, —

52

si j'avais pas peûre qu'y rient de moé, ces filles qu'ont jamais rien vu. »

Aujourd'hui que j'essaie de comprendre, tout cela m'étonne ; je suis passé si rapidement de la normalité à l'anormalité, comme si les choses sexuelles s'étaient brusquement vidées de toute leur poésie et de toute leur simplicité. Sans doute tout cela est-il une question de morale. Notre éducation sexuelle n'était finalement qu'une répression terrible contre laquelle nous ne pouvions nous défendre qu'en entrant dans l'illégalité. Par exemple, à l'épicerie où je faisais toujours le trafic des bouteilles d'eaux gazeuses, il y avait une jeune caissière qui sortait tout droit des annonces télévisées. Ce qui veut dire qu'elle n'était pas très jolie, mais qu'elle avait de gros seins et qu'elle était une maniaque du sexuel, comme elle disait. Elle venait souvent me rejoindre dans la cave où je rangeais les caisses de coca-cola. Elle ne me parlait d'abord pas, venait derrière moi, me collait ses seins dans le dos, défaisait ma fermeture-éclair et glissait sa main dans mon pantalon. Et elle ne voulait pas que je la touche. Et elle me disait les pires obscénités. Il y avait aussi cette fille étrange, belle, à la voix rauque, et à qui il manquait un doigt. Avec des camarades, nous allions à la plage Idéal le samedi soir et, dans l'auto, nous buvions en nous y rendant un quarante onces d'alcool, à même la bouteille. Une fois qu'elle était saoule, la fille tombait en crise. Tout commençait toujours bien, nous n'avions que le temps de bien nous exciter, et voilà qu'elle s'allongeait tout à coup dans le sable, roulait sur elle-même et poussait des hurlements effrayants. Et souvent, quand ce n'était pas les filles qui étaient folles, c'était leur mère. Tout cela est désormais bien loin et tout ce qui m'inquiète est que je me sois si facilement laissé conscrire par ces phénomènes qui faisaient dire à Joseph Conrad et à Blaise Cendrars que les femmes sont une parfaite malédiction, en ce sens qu'elles constituent, pour l'homme créateur, un frein terrifiant, pour ne pas dire une aliénation. J'ajouterai toutefois que je comprends mieux maintenant les hésitations de Kafka envers sa Miléna chérie, cette fiancée toujours fiancée et jamais femme épousé. Kafka a bien compris que si Miléna ne se contentait plus de son amitié, il était perdu, ses actes créateurs s'abolissant alors dans la femme qui aurait tué en lui jusqu'au possible de l'écriture.

Hugo a, envers la femme, une méfiance que je qualifie de puritaine, en ce sens que c'est un homme qui ne se donne jamais. Hugo n'a rien à dire à la femme. Que des banalités dont il n'est jamais dupe parce qu'il les répète inlassablement à toutes les femmes qu'il séduit. Ses billets à Juliette Drouet, à Léonie Biard, à Blanche et à Judith, se ressemblent tous. Ce sont volontairement les mêmes mots, les mêmes formules où « l'ange aux ailes déployées » reçoit les mêmes caresses littéraires que le romantisme avait bien mis à la mode :

54

Adèle Foucher (Mme Victor Hugo).

« O, toi que j'aime, mystérieuse épouse de ma nature et de ma destinée, vois-tu, dans les moments où je pénètre dans toi, où nous sommes, moralement et physiquement, tellement mêlés l'un à l'autre que nous ne faisons plus et que nous ne sommes plus en réalité qu'un seul être, qu'un seul corps, qu'une seule âme, dans ces moments-là, je voudrais mourir, car il me semble que c'est le ciel qui commence et je voudrais le continuer en quittant la terre. Il me semble que nous sommes là, toi et moi, que nos âmes palpitent et s'entr'ouvent et que nous n'avons plus qu'à nous envoler. »

On n'a qu'à lire ses romans pour se rendre compte que Hugo a toujours été incapable de tirer quoi que ce soit de la femme. Dans *Les Misérables* comme dans *Les Travailleurs de la mer*, il en a fait une créature diaphane, fragile et pour ainsi dire absente à ce qui se passe. Dans *L'Homme qui rit,* la duchesse Josianne est une monstresse, une folle qui tend des pièges à un pauvre type qui a été mutilé dans l'enfance alors que des bandits lui ont fendu la bouche jusqu'aux oreilles pour pouvoir le vendre à un cirque. C'est cette laideur que Josianne poursuit ; ce n'est pas l'amour, mais cette jouissance particulière d'une copulation avec une espèce d'infirme qu'elle terrorise. Tout le sentiment de Hugo envers la femme est là, quoi qu'il dise dans les lettres qu'il leur adresse. Dans un reliquat au poème *Dieu,* Hugo a écrit ces vers :

... Comme elle est coupable, elle est l'inférieure.
L'Homme seul sur la terre est du sexe de Dieu.

Hugo ne fait que deux exceptions : pour l'enfant et pour la mère qui ne sont plus tout à fait des femmes. Pour le reste, il n'a jamais modifié sa pensée. Ce qu'il veut de la femme, c'est la chair :

Femmes, vous donnez le cœur et nous prenons le corps.

Il dira aussi :

Il n'y a en définitive pas d'autre limite que celle-ci : tant que l'homme peut, tant que la femme veut.

Et :

« La continence prolongée aboutit souvent à la lascivité ; quand l'ermite est vieux, il se fait diable. »

Lorsqu'on a dix-sept ans, on aurait mauvaise grâce à n'être pas idéaliste. J'étais parfois tenté par la virginité de Valjean et de Gilliatt, je me disais que je n'avais que le droit d'être seul, que l'amour, et la recherche de l'amour, était plus qu'une perte de temps, une perte d'énergie. Hugo, encore une fois, avait un beau mot pour dire cela, il parlait du « monstrueux sperme Océan ». Et je voulais tant écrire, et j'étais si obstiné, et je croyais tellement qu'être silencieux, en un temps où j'avais un si grand besoin de crier, était une forme de sacrilège. Aussi ai-je écrit neuf romans cette année-là. L'imagination, c'est l'intelligence en érection, a écrit Hugo. Ce que je faisais ne valait rien sans doute car j'y mettais trop d'un moi que je ne maîtrisais guère. Mais c'est commencer qui est difficile. On n'arrive pas du premier coup au dédoublement, il est malaisé d'être soi-même et quelque chose de plus que soi-même. Il y a tant de vérités à apprendre, tant de lectures de Hugo à refaire pour sortir vraiment de l'impuissance.

5

En littérature, je suis pour les Mongols contre les Persans, je suis pour la Barbarie contre le Raffinement. Curieusement, mes premières lectures ont été à l'opposé de cela : il y eut d'abord Georges Duhamel, puis Julien Green, puis François Mauriac, puis André Gide qui, à lui seul, représente tout ce que la littérature occidentale a de décadent et de pétrifié. A cette époque, je l'ignorais évidemment : je voulais tant être écrivain que j'étais prêt à être l'esclave de bien des servitudes. Au niveau du style, cela voulait dire que je m'imposais le dépouillement, l'économie des images et, partant, une certaine sécheresse qui s'obtient en raturant : il fallait que je dise l'essentiel dans le moins de mots possible, et tout en n'étant jamais excessif. J'étais naturellement contre l'utilisation du joual en littérature, et je me souviens d'avoir écrit dans *Le Devoir* un billet extrêmement dur contre le *Pleure pas, Germaine* de Claude Jasmin. Aujourd'hui je sais que j'ai fait cela en réaction contre mon milieu, contre le joual trop parlé à Morial Mort. Et qui dit joual dit pauvreté, misère sociale et intellectuelle, ce contre quoi je voulais tant me battre. Le joual était pour moi cette « épouvantable langue crapaude qui va, vient, sautèle, rampe, bave, et se meut monstrueusement dans cette immense brume grise faite de pluie, de nuit, de faim, de vices, de mensonges, d'injustice, de nudité, d'asphyxie et d'hiver, plein midi des misérables ». Autrement dit, j'étais fier et je voulais être digne. Pourtant, je vivais en pleine contradiction, prisonnier de mes maîtres à penser, dans le vase clos de ma culture, coupé de la réalité, coupé de ma famille. Si tous mes romans de cette époque ont lamentablement avorté, j'y vois maintenant une raison : ils ne parlaient pas de ce que je vivais, je les situais dans des lieux mythiques. Le visage de mes personnages était dissimulé derrière un masque, celui d'un langage qui voulait être beau. Alors mes créatures étaient des monstres abstraits marchant sur une corde raide : ils n'exprimaient que ce que je n'étais pas, ils taisaient l'essentiel et tuaient mon imagination. Pendant quelque temps, j'en vins même à n'écrire que des aphorismes. J'étais devenu un jeune vieux bonhomme sec qui s'emplissait d'amertume. Oh, l'épouvantable période noire. Oh, ce mal effrayant de l'écrivain n'écrivant plus que sur l'impossibilité de l'écriture. Mais j'eus encore une fois de la chance : je lus coup sur coup deux auteurs à qui je dois beaucoup car ils ont été à l'origine du renversement de mes idées. Il y eut Louis Fréchette, et il y eut Rabelais. Les contes de Fréchette m'ont ouvert un monde, celui du jeu avec les mots. L'univers rabelaisien, lui, a fait éclater mes vieilles peurs, mes stupides impuissances. Peu de livres m'ont marqué autant que *Gargantua* et *Pantagruel* ; j'y trouvai « de

plaisir plus que n'ont les rogneux quand on les étrille »,
comme dit le fils de Grand-Gousier. Il y avait dans ces
« énigmes en prophétie » tant de vie, tant de joyeusetés
saines, tant de liberté, qu'il y aurait de quoi, comme
l'affirme Rabelais, composer un beau et grand livre.
Qu'il suffise que je dise qu'après avoir lu Fréchette et
Rabelais, j'étais prêt à rouvrir *Les Misérables*. La bonne
humeur de Hugo ne demandait que des compères capables d'aimer « les bonnes gorges » et ce que François
Hertel, après le bon moine, appelle les propos de « haulte
graisse ».

Au Québec, nous avons été longtemps à nous priver
de la liberté du jeu avec les mots. A la vérité, nous
n'avions pas le temps d'avoir de l'humour, et pas la
force. Nous n'étions pas un peuple sain, en ce sens
que l'immédiat exigeait tout de nous. Pourtant, nos
pères connaissaient bien l'art de jouer avec les mots.
Toute notre tradition orale est pleine de ces contes
joyeux qui disent bien que nous étions une tribu au
verbe audacieux qui avait l'instinct du langage. Dans
cette perspective, *Originaux et détraqués* de Fréchette
est un livre d'une grande importance : tous ces profils
d'hommes québécois rieurs, volontiers grivois et grands
amateurs de jeux de mots, sont justes en ce qu'ils laissent une impression de bonne santé. On joue avec
les mots quand on a l'esprit libre. Paradoxalement, le jeu
de mots devient impossible si on ne dresse pas un
écran entre soi et le monde. Prendre un mot, le décorti-
quer de son enveloppe apparente, en boire la substance

61

pour la transformer, demande, quoi qu'on pense, une recherche sévère et une connaissance intuitive de la force de verbe. Celui qui joue avec les mots est un sorcier qui transmute le langage, le désamorce ou, au contraire, le fait éclater de mille signifiances nouvelles. Tout ce qui m'intéressait chez Maurice Duplessis, c'était cette facilité qu'il avait de faire des calembours. Or le calembour est d'abord un acte de dérision, une flèche d'or enfoncée dans la pomme pourrie qu'a sur la tête toute société. Quand Duplessis disait d'un monsieur Watt, président anglophone d'une compagnie hydroélectrique, qu'il n'était pas étonnant qu'il ne puisse pas parler français parce qu'il n'était même pas un « kilowatt mais seulement un watt », il se livrait, peut-être sans s'en rendre vraiment compte, à une critique de son milieu. Les mots veulent toujours dire plus que le sens qu'on leur donne. Les mots sont des pièges. Sous le langage officiel, il y a un langage souterrain. Duplessis savait cela d'instinct. S'il a abusé de cette facilité qu'il avait d'inventer des calembours, c'est que cela lui permettait de rire du monde. Lui qui était si traditionnaliste a été, sur le plan du langage, d'une ingéniosité parfois étonnante. C'est peut-être pour cela que nos intellectuels, par réaction, ont toujours crié haro sur le baudet esprit. Ils lui ont donné tous les vices, ils l'ont rendu responsable de toutes les misères. Ils n'ont pas pas compris que par la déformation du mot, l'on entre dans une espèce de paradis de la parole, dans un lieu de liberté dont l'expérimentation pouvait déboucher sur quelque chose d'important. Nos écrivains ont toujours choisi la voie étroite, c'est-à-dire qu'aspirant à l'universalisme (qui s'est toujours limité à l'universalisme de Paris), ils ont fait une littérature de réduction. Il y a une école de pensée qui veut que « vingt fois sur le métier on remette son ouvrage ». En réalité, cette élégante formule veut dire qu'il convient, lorsqu'on décide de faire œuvre littéraire, de se dépouiller jusqu'au bon goût, d'aspirer à un académisme de bon aloi, de fuir l'outrance et l'outrage aux mots qu'on considère comme sacrés. Sachant cela, il devient facile de comprendre que Rabelais a toujours été le gros méchant diable à éviter, l'affreux moine au verbe grossier qu'il fallait, rhétoriquement parlant, reconduire, bien bâillonné, à son abbaye. Presque toute notre littérature fut l'opération d'embaumeurs de la parole dont le métier consistait surtout à rendre non putrescibles les mots, ces choses mortes lorsque, dans la crainte d'être éclaboussé, on les vide de leur substance. Rabelais parlait déjà de la panse des mots et ce n'est pas pour rien que nos critiques nous ont toujours mis en garde contre le calembour qui serait, selon l'expression consacrée, la fiente de l'esprit. Personnellement, je préfère la définition qu'en donne Hugo : « Le calembour est la fiente de l'esprit qui vole. » C'est ce qui s'appelle situer autrement le problème. C'est ce qui s'appelle avoir une belle conception de ce qu'est le langage. Quand Claude Jasmin écrit : « Refuser les jeux de mots, les calembours : l'esprit des sots. Ne pas briller », il n'exprime qu'une absence de liberté, il avoue qu'il n'a

pas le sens de la parole et qu'il commet l'erreur tra-
ditionnelle qui est de ne pas croire à cette force du
langage se créant de lui-même, de ses déchirements,
abandonnant ses masques usés pour entrer dans le
nouveau monde où le mot détruit le mot, devient gre-
nade, et symbole de la communication impossible, c'est-
à-dire symbole de l'humanité parlante mais ne com-
prenant plus. Ramener tout cela à un besoin de briller
s'appelle couper court à tout ce qui constitue le vrai
problème de l'écrivain : l'expérimentation du langage.

Le peuple, lui, a un instinct sûr du langage. Le
peuple est un grand inventeur de mots. Si mon père
faisait beaucoup de calembours, c'est qu'il avait compris
que celui qui sait jouer avec les mots n'est plus tout à
fait comme les autres, qu'il entre en quelque sorte dans
l'illégalité de la parole, qu'il creuse, comme dit Hugo,
l'obscurité du dire. Et il ajoute : « La métaphore est
parfois si effrontée qu'on sent qu'elle a été au carcan. »
Le jeu avec les mots nait d'abord d'un grand besoin de
liberté — et de liberté immédiate. Le calembour meurt
dès que dit, il n'est jamais rescapé par l'usage, la tradition ou le dictionnaire. Il est le jeu et l'enjeu de
l'instant. Il n'y a pas de temps pour le calembour, c'est
une langue perpétuellement en fuite, comme dit encore
Hugo.

Évidemment, Hugo qui avait lu les anciens, Hugo
qui était toute admiration devant Rabelais, ne pouvait
pas ne pas comprendre l'importance de cette « langue
dans la langue ». Il en a parlé souvent, dans ses carnets,

dans son journal, dans ses romans, dans son théâtre et dans ses poèmes. *Les Misérables* pullulent de jeux de mots. C'est par exemple ce court dialogue entre Tholomyès et Blachevelle, des Amis de l'ABC :

— Tholomyès, dit Blachevelle, contemple mon calme.
— Tu en es le marquis, répondit Tholomyès.

Ce Tholomyès ne manque d'ailleurs pas de génie. Dès qu'il est saoul, il n'arrête plus de parler. Tholomyès, comme Gavroche, ne vit que par le langage. Il dérive sur ce fleuve de mots, se cogne à tous les écueils qui ne lui font mal que l'instant d'une bonne blague ou d'un jeu de mots. Lorsque Tholomyès envoie une lettre d'adieu à Fantine, il écrit : « Si cette lettre vous déchire, rendez-le lui. » C'est aussi à lui qu'on doit ce spirituel quatrain :

Elle était de ce monde où coucous et carrosses
    Ont le même destin,
Et, rosse, elle a vécu ce que vivent les rosses,
    L'espace d'un mâtin !

Grantaire, lui, a ce bon mot au sujet du crucifix, il dit : « Voilà une potence qui a réussi. »

Les carnets de Hugo sont pleins de mots de ce genre qui disent bien l'importance que le poète leur accordait, lui qui savait que « la vie est une phrase interrompue » faite d' « hippogriffes à roulettes », de « Pégase en carton », d' « obscures algèbres » de « mots Belzébuth » dont l'ensemble forme la comédie humaine du verbe. C'est ainsi que Hugo pouvait s'écrier :

Mieux que qui que ce soit, je sais en vaillant drille,
Vider une bouteille et remplir une fille.

Il disait aussi :

« C'était la saison des vendanges ; de la route où
nous passions, on apercevait au haut de la côte, parmi
les vignes, des cultivatrices penchées sur la terre et
dont on voyait surtout la première syllabe. »

Et :

Je reçus de cet être une lettre assez farce
Qui commençait ainsi : Dieu vous bâille une garce.

Et toujours :

Quoi donc, Juifs et romains,
Vont en venir aux mains,
Dit Héliogabale.
Qu'on les fusille tous,
A poudre les plus fous,
Mais Elie, Og, à balle.

D'ailleurs, l'impuissance du mot à nommer peut
être renversée au moyen de l'imagination. Cela donne
cette rime géniale de *Booz endormi* alors que Hugo,
cherchant une rime en « ait » qui terminerait aussi le
nom d'une ville biblique, trouva *Jérimadeth* (Je-rime-à-
dait). De même, dans ce poème de *l'Ane*, ces vers qui
vont beaucoup plus loin que la gratuité du jeu :

O révolution ! anarchie ! il vous semble
Que l'aphabet lui-même, entre vos pattes tremble,
Que l'F et que le B vont se prendre au bec,
Que l'O tourne sa roue aux cornes de l'Y,

Horreur ! et qu'on va voir le point, bille fatale,
Tomber enfin sur l'I, bilboquet tantale !

Il a aussi écrit :
... D'où vient le verbe ? ...
L'O c'est l'éternité, serpent qui mord sa queue.

Dans une note du *Tas de Pierres,* il allait jusqu'à
écrire, toujours sur le même sujet, cette réflexion qui
nous ramène à Rimbaud :

« Ne penserait-on pas que les voyelles existent pour
le regard presque autant que pour l'oreille et qu'elles
peignent des couleurs ? On les voit. A et I sont des
voyelles blanches et brillantes. O est une voyelle rouge.
E et EU sont des voyelles bleus. U est la voyelle
noire.

« Il est remarquable que presque tous les mots
qui expriment l'idée de lumière contiennent des A ou
des I et quelquefois les deux lettres ; ainsi : lumière, briller, scintiller, étincelle, pierreries, étoiles, Sirius, soleil,
ciel, resplendir, œil, luire ; — astre, ange, éclat, aube,
flamme, flambeau, allumer, auréole, candélabre, lampe,
escarboucle, regard, matin, planète, Aldébaran, rayon,
éclair, diamant, braise, fournaise, constellation.

« Les mots où se trouvent mêlées l'idée d'obscurité
et l'idée de lumière contiennent en général l'U et l'I ;
ainsi : Sirius, nuage, nuit (la nuit a les étoiles). Aucune
de ces deux voyelles ne se trouve dans la lune qui ne
brille que dans les ténèbres. Le nuage est blanc. La

nuée est sombre. On voit le ciel à travers le brouillard ; on ne le voit pas à travers la brume. »

« Parler, disait Hugo, c'est abuser ; penser, c'est usurper. La voix sert à se taire, et l'esprit à ramper. » Pourtant, personne n'a mieux que lui fait reculer les bornes de la parole que souvent il comparait à une équation algébrique qui, une fois résolue, devait affirmer le monde — et départager le connu du mystère :

L'inconnu, rocs hideux que rongent les varechs
D'A plus B ténébreux mêlés d'X et d'Y grecs...

Et :
Je dirai le fond de l'âme
Et le Z de l'ABC.

La lettre Z l'a d'ailleurs longtemps obsédé. Dans le *Tas de Pierres*, Hugo note qu'il veut écrire un livre sur la langue primitive, que Z est une lettre mystérieuse, la dernière de l'alphabet, la lettre de « la route faite », de « la marche terminée » : Sederer. S'asseoir. S'asseoir n'est pas s'endormir. Zed devient sed, et signifie mais. Hugo prétendait aussi qu'il y avait dans son *William Shakespeare* une phrase — une seule — qui constituait la somme de ce qu'il pensait et était. Il croyait également à la valeur de certains signes cabbalistiques et avait fait des recherches sur les mots « Abac » et « Abracadabra » qui représente le nombre 365 selon les lettres de l'alphabet grec. C'est donc dire qu'il croyait aux mots porteurs de symboles. D'où ce court poème intitulé *Querelle du 6 et du 9* :

69

                    Le 9
            Le 9 sème, le 6 récolte.
                    Le 6
            Tais-toi, tu ressembles au g.
                    Le 9
            Tu n'es que le 9, en révolte.
                    Le 6
            Tu n'es qu'un 6, découragé.

Ce qui m'a toujours étonné chez Hugo, c'est sa curiosité. Cet homme-là voulait tout connaître, tout voir, tout comprendre. Ce n'est pas pour rien qu'il s'est intéressé au patois des habitants de l'Archipel de la Manche et qu'il a fait beaucoup d'études sur l'argot. De même, il a toujours été très attentif à la langue enfantine, grande créatrice de mots et de mythes. Hugo était toujours aux aguets, il notait tout, une parole entendue dans la rue, un bon mot d'académicien, une contrepèterie d'un collègue, une grivoiserie relevée dans la petite histoire. Je pense qu'il avait ses raisons de le faire, certaines phrases en disant plus que des romans dont elles sont des raccourcis. On comprend tout de suite à quoi veut en venir Hugo quand il écrit :

« Le duc. Il disait de telle chanoinesse de qualité : Elle a la peau blanche et une belle chute de reins. »

Et :

« Aspasie était nue ; Cléopâtre était nue ; Penthésilée avait pour tout vertugadin une peau de tigre ; la chaste Nausicao montrait tout et n'en était que plus jolie.

Christine de Suède recevait les ambassadeurs couchée toute nue sur un lit de velours, si bien que Hugo Crotius, qui fut honoré de ce coup de soleil, en eût le nez rouge toute sa vie. Henri IV disait à Marie de Médicis devant Lavardin : « Trousse ta cotte, Marion. » La première chose qu'ait faite Mlle d'Orléans, fille de M. Régent, en devenant reine d'Espagne, ç'a été de traverser le grand jardin du Buen-Retiro avec ses jupes relevées par-dessus sa tête. C'est comme cela qu'on civilise un peuple ! »

Peut-on mieux dire l'homme ? Dans tout ce que fait Hugo, il y a une morale. Ses calembours et ses mots d'esprit n'y échappent pas. Il les écrit d'ailleurs dans ce but, c'est-à-dire qu'il leur donne une fonction qui est celle de juger la société dans laquelle il vit, de la tourner en ridicule à force de la caricaturer, de la noyer dans l'océan de sa bêtise et de sa petitesse. Ces flèches ne manquent jamais leur cible. Ainsi lorsque Hugo écrit : « J'ai fait dans ma jeunesse quatre ans de mathématiques. Mon professeur, M. Lefebvre de Courcy, me demandant un jour : « — Eh bien, monsieur, que pensez-vous des x et des y », je lui répondis : « C'est bas de plafond. » Ou quand il use de ce prétexte pour parler d'un critique qui a démoli ses livres : « Rencontre dans le fort d'un dogue qui, brusquement, s'est jeté sur moi. Il allait me mordre. L'imminence d'un grand coup de pied l'a fait reculer. Pourquoi cette bête me hait-elle ? Cela a peut-être été homme, et envieux. C'est peut-être Gustave Planche promu chien. »

Et admirez les farouches descriptions que Hugo fait de ses contemporains ! Il dit d'Argout : « Ma pincette ressemble à M. d'Argout, l'ancien ministre. Elle a la tête très petite et les jambes très longues. » De l'auteur de comédie, M. Trognon : « M. Casimir Bonjour disait un jour à M. Trognon : « — Vous avez un nom horrible. Il est impossible d'en rien faire. Otez le t, il reste rognon ; ôtez l'r, il reste ognon ; ôtez l'o, il reste gnon, ôtez le g, il reste non ; ôtez l'n, il reste on. » De Cavaignac, homme de main de Napoléon III : « M. de Luynes me disait tout à l'heure : « — Quand Cavaignac est à la tribune, il penche tantôt vers le bon sens, tantôt vers la gaucherie. » J'ai répondu : « Il verse souvent. »

Lorsque Balzac est refusé à l'académie, Hugo entre dans une grande colère. Son collègue Dupin l'interrompt brusquement pour lui dire : « — Diable ! Diable ! Vous voudriez que Balzac entrât à l'Académie d'emblée, du premier coup, comme ça ! Vous citez des exemples, mais ils ne prouvent rien. Songez donc ! Balzac à l'Académie ! Vous n'avez pas réfléchi. Est-ce que cela se peut ? Mais c'est que vous n'avez pas pensé à une chose : il le mérite ! »

Et, à la date du 21 mars 1847 :

« Mlle Mars est morte ; dans son mois. »

Et de cette comédienne très maigre et devenu enceinte, Hugo note ce bon mot d'une rivale, Mlle Rachel :

« Elle me fait l'effet d'une ficelle où il y a un nœud. »

72

Pair de France, puis représentant du peuple, Hugo relevait avec amusement les perles que commettaient ses collègues à l'Assemblée. « Le financier Goudchaux, ancien ministre, est à la tribune ; il commence : « La révolution de féveurier... » On rit, il se reprend : « — La révolution de feuvrier... » On rit de plus belle. Il essuie le velours avec sa main gauche, d'un air satisfait. » En septembre 1848, Hugo jette sur le papier cette note : « L'Assemblée continue à s'égayer. Quand M. Joly est à la tribune, on dit sur les bancs de la droite : « — Joly parle, Joly ment. » Et M. Deville qui affirme avec le plus grand sérieux : « — La République a de magnifiques mamelles », se retrouve tout étonné quand un membre lui réplique, dans les éclats de rire de l'Assemblée : « — C'est pour cela qu'elle nous donne tant de lait ! »

En quelques traits de plume, Hugo vous cloue un homme « au gibet de sa médiocrité ». Et son époque avait donné la parole à tant de minables, à tant de ce que Pa appelait « les petites têtes » que ce n'est pas sans plaisir que dans ses carnets Hugo leur donnait le mauvais rôle. Par exemple, de Montalembert qui représentera en 1851 tout ce que la droite a d'opportunisme, d'étroitesse d'esprit et de démagogie politique, Hugo écrira :

> Je n'ai que le sifflet ; il a le sifflement.
> Judas, le pendu des ténèbres,
> N'est pas mort ; la corde a cassé.

Goulatromba, dessin de Victor Hugo.

Après une homélie de l'abbé Fayet, Hugo fait ce féroce quatrain :

Notre république est mal faite,
Tout y devient grotesque et laid.
La première avait La Fayette,
La nôtre n'a que le Fayet.

Critique sévère de l'Académie (ce chef-d'œuvre de la puérilité sénile, comme il a écrit) et de l'Assemblée de laquelle il dira qu'elle en est rendue là, c'est-à-dire à chahuter lorsqu'un orateur appelle Napoléon le Grand Homme, Hugo dépose un jour dans l'urne de votation :

74

Je ne voterai pas du tout
Car l'envie a rempli d'embûches
Pour le génie et pour le goût
Ces urnes d'où sortent des cruches.

A l'élection d'Empis à l'Académie, lorsque Lamartine envoie à Hugo ces deux vers :

C'est un état peu prospère
D'aller d'Empis en Ampère,

le poète lui répond tout de suite :

Mais le destin serait pis
D'aller d'Ampère en Empis.

Comme bien l'on pense, Hugo était détesté par ses collègues de l'Académie et de l'Assemblée. Il y a des choses qu'on n'avoue pas, tout de même ! Est-ce qu'un député a le droit de dire une monstruosité comme celle-ci, par exemple : « Il y a à l'Assemblée un borgne, M. Buffet. C'est dommage. Il a un assez beau profil grec. Une des causes de la haine de l'Assemblée contre moi, c'est que j'ai dit un jour : « — Il devrait être roi, ici ! » Est-ce qu'un homme public peut comparer l'Assemblée à des écuries si puantes qu'en comparaison celles d'Augias seraient une parfumerie ? Est-ce qu'on peut prendre au sérieux un représentant du peuple qui passe son temps à tourner en ridicule tout ce qu'on lui dit ? « Un nommé Girault vient de faire à l'Institut l'éloge de Dupin. On m'a dit : « — Vous savez, M. Girault a loué Dupin. » J'ai

75

répondu : « — Je savais qu'on pouvait l'acheter, je ne savais pas qu'on pouvait le louer. »

Quand il s'éloigne de ses amis du gouvernement, qu'il se promène dans Paris, Hugo a mille yeux, il voit tout. Gavroche n'est pas une créature née d'un hasard. Elle s'est formée lentement en Hugo, elle est le produit d'une observation continuelle. Il ne faut pas oublier que Hugo a été un journaliste brillant, le précurseur d'un Hemingway, dont le style direct, coloré, audacieux, presque tout en dialogues, a peu d'exemples au XIXe siècle. Ainsi Hugo recueillait les mots d'enfant : « Dépêche-toi ! — Je m'épêche, je m'épêche, répondit l'enfant. » Ou : « Ce môme-là, dit le gamin, je l'ai connu quand j'avais sept ans et qu'il en avait deux. Je l'ai vu bien farce de petitesse. » Il notait les affiches bizarres : « Nom sur une enseigne : *L'épouse Orgias Conard.* » Et : « Estaminet portant cette enseigne : *Café tenu par la veuve Sépulcre.* » Et s'il fait le croquis d'un visage, s'il rappelle le bon mot d'un passant, ce n'est pas seulement pour l'utilisation qu'il pourra en faire, mais aussi parce que ce diable d'homme, comme Héraclite et Rabelais, est amoureux de la langue verte : « A quoi pensez-vous ? — Moi, mais je ne pensais pas ! Il eût été difficile de penser avec un chapeau neuf ! » Tout cela lui parle, tout cela le passionne ; alors, appuyé contre un mur, il sort son crayon et son calepin, et écrit :

« Il y avait un vieil étudiant de quinzième année, appelé Lequeux. Ce pauvre diable avait du cœur et de l'esprit. Il eût pu avoir de l'avenir ; il le noya dans le vin. Il meurt à trente-cinq ans. Quelque temps avant sa mort, il donnait, dans le café où il passait ses journées, des conseils aux jeunes gens, de bons conseils de travail et de persévérance. Il ajoutait tristement : « Je suis un cadran d'horloge sur la façade d'une maison ; il montre l'heure à tout le monde, excepté à celui qui est dans la maison. » Et ceci : « Comme ce fossoyeur de la fosse commune, au temps du choléra, qui, mesurant de l'œil les alvéoles qui lui restaient pour ses bières, éprouvait un besoin d'enfants et disait : « Il me faudrait maintenant du petit mort. » Et : « Je m'appelle vit-trop. » Et : « Elle avait des locutions irréfléchies, elle disait : « heureuse comme une poule au pot ». Et : « A vingt ans, dit Mme Desbordes-Valmore, des peines profondes me forcèrent de renoncer au chant, parce que ma voix me faisait pleurer. » Et ce mot sur les éditeurs de Chateaubriand : « Les éditeurs des *Mémoires* de Chateaubriand allaient sonner chez lui pour voir s'il était mort. »

Au fond, c'est à la stupidité de ses contemporains que Hugo en veut, c'est au maréchal de Richelieu écrivant : « Je cuis de la Cadémie », c'est à ce vaniteux qui se croit « géologue et n'est que puisantier », c'est à « ces femmes qui retournent chez elles avec leur corset dans leur manchon », c'est à « ces cariatides de la paresse », ces « larves sinistres du chemin » qui n'ont que le génie de leur petitesse. Et puis, Hugo ne fait souvent que constater, il est auditeur et specta-teur avant tout, il ne provoque presque jamais, il est agressé : « Mme de Staël regardait un jour M. de Barante dans une sorte de contemplation rêveuse. Tout à coup, elle s'écria : « Quand je pense que j'ai aimé ça ! »

Et ces coups de gueule, ces brefs jugements à mi-chemin entre la caricature et la charge ! De Lamennais, Hugo écrit : « Première phase : sans calotte. Deuxième phase : sans culotte. » De Proudhon : « C'est un bœuf qui laboure, mais c'est un eunuque. » De Pierre Leroux : « La grenouille qui veut se faire aussi grosse que le bœuf. » De Wagner : « Un talent dans lequel il y a un imbécile. » De Sainte-Beuve : « Il n'était pas poète, et n'a jamais su me le pardonner. » De Jules Lefèvre : « Il élabore sa pensée avec peine et souffrance. Il a des hémorroïdes au cerveau. » De Pierre Leroux : « Si Pierre Leroux était bon, ce serait le meilleur des hommes. » De Gœthe : « Beau torse sans cœur. » D'Alfred de Musset : « Esprit charmant, aimable, fin, gracieux, délicat, exquis, petit. » De Jean-Jacques Rousseau : « Elle me dit : — Jean-Jacques Rousseau, c'est beau, mais c'est trop humide. » De son collègue About : « Il a raillé la littérature hugolâtre. Je n'exercerai aucune représaille sur la littérature aboutique. »

C'est de langage qu'il s'agit tout le temps. Hugo était près de ce qu'il faisait, c'était un ouvrier qui connaissait admirablement bien la valeur des matériaux qu'il voulait utiliser. Si je me suis passionné pour ses aphorismes, si j'ai été sensible à son style, à ces longues phrases dans lesquelles les métaphores se répondent les unes aux autres comme un mécanisme d'horlogerie fait de poids et de contre-poids, c'est à cause de cette foi qu'il mettait dans la parole. Tout pouvait donc être dit ? Une fois cela compris, je pouvais à mon tour expérimenter certaines formules, creuser la langue verte qui, s'amalgamant à la langue ordinaire, pouvait donner la mesure de ce que nous étions. Personne, au Québec, n'a fait véritablement l'expérimentation du joual. On s'est contenté de transcrire ; à partir de ce qu'on a découvert, l'on n'a pas créé, l'on s'est satisfait d'un exotisme qui a contribué à fausser les données du problème. Pourtant, l'œuvre d'un James Joyce ou d'un Ezra Pound aurait dû nous inciter à une recherche plus profonde et mieux soutenue. Au lieu de quoi le joual est toujours demeuré en deçà de la littérature. C'est un cheval qui n'a jamais appris à courir. Hugo écrivait : « Exprimer l'homme, mais le dépasser ; c'est là le secret de la grandeur. » J'ai parfois l'impression que le romancier québécois n'exprime pas l'homme d'ici, que ses livres sont les hauts-lieux de l'inconscience, que jamais l'écrivain ne s'interroge sur son œuvre qu'il bâtit au hasard, au jour le jour, heureux comme un petit chien quand il met enfin le point final à un roman dont lui-même n'a jamais essayé de comprendre la vérité profonde. Si l'écrivain ne sait pas ce qu'il fait et au moment où il le fait, je dis que rien n'est possible, qu'il est temps de relire Rabelais, Melville, Roussel et Hugo. On y réfléchira sur des phrases comme celle-ci, qui devraient faire comprendre pas mal de choses : « La pensée de l'homme de génie est une vrille sans fin. Le trou qu'elle fait va toujours s'approfondissant et s'élargissant. » Et : « Il y a dans l'homme un autre que l'homme, et cet autre est situé dans les profondeurs. »

6

Disons-le tout de suite : je ne suis pas un spécialiste de Victor Hugo. Tous les jours, j'apprends qu'on n'en a jamais fini avec lui. Des fois, je crois bien le saisir, je pense que j'ai tout tiré de lui, je m'imagine que je le connais parfaitement et, au nom de cette connaissance, j'essaie de le rapetisser à quelques thèmes. Or Hugo est toujours au-delà de cela, il est trop vaste pour être dit en quelques formules qui seraient la caricature de lui-même et de ce que je suis. Raymond Abellio disait que devant la femme il fallait se mettre en état d'ordination. J'ai cette attitude face à Hugo. Je le vois, ses gros livres sont sur ma table de travail, ouverts à des pages notées, et je me rends compte tout à coup qu'il y a eu, dans ma ferveur de lui, une progression constante. J'ai d'abord aimé dans ses livres ce qui était facilité, car c'était cela qui me parlait le plus, c'était à cela que je pouvais opposer mes références. Puis, lentement, avec le temps et ce que la vie gruge en vous, j'ai découvert autre chose qui est le sens plus ou moins caché de toute œuvre, celle qu'un lecteur doit trouver au fond de lui-même et porter à de nouvelles amplitudes. J'en ai eu très tôt contre le monde et contre moi-même. J'ai toujours eu l'impression que

81

A Vianden, Luxembourg, autre lieu d'exil. Dessin de Victor Hugo.

je jouais avec des dés pipés, que l'école, par exemple, ne disait que la face maquillée des choses. En grattant un peu, j'étais convaincu qu'une autre vérité allait se laisser découvrir et, comme dit le poète Allen Ginsberg, qu'elle allait modifier mon sens du monde. Cela n'est pas arrivé brusquement, cela a mis du temps à se frayer un chemin, cela commence seulement. C'est assez curieusement la querelle sur Dollard Des Ormeaux, ce héros qui n'en était pas un, qui m'a ouvert les yeux sur l'histoire. Mon enfance a été un culte pour Des Ormeaux. Le jour où j'ai compris que cet homme n'était qu'un coureur de bois (et moins qu'un coureur de bois, un voleur de peaux) dont nos historiens se servirent pour maquiller le vide qu'il y a dans notre passé, j'ai pensé qu'on avait bien pu faire le coup à d'autres. Jacques Ferron a dit tout ce qu'il fallait là-dessus : « Je m'occupe d'histoire parce que la sottise des historiens me fâche. On ne peut se fier à personne ni à rien dans ce bordel de pays. » Il n'est que d'élargir ce raisonnement pour comprendre qu'il s'agit là d'un état universel, que l'histoire est une trappe de sable, un piège efficace pour le conditionnement des foules, pour le viol des consciences sous le couvert rassurant de beaux principes humanistes. Toute l'histoire s'est construite sur le meurtre, la corruption, l'intimidation, la violence et le sang. Même l'art. Surtout l'art. Pendant que les Borgia assassinaient, ils subventionnaient les artistes. Pendant que l'Église brûlait les hérétiques, elle s'appropriait les peintres et les sculpteurs. Au fond, nous avons toujours vécu sous la coupe d'inquisiteurs. Évidemment, on a appris depuis le temps à y mettre la forme. C'est ce qui arrive quand l'histoire devient matière à propagande et grande prêtresse du dieu obscurantisme. L'homme éveillé constitue un danger pour le Pouvoir. Aussi tout l'art de l'histoire consiste-t-il à donner à l'homme l'illusion qu'il s'éveille, que son avenir lui appartiendra, que le monde, lentement, glisse dans le nirvana du bonheur. Tout se passe comme si l'homme était l'acteur d'un mélodrame dont il n'arrive que trop facilement à oublier la fausseté. L'homme devenu incapable de distantiation vis-à-vis de lui-même, l'homme noyé dans son monde et son histoire, soumis aux lois qui font des masses de grands ensembles lâches et passifs, l'homme avouant être incapable de se révéler autrement que par personne interposée, voilà le fruit de l'humanisme qui n'est jamais passé des livres à l'histoire. La farce est si bonne qu'elle durera longtemps encore. Nous vivons depuis longtemps d'effrayants cauchemars, nous connaissons des métamorphoses autrement plus abjectes, autrement plus désespérées que celles de Kafka. Nous sommes presque tous devenus des golems, c'est-à-dire des créatures d'argile dépossédées qui n'ont plus que le choix d'obéissance. Cela n'est pas la tour de Babel mais l'uniformisation dans la médiocrité et l'erreur. De sorte que l'homme qui sort de son sommeil s'enfonce dans la solitude. Nous deviendrons tous des schizophrènes ou l'État se mettra à subventionner les fumeurs de pot et autres bienheureuses drogues. Je peux paraître m'éloigner de Hugo mais je suis plus que jamais dans Hugo. Toute sa vie, cet homme n'a fait que dénoncer l'histoire, paravent hideux derrière lequel se cache le pouvoir. Pour cela, il n'eut pas besoin d'écrire de longues dissertations philosophiques. Il s'est contenté de rappeler à la mémoire des hommes des faits qu'il jetait au hasard dans ses livres. Il savait qu'il n'avait même pas besoin de les commenter ; ces faits, ils sont déjà pleins de leur condamnation, ils portent en eux leur jugement. Ce n'est pas pour rien que Hugo écrivait dans *Les Travailleurs de la mer* :

« Sous Marie Tudor, on y brûla, entre autres huguenots, une mère et ses deux filles ; cette mère s'appelait Perrotine Massy. Une des filles était grosse. Elle accoucha dans la braise du bûcher. La chronique dit : « Son ventre éclata. » Il sortit de ce ventre un enfant vivant ; le nouveau-né roula hors de la fournaise ; un nommé House le ramassa. Le bailli Hélier Gosselin, bon catholique, fit rejeter l'enfant dans le feu. »

Mais c'est cela l'histoire ! Une série ininterrompue de crimes, d'horreurs sans nom, d'exploitation de l'homme mis sous le joug de l'homme, par la force, l'ignorance, l'église et le mépris. Il n'y a pas de beauté dans l'histoire, que l'effroi. Et lisez ceci encore :

« Le judicieux et savant roi Jacques Ier faisait bouillir toutes vives les femmes de cette espèce, goûtait le bouillon, et, au goût du bouillon, disait : *C'était une sorcière,* ou *Ce n'en était pas une.* »

Le « Burg à la Croix ».

Le problème, c'est qu'on lit mal. Peut-être est-ce parce qu'on ne sait plus si cela est de la réalité ou du rêve. J'ai lu cette phrase de Hugo à quelques personnes. Elles n'ont trouvé que le rire pour s'en délivrer, ou elles ont dit : « C'est une bonne blague. » Le Vietnam aussi est une bonne blague, et le Biafra, et le Tchad, et le Brésil, et Hitler, et Napoléon, et les conquistadors, et Ghengis Khan, et toutes les guerres faites sur le dos du pauvre monde pour l'illusion de la puissance. Le fait que nous devenions incapables, individuellement et collectivement, d'agir contre tant d'horreurs dit bien que nous sommes perdus et déshonorés. Oh, je sais que nous avons notre épouvante quotidienne qui est déjà bien pénible, mais je m'interroge et j'ai dans la tête des mondes affreux, invivables et pourtant vécus tous les jours par des millions d'hommes, et face auxquels tous nos romans sont des bouses de vache tellement petites, impuissantes, émasculées et inutiles dans la laideur du monde, dans sa fureur de bête élevée pour sa jouissance dont la forme, choisie et cataloguée et contrôlée et policée, n'est qu'une caricature, qu'un chantage, qu'un mensonge éhonté. Il faut bien qu'après tant d'autres on redise ces choses. Hugo était un homme de devoir. Il n'a jamais trahi, ni lui-même ni ses idées. Il a été une grande voix monotone, et je l'aime pour cela. Et il y avait de la bonté dans ses cris, de l'amour pour l'homme. Sinon, pourquoi lui aurait-il mis sous le nez tant de misère, tant de noirceur ? Il s'est expliqué là-dessus dans *William Shakespeare,* alors qu'il dit du prophète Ezéchiel :

« C'est une sorte de Job volontaire. Dans sa ville, dans sa maison, il se fait lier de cordes, et reste muet. Voilà l'esclave. Sur la place publique, il mange des excréments ; voilà le courtisan. Cela fait éclater de rire Voltaire, et notre sanglot, à nous. Ah ! Ezéchiel, tu te dévoues jusque là. Tu rends la honte visible par l'horreur, tu forces l'ignominie à détourner la tête en se reconnaissant dans l'ordure, tu montres qu'accepter un homme pour maître, c'est manger le fumier, tu fais frémir les lâches de la suite du prince en mettant dans ton estomac ce qu'ils mettent dans leur âme, tu prêches la délivrance par le vomissement, sois vénéré ! Cet homme, cet être, cette figure, ce porc prophète, est sublime. Et la transfiguration qu'il annonce, il la prouve. Comment ? En se transfigurant lui-même. De cette bouche horrible et souillée sort un éblouissement de poésie. Jamais plus grand langage n'a été parlé, et plus extraordinaire. »

Pour Hugo donc, le poète, le prophète, n'a qu'un choix : il doit cristalliser, dans un moment d'histoire, la voix de l'homme déchu, il doit faire œuvre de protestation, il doit symboliser, par ses livres, la colère sainte. Son œuvre devient alors un gigantesque poème-accusation de l'histoire. Comme Tacite, Hugo a beaucoup dit sur l'histoire pittoresque, c'est-à-dire celle de l'horreur. Dans *Notre-Dame-de-Paris,* il a raconté les abominables Cours des Miracles, hauts-lieux des truands, des monstres et des dépravés ; dans *Les Misérables,* il a creusé les égouts de Paris et le gang du Patron-Minette et, dans *L'Homme qui rit,* il a fait le procès de l'Angleterre impérialiste, l'Angleterre des tortures et des mutilations. C'est cela qui frappe Hugo chez Tacite, les détails féroces qui mettent à nu le cœur de l'homme. Voyez ce qu'il dit, par le biais de Tacite, de Galigula :

« Rien n'égale ce fou. Un bourreau se trompe et tue, au lieu d'un condamné, un innocent ; Galigula sourit et dit : *Le condamné ne l'avait pas plus mérité.* Il fait manger une femme vivante par des chiens, pour voir. Il se couche en public sur ses trois sœurs nues. Une d'elles meurt, Drusille, il dit : *Qu'on décapite ceux qui ne la pleureront pas, car c'est ma sœur, et qu'on crucifie ceux qui la pleureront, car c'est une déesse.* Il fait son cheval pontife, comme plus tard Néron fera son singe dieu. Il offre à l'univers ce spectacle sinistre : l'anéantissement du cerveau sous la toute-puissance. Prostitué, tricheur au jeu, voleur, brisant les bustes d'Homère et de Virgile, coiffé comme Apollon de rayons et chaussé d'ailes comme Mercure, frénétiquement maître du monde, souhaitant l'inceste à sa mère, la peste à son empire, la famine à son peuple, la déroute à son armée, sa ressemblance aux dieux, et une seule tête au genre humain pour pouvoir la couper ; c'est là Gaius Galigula. »

On lit cela et l'histoire s'éclaire tout à coup de sa nouvelle vérité, elle devient « ces férocités des temps aux horreurs prodigieuses » dont Hugo parle dans *William Shakespeare,* ce grand livre de la barbarie de l'homme se déguisant sous les masques des tortures raffinées. C'est ainsi que lors de l'envahissement de la Gaulle par les Romains, les assiégés enlevaient des femmes romaines qu'ils couchaient, nues et vivantes, sur des herses dont les pointes leur entraient dans le corps, puis ils leur coupaient les seins et les leur cousaient dans la bouche pour qu'elles eussent l'air de les manger. Après quoi, on attelait des chevaux aux herses et on les envoyait dans le camp des Romains. Quand le général Turpilianus apprit la chose, il eut ce commentaire laconique : « Ce sont à peine des représailles. » Mais il est vrai, comme dit Hugo, que les dames romaines avaient l'habitude, tout en causant avec leurs amants, d'enfoncer des épingles d'or dans les seins des esclaves persannes ou gauloises qui les coiffaient.

Dans Hugo, l'histoire ne peut jamais être abstraite : l'Inquisition n'est rien tant qu'elle n'est pas personnalisée par le moine Torquemada, ou par ces déments de l'ordre qui « font fumer au fer chaud les seins des femmes », par ces titans et ces satyres abrillés par le Pouvoir. Et dans ce groupe des bandits de l'histoire, Néron est la plus triste figure de l'horreur ; ce n'est pas pour rien que Hugo l'appelle le monstre bâillant et la plus formidable figure de l'ennui qui ait jamais paru parmi les hommes :

« Néron cherche tout simplement une distraction. Poète, comédien, chanteur, cocher, épuisant la férocité pour trouver la volupté, essayant le changement de sexe, époux de l'eunuque Sporus et épouse de l'esclave Pythagore, et se promenant dans les rues de Rome entre sa femme et son mari ; ayant deux plaisirs, voir le peuple se jeter sur les pièces d'or, les diamants et les perles, et voir les lions se jeter sur le peuple ; incendiaire par curiosité et parricide par désœuvrement. »

Moi, tout cela me rappelle le martyrologue romain illustré que nous avions à la maison, les horribles dessins d'encre sanglante qui vous faisaient voir la famille des Macchabées jetée dans l'eau bouillante, et ces gravures dans les vieux livres, les supplices de la roue, du pal, de l'écartèlement, ces chevaux lancés dans des directions contraires et brisant des entre-jambes d'hommes, ces femmes tirées par les pieds dans les fosses aux lions, ou dans les arènes, ou dans des nids de serpents, ces coupeurs de langues, de mains, de pieds, ces creveurs d'yeux et ces fendeurs de bouches, ces Ghengis Khan et ces Tamerlan buvant le sang coulant des pyramides de crânes ouverts, ces lynchages de Noirs à qui on coupe les organes génitaux, ces Juifs dans les fours crématoires, ces squelettes mis en tas derrière les camps, et les parodies de tout cela qu'on voit maintenant à la télévision et au cinéma, ce banditisme, ces viols, cette violence pour gens écrasés, entretenus dans la lâcheté et la servilité. Oh, rien n'a jamais changé. Le film du monde tourne toujours, et nous sommes emportés dans le maelstrom, et nous ne pouvons pas grand-chose là-dedans, que protester, que dire non, que manifester notre refus jusqu'au délire et jusqu'à la solitude.

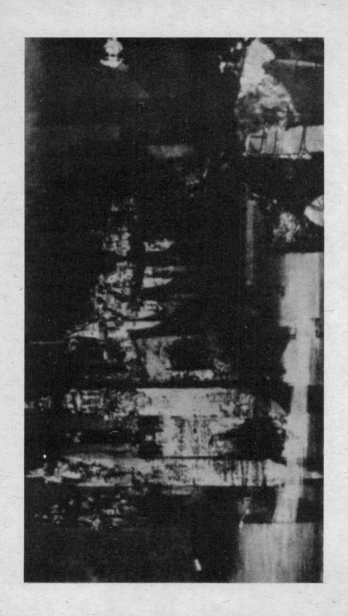

7

Mam ne comprenait pas. Pourquoi n'allions-nous plus à l'église ? Pourtant, nous ne manquions jamais la messe à Saint-Jean-de-Dieu, nous affrontions les tempêtes et faisions, à pieds, nos deux milles pour nous rendre au village. Depuis que nous étions à Morial-Mort, nous allions jouer aux boules au restaurant et ne mettions plus les pieds à l'église. Mam ne s'était pas rendu compte qu'à Saint-Jean-de-Dieu nous allions à l'église pour nous libérer de nos servitudes quotidiennes, nous allions être comme tous les jeunes de notre âge, nous allions fumer une cigarette sur le parvis après l'office, et écouter les vieux parler de politique, de vaches mortes, de herses à disques, de foin et de cochons à vendre, et regarder les filles, celles du village, snobs, mieux éduquées, mieux habillées, mieux maquillées, et suivre la foule jusque dans les restaurants, boire un coke, rire des jurons et jurer nous-mêmes.

Une fois la semaine, nous sortions de nous-mêmes, nous vivions ailleurs, nous participions à un grand spectacle dont, tous les autres jours, nous étions tenus éloignés. C'était là la seule religion que nous connaissions. Une fois installé à Morial-Mort, tout cela n'existait plus, le dimanche devint un jour d'ennui duquel je m'échappais par la lecture et l'écriture. Si nous avions été riches et heureux, me serais-je mis à écrire ? Oh, je sais bien que même en ce temps j'étais ambitieux et vaniteux et que je ne cessais pas de songer à ce que je voulais devenir. Hugo, lui, avait sa maman qui l'encourageait. La mienne avait peur de l'acte d'écrire, de ses conséquences. Comme tant d'autres, elle associait le fait d'écrire à la folie. Il y a sûrement quelque chose là-dessous, une peur primitive qui a pour siège les « effrayants voisinages du génie et de la folie », ce vieux refrain tant de fois chanté qui faisait dire à Mam : « Ceux qui en savent trop finissent à l'asile. » Évidemment, je me révoltais contre cela, je voulais leur montrer à tous qu'il suffisait de vouloir pour arriver à ce que l'on désirait être. Au fond, tout cela est simple, si simple : j'aspirais à l'honorabilité. J'avais un frère qui était comme moi, qui travaillait comme cuisinier le jour et qui suivait des cours d'art dramatique le soir. Mais nous ne nous voyions peu car on ne reste pas à la maison quand on a vingt-et-un ans. On partait, les uns après les autres, pour voir la vie ailleurs, pour s'emplir de bruit, de fureur et d'alcool. Moi, j'avais décidé qu'il en serait autrement, que je publierais des livres, le plus tôt possible, parce que j'avais peur, peur de ne pas avoir de temps.

Je venais de quitter l'école secondaire, et je ne savais plus quoi faire. Pa n'avait pas d'argent à me donner pour continuer mes études. J'aurais voulu être professeur, mais j'avais été refusé à l'examen. J'en avais trop mis. Et maintenant, j'étais devant rien, Pa parlait de pension hebdomadaire à payer, j'étais écœuré, et je devins commis dans une banque. Un hiver passa. A l'été, je tombai malade. Ce jour-là j'avais travaillé tout l'après-midi devant ma machine à écrire, et j'étais fourbu, si fatigué que je m'endormis en regardant un match de football à la télévision. Je me réveillai une dizaine de jours plus tard, à l'hôpital, cloué sur mon lit par la poliomyélite. J'avais déliré durant une semaine, fais des cauchemars absurdes, vu des baleines bleues, des tranches de pain aux milles pattes, les fous de Cromwell qui avaient des têtes de monstres — et tout cela me revenait maintenant par secousses épuisantes. Le vieil infirmier m'avait déshabillé, me frictionnait, installait ses pompes sous moi, et je me vidais d'un coup, toute mon énergie coulait dans la bassine. Puis une infirmière me tournait sur le ventre, disait pour blaguer : « Ah, les belles fesses », et m'enfonçait l'aiguille d'une seringue dans la peau. Je dormis soixante-dix jours sur un panneau de bois, sans oreiller, les pieds appuyés contre une planche, des sacs de sable sur les genoux. Je ne pouvais même pas m'asseoir dans mon lit et on me faisait manger. Cela change beaucoup de choses dans l'ordre qu'on se fait du monde. Vivre avec la mort installée quelque part dans son épaule. Tunnel noir. Dans le corridor, je voyais défiler les poumons artificiels, je voyais, dans les miroirs installés au-dessus des appareils, les visages des pauvres femmes immobilisées là depuis cinq ans, des femmes qui allaient vieillir, et mourir dans l'affreuse machine, et j'avais honte de moi comme du monde, et

j'aurais voulu écrire, mais ma main était emprisonnée dans des pansements (ces pattes d'éléphant de mon Annabelle).

Pendant toute cette période, je détestai Hugo. J'étais tout à coup incapable de le lire, je fis retourner les livres de lui qu'on m'avait apportés de la maison. C'était mon admiration pour Hugo qui fichait le camp, je voyais l'enflure, le mélodrame, je comprenais que je m'étais inventé une espèce de Dieu littéraire que je retrouvais brusquement démon, et dont je voyais trop bien les mensonges et les boursouflures qui m'écœuraient parce qu'enfin je savais qui j'étais dans la chambre de l'Hôpital Pasteur. Oh, comment aurais-je pu ne pas être loin de Hugo qui, toute sa vie, avait écrit ses vingt pages par jour, séduit trop de femmes, avait été riche, puissant et grand faiseur de lettres pour John Brown, Tapner, Garibaldi, et cela quand il m'admonestait pas, dans des épîtres flamboyantes, les Américains, les Allemands et les Anglais. Et surtout, cette mâle assurance qu'il affichait avec vanité. Cet homme n'était jamais malade ni impuissant, tout coulait de source en lui, poésies, romans, essais, comme s'il avait été un torrent, un fleuve, un océan de vie, si démesuré que j'avais la certitude d'être un nain, quelque misérable gnôme borné et stupide. Trop, c'est trop. Je me détournai de lui, j'étais écrasé, quelque chose était mort dans mon délire.

Lorsque je retournai à la maison, tout me paraissait si démuni maintenant. Il me semblait que notre maison avait rapetissé, je ne comprenais plus, quelque chose était entre ma famille et moi, une retenue, un froid qui n'avait jamais existé, et qui m'était révélé par ma maladie. J'éprouvai le besoin de me taire, de me cacher, de devenir secret, comme si de mon rêve d'écrire il n'était resté que l'envers, que ce silence vers lequel je me sentais attiré. J'avais peur évidemment, j'étais angoissé par cette infirmité, elle m'occupait tout entier, jamais je n'avais été si loin de mes livres, et si seul. Mam me passa *L'Imitation* et j'achetai un Simone Weil. C'était facile pour moi que de me laisser prendre au piège du mysticisme. Je me mis à fréquenter de nouveau l'église, je passais des heures à méditer et à prier, à rêver une sainteté que j'identifiais toujours à la sécheresse. Je m'intéressai à saint Paul et à Job, à Thomas Merton et à l'apôtre Jean, je fis un cahier que j'intitulai *Dieu*, et que je remplis de phrases touchant à la divinité. Thomas Merton avait écrit : « Le moine est l'homme qui renonce à tout pour posséder tout. » Et : « En renonçant au monde, nous conquérons le monde ; nous nous élevons au-dessus de sa multiciplicité, et nous la récapitulons dans la simplicité d'un amour qui se trouve tout en Dieu. » Et surtout : « Si notre vie se répand en paroles inutiles, nous n'entendrons jamais rien, nous ne progresserons jamais, et à la fin, pour avoir tout dit avant d'avoir quelque chose à dire, nous resterons sans paroles au moment de notre plus grande décision. » Je m'imaginai que je ne devais plus écrire, que la recherche de Dieu ne pouvait être qu'intérieure et ne concernait que moi. Je ne touchai pas à Hugo pendant un bon six mois, je pensai même me mettre à l'étude de l'hébreu et je correspondis avec Jean Herbert parce que je voulais aller en Europe étudier les religions orientales dont il était un érudit. Jean Herbert me fit parvenir beaucoup de livres sur le boudhisme et l'hindouisme. Je lus Aurobindo, Sarasvati, Govindi et La Mère (il y avait d'elle un petit livre, format dictionnaire microscopique, que j'apportais partout avec moi). Je cédai en quelque sorte à cette tentation d'une vie divinisée, toute entière tournée vers une spiritualité par essence éthérée, je coupai les ponts avec le monde, je ne me préoccupai plus que de moi. Il y avait là-dedans (je le sais bien maintenant) un besoin de sécurité, et aussi un grand désarroi qui me venait de mon découragement. Qu'est-ce que je pouvais faire maintenant ? A quoi pouvais-je travailler après cette modification en moi ? Or j'associais depuis toujours l'écriture à un acte de puissance, mes héros avaient tous été des espèces de géants — Balzac, Dumas, Rabelais, Wolfe, Giono, Hemingway et, ici, Thériault qui n'arrêtait pas d'écrire dans une belle violence que je trouvais stimulante. Oh, j'aurais dû à ce moment-là m'interroger sur le suicide d'Hemingway qui m'aurait fait comprendre que la puissance n'est jamais qu'une des faces de la peur. Et si j'avais mieux connu Thomas Wolfe, j'aurais été plus près d'une autre grande vérité, celle de l'écrivain découvrant le monde et pressé de le dire, de le crier et de le chanter avant de finir. Quand on croit avoir beaucoup de temps devant soi, l'on ne peut pas être impatient, l'on sait que tôt ou tard, en travaillant avec courage, le livre viendra de lui-même, et l'œuvre. Mais mettez de l'angoisse, et cela a un autre visage, il faut brusquer la phrase, se colletailler avec, l'obliger à se dire tout de suite. Thomas Wolfe est mort alors qu'il avait trente-huit ans, une pneumonie (quelle banalité !) a terrassé ce géant de six pieds six pouces, ce possédé de l'écriture, cet enragé du verbe, ce travailleur dément qui, jusqu'au moment de sa mort, s'est battu avec les mots en déployant une énergie à peine croyable. Je dis qu'il y a dans ce phénomène quelque chose de sublime. Mais peut-être faudrait-il parler de foi ? Plus attentif, et sans cette maladie dont je me remettais mal, j'aurais pu trouver tout cela en Hugo. *Dieu* et *La Fin de Satan* sont pourtant des livres que j'ai longtemps écartés de moi, je me demande pourquoi aujourd'hui. C'était ridicule, mais il me semblait que Hugo, en écrivant sur de tels sujets, ne pouvait jamais que mentir. Une fois seulement je m'étais laissé emporter par mon admiration, et c'est le souvenir de mon premier (et seul) professeur de littérature qui me revient à l'esprit. Il ne connaissait que deux écrivains dont il avait, chez lui, les œuvres complètes : Guy de Maupassant et Victor Hugo. Et il en parlait avec amour et monotonie, et il aurait tant voulu que nous partagions son enthousiasme. Tous ses cours se terminaient sur Hugo. Je me rappelle qu'un jour il nous avait lu des extraits de *La Fin de Satan* et que, pendant qu'il nous en faisait la lecture, mes camarades se lançaient des boulettes de papier et des bouts de craie et des morceaux de gommes à effacer. Nous n'étions que deux à écouter religieusement ce beau poème qui s'intitule *Lumière*, et qui est le drame de Satan dont le sort est de « ne pas mourir » et de « ne pas dormir », d'être à jamais l'insomnie et « l'affreux milieu des douleurs », gigantesque œil cosmique fixant « chaque pulsation de la fièvre du monde » :

Sort hideux ! m'enfermer dans la nuit, et m'exclure
Du sommeil ! me livrer à cette âcre brûlure,
La veille sans repos, le regard toujours noir,
Toujours ouvert ! O nuit sans pitié ! ne pouvoir
Lui prendre un peu de calme, et l'avoir sur moi
                                                [toute !
Englouti dans l'oubli, n'en pas boire une goutte !
Toujours être aux aguets ! toujours être en éveil !

O vous tous, êtres ! fils de l'ombre ou du soleil,
Qui que vous soyez, morts, vivants, oiseaux des
                                                [grèves,
Esprits de l'air, esprits du jour, larves des rêves,
Faces de l'invisible, anges, spectres, venez,
Vous trouverez Satan les yeux ouverts. Planez,
Rampez, allez-vous-en, revenez ; Satan veille
Les yeux ouverts. C'est l'ombre ou c'est l'aube
                                                [vermeille
Il a les yeux ouverts. Hier, demain, toujours !
Laissez s'enfuir les pas du temps, tardifs ou courts,
Après des milliers de jours, de mois, d'années,

101

De siècles, de saisons, écloses ou fanées,
De flux et de reflux, de printemps et d'hivers,
Venez, vous trouverez Satan les yeux ouverts !

Deux yeux fixes, voilà le fond de l'épouvante.

L'obscurité spectrale, informe, décevante,
Chimérique, me tient dans ces gouffres, béant
Et ployé sous le poids monstrueux du néant.
Je souffre.
Oh ! seulement un instant, que je dorme !

Je me souviens : il y avait dans ma tête cet étrange frissonnement qui me vient toujours quand je suis ému, et j'aurais voulu apprendre tout cela par cœur, puis, tout à coup, une fureur bizarre m'assaillit : dans mon cahier, j'écrivis le poème de mémoire. Pourtant, lorsque le professeur me demanda mon avis sur cet extrait, je répondis froidement qu'il ne me touchait pas, et qu'il n'y avait dans ces vers que de la mauvaise littérature. Je ne sais pas pourquoi j'ai dit cela : c'était sans doute pour ne pas m'aliéner mes camarades et pour retourner à ma médiocrité apaisante. Pourtant, le soir, sur ma table dans la cuisine, je jouais des coudes pour qu'on me laissât travailler en paix, et je n'arrêtais d'écrire que lorsque Pa, après avoir écouté le dernier bulletin de nouvelles à la télévision, fermait les lumières avant de partir pour la nuit. C'est cette contradiction, ce paradoxe je dirais, qui m'a longtemps détourné des poèmes

spirituels de Hugo qui, pour moi, sont maintenant ce
qu'il a fait de plus important. Je voudrais dire pourquoi.

> Qui donc creuse
> Et fouille assez dans la nature affreuse
> Pour pouvoir affirmer quoi que ce soit ?

se demanda Hugo en posant le seul véritable problème
qui vaille qu'on s'y arrête, et qui est celui de la connaissance. La vérité nous serait-elle à jamais refusée,
le véritable savoir n'appartiendrait-il à la fin qu'aux
dieux qui ne sont eux-mêmes que des formules creuses ?
C'est dans son poème *A l'homme,* publié dans *La Légende des Siècles,* cette fresque démiurgique dont « le
grand fil mystérieux est l'ascension de l'homme, l'esprit
émergeant de la nature », que Hugo écrivit ces vers :

> Si tu vas devant toi pour aller devant toi,
> C'est bien ; l'homme se meut, et c'est là son
> [emploi ;
> C'est en errant ainsi, c'est en jetant la sonde
> Qu'Euler trouva une loi, que Colomb trouva un
> [monde ;
> Mais rêvant l'absolu, si c'est Dieu que tu veux
> Prendre comme on prendrait un fuyard aux
> [cheveux,
> Si tu prétends aller jusqu'à la fin des choses,
> Et là debout devant cette cause des causes,

Uranus des païens, Sabaoth des chrétiens,
Dire : — réalité terrible, je te tiens ! —
Tu perds ta peine.

... Tout être, quel qu'il soit, du gouffre est le
[milieu ;
Pas de sortie et pas d'entrée, aucune porte.

L'Orient vu par Victor Hugo.

Hugo, je l'ai déjà dit, était curieux. Or son siècle a été plein d'exotisme. C'est au dix-neuvième siècle que l'on découvrit l'Orient aux cités lumineuses, aux tours, aux Babels en ruine, et c'est aussi les romantiques français qui s'intéressèrent les premiers à l'envers de cet Orient mythique, c'est-à-dire le monde souterrain, celui des gros livres sacrés, que ce soit la Kabbale, la Bible ou le Coran, fleuves géants charriant dans leurs eaux l'occultisme, le sacré, le caché, le tu, qui ne livrent leurs secrets qu'à l'initié, qu'à celui qui, comme le serpent, s'est dépouillé de sa vieille peau. Pendant un temps, Hugo se passionna pour l'ésotérisme. Cela avait commencé avec l'astronome Arago qui lui avait enseigné les Astres. Hugo a tout de suite compris l'importance que cette connaissance pouvait avoir pour son œuvre ; elle lui ouvrait les portes du cosmos. Désormais, Hugo, quand il écrira ses grands poèmes, n'oubliera jamais ces « grands espaces infinis et glacés » dont parle Pascal. Dans sa poésie, les planètes se livreront des luttes phénoménales et des êtres épouvantables naîtront, des œils-astres seront enfantés dans une espèce de fureur et d'angoisse qui n'ont aucun exemple en littérature. Hugo était obsédé par l'idée de la spirale dont il faisait un Babel double, c'est-à-dire une tour qui montait en même temps vers le cosmos et creusait la terre, s'enfonçant dans le monde noir où tout pouvait arriver, où tout arrivait d'ailleurs dans une espèce d'horreur sacrée qui constituait en quelque sorte l'épreuve initiatique où tous « sont murés », où tous fouillent, sondent et creusent afin que, dans un premier mouvement,

> La Spirale sans fin, l'insolente Babel
> Cette vrille dont l'homme avait percé le ciel

emprisonne le temps, comme il est dit dans *La Fin de Satan*. Et comme « les besoins sont sans bornes », l'homme ne peut, puisqu'il veut se connaître, qu'investir le ciel de Babel « aux spirales sans nombre ». A l'intérieur de la tour est l'énigme :

> . . . . Cette tour a la hauteur du songe.
> Sa crypte jusqu'aux cieux ignorés se prolonge.
> Ses remparts ont de noirs créneaux vertigineux,
> Si vains qu'on n'y pourrait pendre une corde à
> [nœuds,
> Si terribles que rien jamais ne vous procure
> Une échelle appliquée à la muraille obscure.
> Aucun trousseau de clé n'ouvre ce qui n'est plus.
> On est captif. Dans quoi ? Dans de l'ombre. Et
> [reclus ;
> Où ? Dans son propre gouffre. On a sur soi le
> [voile.

Mais ce voile, demande encore Hugo, ne pourrait-il pas être déchiré si le chercheur procédait autrement, si, au lieu de creuser le ciel, il creusait le monde souterrain ? C'est à cela qu'il s'est attaqué dans *Les Misérables* alors que Valjean, dans les égouts de Paris, sauve Marius en le transportant sur ses épaules. Marius dit : « Il m'a emporté à travers toutes les morts qu'il écartait de moi et qu'il acceptait pour lui. » Autrement dit, le guide spirituel ne l'est jamais que pour les autres ; pour lui, il ne peut rien, l'univers d'en Bas et l'univers d'en Haut sont les deux faces de la même chose auquelle il faut toujours revenir puisque la vérité ne se trouve ni dans le temps ni dans l'espace. « A chaque instant, le fond redevenait la cime », dit Hugo, et « on trouve au fond du puits un autre puits encore », de sorte que toujours il ne peut y avoir devant soi que « le problème muet, sourd, obscur, décevant ». Le penseur est donc un sceptique : « Tout devient soupçon quand Rien est le savoir. » Le Rig Veda a le même enseignement puisqu'il dit :

« Qui connaît le secret ? qui l'a proclamé ici ? D'où, d'où vient cette création multiple ? Les dieux même vinrent plus tard à l'existence. Qui sait d'où vient cette grande création, si la Volonté créa ou s'abstint ? Le plus haut voyant qui est aux cieux le sait sans doute, — ou peut-être ne le sait-il pas, lui non plus ? »

Pour Hugo, tout le problème est que l'homme ne représente qu'un point de la création ; situé quelque part sur l'échelle des êtres, sa position le conditionne à rechercher toujours la vérité qui n'est jamais que sa vérité car dans l'absolu rien n'existe, le monde étant « à tâtons dans son propre néant ». Sachant cela, com-

107

ment l'homme, cette « énigme sans mot », pourrait-il concevoir Dieu ? Hugo écrit :

Dieu ! cri sans but peut-être, et nom vide et
[terrible !
Puis il ajoute :
Dieu ! mais pourquoi ce mot me revient-il tou-
[jours ?
Est-ce qu'il est l'écho de ces grands porches
[sourds ?
Oh ! n'est-il pas plutôt le vide où tout s'achève,
L'éclat du rire vague et sinistre du rêve ?
... Est-il ? Est-il ? Moi-même, suis-je ?

C'est cela qu'il crie avant de s'arrêter, figé par le vertige du vide absolu à cause duquel d'ailleurs, il n'ose, pendant un instant, ni regarder, ni penser, ni vouloir. Car Hugo sait que « tout est aveuglement quand tout n'est pas démence », et que « le plus aveuglé, c'est le plus ébloui ». Il précise encore :

L'homme n'est que le hochet des monstres, il n'est que le marcheur qui ne pourra jamais aller plus loin que cette constatation :

Mal et bien portent à leurs deux bouts
L'effroi,

c'est-à-dire l'inaccessibilité de Dieu qui fait de l'homme un être épouvanté aux yeux fixes. Voué au silence, au néant, au rien, l'homme s'échoue dans l'immobilité, désespéré à force d'avoir cherché « la transparence de

l'être », cette « énorme absence », ce « médiocre immense », cet « être neutre » qui dit : « Je suis encore en
vous, même en dehors de vous », et qui ajoute : « Je
te dis seulement que partout l'homme existe, étant un
milieu d'être ». Ce n'est donc pas pour rien si Hugo
croit que

> L'homme marche sans voir ce qu'il fait dans
> [l'abîme.
> L'assassin pâlirait s'il voyait sa victime ;
> C'est lui.

Déjà *La Lumière* avait posé les bornes de tout
le problème. Il y est toujours question du temps et
de l'espace, puisque ces deux concepts sont la base
de tout, le point de repère sans lequel rien, aucune aventure, ne peut être tentée :

> — Pas de droite et de gauche ;
> Pas de haut ni de bas : pas de glaive, qui fauche ;
> Pas de trône jetant dans l'ombre un vague éclair ;
> Pas de lendemain, pas d'aujourd'hui, pas d'hier ;
> Pas d'heure frissonnant au vol du temps rapace ;
> Point de temps ; point d'ici, point de là ; point
> [d'espace ;
> Pas d'aube et pas de soir ; pas de tiare ayant
> L'astre pour escarboucle et son faîte effrayant ;
> Pas de balance, pas de spectre, pas de globe ;
> Pas de Satan caché dans les plis de la robe ;

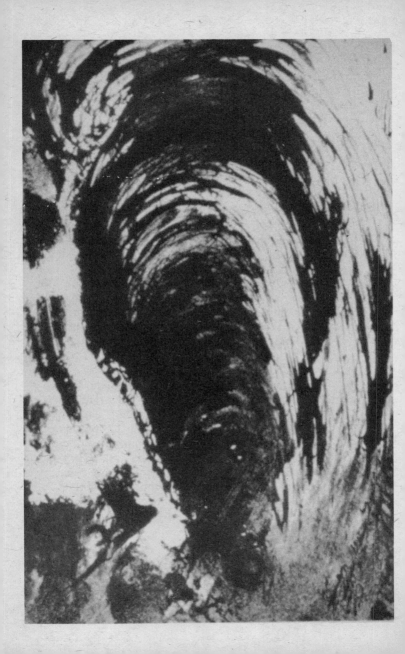

Pas de robe ; pas d'âme à la main ; pas de mains ;
Et vengeance, pardon, justice, mots humains.
Qui que tu sois, écoute :   Il est.
                        Qu'est-il ?
                                Renonce !

L'ombre est la question, le monde est la réponse.
Il est.

Cela ne satisfait évidemment pas Hugo qui insiste
pour connaître le secret de Dieu. *La Lumière* lui dit :

                — Si tu m'en crois,
Va-t-en.   Car les rayons brûlants dont tu t'accrois
Pourraient te consommer, frémissant, avant l'heure.
L'homme meurt d'un excès de flamme intérieure ;
L'ange qui va trop loin dit : Ne restons pas là.
En voulant trop voir Dieu, Moïse chancela ;
Un peu plus, il tombait du haut de cette cime,
L'œil plein des tournoiements terribles de l'abîme.

Mais c'est une capitulation qui n'en est pas une.
Hugo s'obstine malgré lui, il rejette l'enseignement de
la *Clarté* qui lui dit que « Dieu est l'axe invisible autour
duquel tout vibre », qu'il est « l'oscillation dans l'immobilité ». Et quand Hugo proteste encore, qu'il exige
d'être mis face à face avec Dieu, ce qui serait la seule
façon de sortir de l'impuissance, « un de ces anges noirs
sur qui la nuit se tait » lui apparaît et lui dit :

— Passant.

Écoute. — Tu n'as vu jusqu'ici que des songes,
Que de vagues lueurs flottant sur des mensonges,
Que les aspects confus qui passent dans les vents
Ou tremblent dans la nuit pour vous autres vivants.
Mais maintenant veux-tu d'une volonté forte
Entrer dans l'infini, quelle que soit la porte ?
Ce que l'homme endormi peut savoir, tu le sais.

Mais esprit, trouves-tu que ce n'est pas assez ?
Ton regard, d'ombre en ombre et d'étage en étage,
A vu plus d'horizon . . . — en veux-tu davantage ?
Veux-tu, perçant le morne et ténébreux réseau,
T'envoler dans le vrai comme un sinistre oiseau ?
Veux-tu derrière toi laisser tous les décombres,
Temps, espace, et, hagard, sortir des branches
                                    [sombres ?
Veux-tu, réponds, aller plus loin qu'Amois n'alla,
Et plus avant qu'Esdras et qu'Elie, au-delà
Des prophètes pensifs et des blancs cénobites,
Percer l'ombre, emporté par des ailes subites ?
O semeur de sillons nébuleux, laboureur
Perdu dans la fumée horrible de l'erreur,
Front où s'abat l'essaim tumultueux des rêves,
Doutes, systèmes vains, effrois, luttes sans trêves,
Te plaît-il de savoir comment s'évanouit
En adoration toute cette âpre nuit ?
Veux-tu, flèche tremblante, atteindre enfin la
                                    [cible ?

112

Veux-tu toucher le but, regarder l'invisible,
L'innommé, l'idéal, le réel, l'inouï ?
Comprendre, déchiffrer, lire ? être un ébloui ?
Veux-tu planer plus haut que la sombre nature ?
Veux-tu dans la lumière inconcevable et pure
Ouvrir tes yeux, par l'ombre affreuse appesantis ?
Le veux-tu ? Réponds. — Oui, criai-je. — Et je
⌈sentis
Que la création tremblait comme une toile.

Alors, levant un bras, et, d'un pan de son voile,
Couvrant tous les objets terrestres disparus,
Il me toucha le front du doigt.
⠀⠀⠀⠀⠀⠀Et je mourus.

Pas d'issue donc, que celle de la mort. Que celle,
apparente, de la mort. Car la mort n'est pas alors ce
soupirail tant cherché mais le constat d'un échec, celui
de la connaissance dont le *Hibou* est le symbole puisqu'après avoir déclaré : « J'en suis allé jusqu'au fond
de cette ombre, et je n'ai vu personne », il dit à l'intention du penseur :

— Viens, je vais tout t'apprendre. Il est un gouffre.

Hugo accepta mal cette impuissance face à Dieu.
Il refusa d'être ce ver de terre jeté « dans l'urne horrible
et vide du néant », il maudit Dieu d'avoir fait de l'homme « l'affreux milieu des douleurs ». Et laissant toute
mesure, il fut bientôt gagné par une « outrance énor-

me » [1] qui prit peu à peu la Face du blasphème alors que sa fureur se déchaîna. Il écrivit : « J'avertis l'inconnu que je perds patience », compara Dieu à un belluaire, parla de « cet accusé sinistre », de « ce faussaire », de « cette stérilité d'invention étrange » dont l'univers n'est qu'un long cliquetis au fond très puéril.

A partir de ce moment, il y a dans tout ce que fait Hugo une violence étonnante. Il commence par dire :

> Ah ! l'on est par moments
> Tenté de lui fourrer le nez dans son ordure,
> Ou de lui crier, — car il a l'oreille dure :
> — Tu deviens fatigant, tu deviens pluvieux,
> Mon pauvre éternel ! prends ta retraite, mon
> [vieux !
> Oui, rentre dans ton trou biblique ou druidique,

puis, lassé de tourner Dieu en dérision, exaspéré, il a la tentation d'atteindre Dieu, de le mutiler. Il écrit alors :

> Nemrod tendit son arc...
> ... Au lieu de flèche, il y mit cette fois
> L'épieu dont il tuait les bêtes dans les bois.
>   ... L'épieu
> Retomba teint de sang.
>   Il avait blessé Dieu.

---

1. Pierre Albouy, *La création mythologique chez Victor Hugo*, Librairie José Corti, 1963.

Mais mutiler Dieu ne lui suffit pas : il rêve d'un sacrilège plus grand. Il le formule d'abord ainsi :

L'échafaud, c'est le monde ;
Je suis le bourreau sombre, et j'exécute Dieu.
Dieu mourra.

Son autre formule, plus violente encore, propose le viol de Dieu :

Sortant de force, le problème
Ouvre les ténèbres lui-même
Et l'énigme éventre le sphinx.

Après cela, pour boucler la boucle, il ne reste plus, pour atteindre à l'horreur suprême, que crever les yeux à Dieu. L'homme ne peut aller plus loin dans la protestation.

8

J'ai rêvé deux fois à Victor Hugo. Dans mon premier rêve, une vieille femme venait me chercher chez moi, me faisait faire une longue marche dans la rue où j'habite. C'était le printemps, il y avait encore, dans les parterres, des plaques de neige noire. Cela se passait très tôt le matin : le monde était encore dans une aura de brouillard. Je marchais avec la vieille femme et elle parlait beaucoup, mais je ne me souviens absolument pas de ce qu'elle disait. Il y avait un grand nombre d'automobiles dans la rue et elles avaient toutes sur la capote un grand crucifix attaché de gros fils de fer. J'étais habillé assez ridiculement d'un habit de cérémonie et mon immense chapeau noir me faisait souffrir. Mais la vieille femme ne voulait pas que je l'enlève. Elle avait dans l'une de ses mains une canne comme la mienne et m'en donnait un coup toutes les fois que je faisais un geste vers ma tête. Lorsque les voitures eurent disparu, nous retournâmes sur nos pas. Pendant notre absence, la maison avait changé. Je ne m'en rendis d'abord pas compte car la vieille femme parlait maintenant dans une grande animation et cela me distrayait. En montant les marches de l'escalier, je vis, dans la boue, une tête coupée ; c'était celle de Hugo, étrangement

117

belle, apaisante. Il se dégageait d'elle une grande paix qui m'envahit. J'avais l'impression de n'être plus dans mon corps, de me tenir à quelques pieds de lui, et je le poussais avec ma canne qui était vivante, bougeait dans ma main comme une anguille, changeait constamment de couleur. Je n'avais plus de chapeau mais ma tête continuait toujours de me faire mal. Je le dis à la vieille femme qui se mit à rire. Puis nous entrâmes dans la maison. J'avais toujours habité là mais je ne reconnus pas la pièce où la vieille femme me conduisit. Quand je regardai le plafond, je me rendis compte qu'il n'y en avait plus, ou que plutôt il était constitué d'une infinité d'étoiles dont les pointes se touchaient les unes aux autres. Il y avait une épaisse couche de poussière sur les meubles, et j'éternuais à tout moment. La vieille femme avait ouvert tous les tiroirs, tiré toutes les portes des armoires, éventré des quantités de caisses dans lesquelles elle avait classé des milliers de documents relatifs à Hugo. Elle vint s'asseoir à côté de moi et se mit en frais de me lire tout cela d'une voix agaçante. Je battais des mains. Ce qu'elle disait ne pénétrait pas seulement mes oreilles mais entrait en moi par toutes les ouvertures de mon corps. Après, la vieille femme me fit voir des photos de Hugo que je n'avais jamais regardées, des photos truquées sans doute car elles étaient monstrueuses ; Hugo avait une tête énorme, il était chauve, ou sa barbe blanche avait des dimensions phénoménales. La vieille femme (dont les seins étaient tout à coup proéminents) était photographiée avec Hugo ;

118

...L'immense rêve de l'océan.

je finis par comprendre qu'elle était sa femme et que toute sa vie elle l'avait tyrannisé. Je le lui dis mais elle n'entendit pas. (L'album de vieilles photos ouvert sur ses genoux.) Pendant qu'elle parlait, un enfant entra dans la pièce, alla se cacher derrière un meuble. Il avait un immense chapeau sur la tête. Je reconnus cet enfant pour être moi et je fus incapable de détacher mes yeux de lui qui, derrière le fauteuil, avait ouvert un sac d'écolier, pris un cahier et un crayon. Il écrivait quand la vieille femme lui demanda de venir près de nous. Elle lui enleva le cahier, me le remit, me dit : « Je vous ai fait venir ici pour que vous corrigiez le devoir de cet enfant », et j'éclatai de rire. Je dis : « Mais j'attends Hugo, madame. » Je me levai, traversai le salon, allai vers la porte. Dehors, il pleuvait et, au-dessus de la tête coupée de Hugo, quelqu'un avait mis un parapluie d'une couleur que je n'avais encore jamais vue. Mais malgré le parapluie, la tête était tout à fait dans l'eau.

Dans mon deuxième rêve, j'étais au bout d'un quai et j'attendais un bateau qui ne venait pas. Je me sentais d'autant plus impatient que l'île où je devais me rendre était toute proche, à quelque pieds devant moi. Elle était de plus liée au quai par de grosses chaînes rouillées dont on pouvait voir les anneaux au fond de l'eau très claire. C'était sans doute l'automne ; tout était, sauf l'eau, gris, sombre, desséché ; les arbres n'avaient plus de feuilles, les volets des maisons étaient clos, comme si tout le monde avait déserté le lieu où je me trouvais. Tout à coup, je vis une chaloupe entre l'île et le quai. Je mis un long manteau très lourd, descendis les deux marches qui menaient à la chaloupe, faillis tomber quand je sautai dans l'embarcation qui basculait à cause des vagues violentes. J'étais déjà rendu dans l'île, je n'avais même pas eu le temps de mettre les rames dans l'eau. Il faisait froid et je courus entre les rochers jusqu'à la maison que je voyais devant moi. Hugo était là, immense dans sa chaise (une chaise d'enfant, haute, au bout d'une longue table). On l'y tenait prisonnier, beaucoup de monde s'agitait autour de lui, lui faisait mal sans doute car il pleurait. J'étais venu pour le voir et j'étais pourtant incapable de le regarder. Je feuilletais de vieux journaux, face à une fenêtre, et la côte s'éloignait, il n'y avait plus d'horizon, nous étions au centre de l'eau, et Hugo répétait dans ses larmes : « cet immense rêve de l'océan, cet immense rêve de l'océan. »

9

Jacques Ferron a écrit quelque part que Napoléon obsède tous ceux à qui a échappé le pouvoir politique. Or Hugo a longtemps rêvé d'une carrière politique s'ajoutant à son métier d'écrivain qu'elle aurait en quelque sorte complétée. Pendant des années, il a été dans l'ombre des rois et des ministres dont il aurait aimé devenir le confident et, finalement, le guide, ce qui est déjà toute autre chose. Hugo a été un poète engagé ; toutes les préfaces de ses recueils de poésies traitent de la politique qui est une des fonctions de la poésie. Avant lui, d'autres écrivains français avaient joué, auprès des gouvernements, les premiers rôles ; il y avait eu notamment Chateaubriand pour qui Hugo avait toujours eu beaucoup d'admiration. Et plus près de lui, parmi ses contemporains, Lamartine qui ne publiait presque plus. Quand les écrivains se tarissent, la politique, donc le désir du pouvoir, les rescape. Au nom d'un idéal politique, les écrivains se laissent facilement conscrire. Hugo, pendant un moment, n'a pas échappé à la règle.

Ce n'était pas un révolutionnaire, il était même tout le contraire d'un révolutionnaire ; à ses débuts, quand il est élu maire du 18e arrondissement de Paris, puis député à l'Assemblée, il prend parti pour les conservateurs. Dans un carnet, il écrit : « Il nous faut le mot république et la chose monarchie. » Cela dit tout. Hugo a commencé par être un défenseur de l'ordre établi, c'est-à-dire du vieux rêve français incarné dans la personne du roi tout-puissant et régnant de droit divin. C'est à l'intérieur de ce système décadent, anachronique et aristocratique, que Hugo voulait jouer le jeu. Hugo aimait l'enflure, il marchait toujours quand on parlait des grandes pompes de l'État, il était extraordinairement sensible aux honneurs. Comme il écrit dans *Napoléon-le-Petit*, « il aimait la gloriole, le pompom, l'aigrette, la broderie, les paillettes et les passequilles, les grands mots, ce qui sonne, ce qui brille, toute la verroterie du pouvoir ».

En poésie, il n'avait plus rien à prouver : tous ses rivaux étaient écrasés, sa poésie était celle dont on s'inspirait, que l'on copiait. C'est qu'elle était actuelle, c'était une poésie d'époque qui gonflait le rêve français traditionnel et impérialiste. Hugo n'avait pas écrit pour rien ses longs poèmes à Napoléon ; à un moment où la France essoufflée commençait à rendre des points à l'Allemagne, les recueils lyriques de Hugo arrivaient à point : les vieux rêves de grandeur revivaient dans un rythme qui avait quelque chose de militaire ; les mots devenaient des armées, les phrases étaient des victoires ; bref, les poèmes de Hugo bouleversaient l'ordre des choses, rappelaient à tous la France napoléonnienne transformée en caserne militaire pour l'envahissement de tout le monde connu. Hugo n'a jamais été véritablement un pacifique ; il a toujours conservé dans sa garde-robe son vieil habit de garde national et le premier geste qu'il pose, en rentrant à Paris après vingt ans d'exil, c'est de réclamer un fusil pour combattre les Prussiens assiégant la ville. Il faut dire que toute la France du XIXe siècle est en état de révolution : les contre-coups de 1789, la fameuse prise de la Bastille, rendirent l'usage du pouvoir difficile, à la merci des coups d'état, des insurrections, des renversements de gouvernements, de la chute des vieux rois épuisés et de la venue des dictateurs. Les sociétés menacées ne tournent jamais à gauche ; elles virent plutôt complètement à droite jusqu'à ce que corrompues entièrement par l'exercice du pouvoir, elles s'écroulent sous la montée des forces révolutionnaires. Au moment où Hugo est élu député, il croit à la société dans laquelle il vit, il n'a aucun doute sur sa légitimité. Avec un peu de bonne volonté, croit-il, l'on peut remédier aux maux de l'époque. Et quelques bons hommes peuvent faire toute la différence. C'est pour cela qu'il donne son appui à Louis-Napoléon Bonaparte, le futur Napoléon III rebaptisé par Hugo en Napoléon-Le-Petit. Habile, Louis-Napoléon Bonaparte se donne des airs de libéral ; il parle de réformes qui ne sont pas bêtes, et Hugo marche. C'est que lui-même est à cette époque peu sûr de ce qu'il veut. Son credo politique, très simple, peut se résumer à ceci : il est du côté des faibles contre les forts, du côté des opprimés contre les opprimeurs. Dans la réalité, cela ne veut pas dire grand-chose et

Hugo lorgnant les voûtes bleues,
Au Seigneur demande tout bas :
Pourquoi les astres ont des queues
Quand les *Burgraves* n'en ont pas ?

Caricature de Daumier sur l'échec des *Burgraves,* drame présenté au
Théâtre-Français en 1843.

ne résoud guère les problèmes d'un peuple misérable qui se prépare à descendre dans la rue.

Hugo ne comprend-il rien à rien ? Pense-t-il vraiment qu'on peut être un bon bourgeois tout en se croyant du peuple ? Pense-t-il vraiment qu'on peut habiter une espèce de château, Place Royale, et être du côté des Misérables ? Sa première tendance est le paternalisme : le peuple n'est encore qu'un grand enfant à qui il ne faut pas trop donner, qu'il faut conseiller plutôt que de l'écouter. Mais tout de même, Hugo est déchiré. Cet anarchiste ne se sent pas tellement à l'aise à l'Assemblée. Cet homme cultive les maladresses. D'abord, il ne sait pas faire des discours ; ce grand timide, ce grand vaniteux, perd ses moyens en public. On rit de lui, on le chahute, on le ridiculise. Pensez ! il prévoit même les interruptions, il croit savoir d'avance les phrases sur lesquelles ses collègues vont réagir par l'applaudissement ou l'insulte ; ses textes sont notés, et il s'arrête au milieu de ses discours aux endroits prévus par lui, dans l'attente des bravos ou des injures qui souvent ne viennent pas, ce qui le désarçonne. Il y a aussi le fait que Hugo n'est pas un improvisateur ; si on l'interrompt, il a beaucoup de difficultés à reprendre, à retrouver le fil de ses idées. Oh, il n'est pas si bête et sait bien de quoi il en retourne ; il vit dans l'ambiguïté et cela a commencé le jour où il est devenu académicien. A Juliette qui se rend compte de ce qui se passe, des changements qui se font en lui, et qui lui écrit : « Oh ! si je pouvais vous rendre vos bons doigts d'autrefois, vos bretelles naïves et vos cheveux en broussaille, avec vos dents de crocodile, je n'y manquerais pas ! (...) Toto se serre comme une grisette ; Toto se frise comme un garçon tailleur ; Toto a l'air d'une poupée modèle ; Toto est ridicule ; Toto est académicien », il répond : « Je suis à la mode ; je mets des gants jaunes, j'adore la musique, j'aime les chevaux, je me fais friser, je secoue la main des femmes, je fume, je bois, je sens l'écurie et le club, le fumier et la fumée, le crottin et le tabac, les femmes m'adorent, les chevaux me jettent par terre, je parle à tort et à travers danse, opéra, steeple-chase, turf, sport. Il faut bien hurler avec les loups et braire avec les lions. » Il mettra à peu près dix ans à se rendre vraiment compte de ce qui se passe, il faudra vingt-quatre mois pour qu'il comprenne qu'il a été dupe beaucoup plus de lui-même que de Napoléon III. Le pouvoir n'a jamais changé. Lui qui connaissait l'histoire, comment avait-il pu s'imaginer que la France, après 1789, se trouvait comme à en être sortie, en ce sens que la prise de la Bastille marquait un point de non retour, et l'impossibilité de nouvelles tyrannies. Mais ce qu'il savait d'instinct, c'est que ce n'est jamais le peuple qui le premier use de violence, obligeant ainsi les régimes à se tourner vers leur droite. Quand la violence éclate, que le peuple dresse les barricades et que le gouvernement envoie ses soldats, c'est qu'il y a eu, du côté des représentants, des manquements graves au devoir. Un citoyen ne se révolte jamais pour le simple plaisir de le faire ; on arrive à la révolution par d'étranges chemins, après trop d'humiliations, trop d'inconscience de la part des politiciens, et trop de démagogie. Une fois élus, les gouvernants sont des forces arrêtées, ils deviennent d'une certaine manière des institutions, et le propre de l'institution est d'être anachronique, d'être toujours du passé. Le peuple, lui, est une force en marche, donc essentiellement révolutionnaire. Quand on réussit à « endormir sa conscience », même la démocratie est un état de tyrannie. Parce qu'on tient le peuple dans l'ignorance, on gouverne au-dessus de lui, dans l'impunité. Car il est facile pour le pouvoir d'être injuste au nom de la justice, d'être démagogue au nom de la vérité, d'être déloyal au nom de la raison d'État. Ce n'est pas l'État qu'il faut sauver en état de crise, c'est le peuple. Lui seul est souverain, lui seul a droit de regard sur ce qu'il désire devenir. L'important, comme dit Hugo, est que sa conscience humaine se réveille ! Après cela, tout devient facile, une véritable démocratie populaire peut s'exercer. L'étonnant, c'est qu'elles n'existent encore nulle part au monde : les régimes d'aujourd'hui comme ceux d'hier sont aristocratiques, absolument pas représentatifs de ce qu'est le peuple, à la merci des puissants et des bien nantis. Nous vivons en État de caricature. La démocratie est un bonnet d'âne. Tout cela peut être facilement compris, il suffit de ramener la proposition à son origine : le pouvoir corrompt. Il n'y a pas d'exemples d'exception dans l'histoire ; tous les régimes, quand ils ne sont pas fouettés par une opposition efficace, deviennent lâches vis-à-vis d'eux-mêmes. Tous les régimes où le peuple est absent finissent dans l'autoritarisme. Hugo a mis longtemps à comprendre cela. Au fond de lui, il craignait la force que peut avoir le peuple. Ce n'est pas pour rien qu'il a toujours voulu être une espèce de mage révélant aux rois et aux citoyens leurs devoirs. Son rôle de représentant du peuple, il l'a pris au sérieux ; dès qu'il est député, il visite les prisons, les ateliers nationaux, les écoles ; il prend des bains de foule, se promène dans Paris seulement pour « voir comment cela se passe ». Alors il comprend mieux la colère du peuple et se durcit vis-à-vis du pouvoir. Il vient de faire une découverte : les citoyens et les gouvernants ne parlent pas le même langage, n'obéissent pas aux mêmes exigences. Tout ce que désire Napoléon III, c'est entretenir ses misérables ; ses vrais intérêts sont ailleurs, ont toujours été ailleurs. Hugo prend le parti des pauvres, des laissés pour compte de la démocratie, il monte à la tribune, fait des discours flamboyants (cela aussi il l'a appris), critique violemment le gouvernement. Mais jusqu'à la fin, Hugo refuse l'extrémisme : il est encore assez naïf pour croire que le gouvernement, après l'avoir entendu, se rendra compte de ce qui, avec sa complicité, est en train de se préparer. La droite insulte Hugo, devient de plus en plus tapageuse. Il fait ses interventions noyé sous une mer de quolibets, de rires et d'injures. Mais lentement la gauche s'est réveillée ; elle a enfin compris les motifs qui animent Hugo.

Dessin de Daumier. On vient de lui poser une question grave, il se
livre à des réflexions sombres — la réflexion sombre peut seule éclaircir
la question grave ! — aussi est-il le plus sombre de tous les grands
hommes graves.

Hélas ! il est déjà trop tard. Comme a écrit Maurois, les discours, dans une Assemblée nationale, n'ont jamais convaincu qui que ce soit. Le parlementarisme n'a réussi qu'à prouver une seule chose : que le véritable politique vit en état de solitude, qu'il n'est jamais un mage mais parfois un prophète. Je relis les discours de Hugo à l'Assemblée Nationale ; ce sont là les œuvres d'un anarchiste pour qui les idées priment le pouvoir. Habituellement, les hommes politiques s'inventent un credo une fois qu'ils sont confortablement abrillés par le pouvoir ; avant les élections, ils n'ont jamais vraiment d'idées sur l'exercice qu'ils entendent faire du pouvoir. A leur façon, ils sont des capitaines d'industries, les chefs d'une véritable pègre politique dont les buts sont l'asservissement de la majorité par une minorité possédée à force d'être possédante. N'allez pas chez ces gens chercher un authentique idéal, un ordre de grandeur nouveau. Ils sont collés aux choses, à la glu quotidienne ; ils s'imaginent que le peuple n'est qu'un ventre et ils ignorent que les sociétés ne se construisent que dans la fierté. L'humiliation d'une collectivité ne peut se terminer que dans la révolution . . . ou le génocide. Je préfère être finalement du côté de Hugo, du côté des révolutions, et donner de grands coups d'épée dans l'eau, ainsi que savent si bien dire les politiciens. Il y a dans *Ruy Blas* un percutant monologue sur les ministres intègres qui vilipendent les biens de la nation, commettent tous les crimes et toutes les bassesses pour demeurer maîtres du pouvoir. Je sais que cela a été dit bien des fois, mais a-t-on le choix ? Doit-on se taire par crainte de la répétition ? Et est-ce ma faute à moi si l'homme a l'oreille dure ? Ce que je veux dire, c'est que j'admire Hugo pour son courage, parce qu'il savait que « servir la patrie est une moitié du devoir » et que « servir l'humanité est l'autre moitié ». Je connais bien des ministres intègres qui devraient acheter *Napoléon-le-Petit, Les Châtiments, Les Misérables* et *William Shakespeare*. Après avoir lu l'un ou l'autre de ces livres, peut-être alors pourraient-ils « parler au peuple le vrai langage ». Hugo dit quelque part que les vices comme les vertus du peuple sont de l'ordre énorme : « Les choses nettoyées et polies, les petites élégances à tranchant fin et brillant, les subtilités, les raffinements ne l'entament point. On ne creuse pas les sillons et l'on ne coupe pas les arbres avec un rasoir. » Autrement dit, « un peuple, pour être vraiment grand, doit agir en toute chose comme un grand peuple et comme un honnête homme ». Dans les *Actes et Paroles* de l'exil, Hugo ajoutait : « Il n'y a pas de petit peuple... L'unique mesure, c'est la quantité d'intelligence et la quantité de vertu. » Il savait aussi que « toutes les colères du peuple se retrouvent à un jour donné et se soldent en révolutions » et que « l'âme d'un peuple sommeille mais ne meurt pas ».

Il s'agit peut-être là de simplicités. Je n'en veux pas discuter, je dis tout bonnement qu'elles sont à méditer car elles viennent d'un homme qui savait de quoi il en retournait.

VICTOR HUGO

A SES CONCITOYENS.

MES CONCITOYENS,

Je réponds à l'appel des soixante mille Electeurs qui m'ont spontanément honoré de leurs suffrages aux élections de la Seine. Je me présente à votre libre choix.

Dans la situation politique telle qu'elle est, on me demande toute ma pensée. La voici : Deux Républiques sont possibles.

L'une abattra le drapeau tricolore sous le drapeau rouge, fera des gros sous avec la colonne, jettera bas la statue de Napoléon et dressera la statue de Marat, détruira l'Institut, l'Ecole polytechnique et la Légion-d'Honneur, ajoutera à l'auguste devise : *Liberté, Égalité, Fraternité*, l'option sinistre : *ou la Mort*; fera banqueroute, ruinera les riches sans enrichir les pauvres, anéantira le crédit, qui est la fortune de tous, et le travail, qui est le pain de chacun, abolira la propriété et la famille, promènera des têtes sur des piques, remplira les prisons par le soupçon et les videra par le massacre, mettra l'Europe en feu et la civilisation en cendre, fera de la France la patrie des ténèbres, égorgera la liberté, étouffera les arts, décapitera la pensée, niera Dieu; remettra en mouvement ces deux machines fatales qui ne vont pas l'une sans l'autre, la planche aux assignats et la bascule de la guillotine; en un mot, fera froidement ce que les hommes de 93 ont fait ardemment, et, après l'horrible dans le grand que nos pères ont vu, nous montrera le monstrueux dans le petit.

L'autre sera la sainte communion de tous les Français dès à présent, et de tous les peuples un jour, dans le principe démocratique; fondera une liberté sans usurpations et sans violences, une égalité qui admettra la croissance naturelle de chacun, une fraternité, non de moines dans un couvent, mais d'hommes libres; donnera à tous l'enseignement comme le soleil donne la lumière, gratuitement; introduira la clémence dans la loi pénale et la conciliation dans la loi civile; multipliera les chemins de fer, reboisera une partie du territoire, en défrichera une autre, décuplera la valeur du sol; partira de ce principe qu'il faut que tout homme commence par le travail et finisse par la propriété, assurera en conséquence la propriété comme la représentation du travail accompli et le travail comme l'élément de la propriété future; respectera l'héritage, qui n'est autre chose que la main du père tendue aux enfants à travers le mur du tombeau; combinera pacifiquement, pour résoudre le glorieux problème du bien-être universel, les accroissements continus de l'industrie, de la science, de l'art et de la pensée; poursuivra, sans quitter terre pourtant, et sans sortir du possible et du vrai, la réalisation sereine de tous les grands rêves des sages; bâtira le pouvoir sur la même base que la liberté, c'est-à-dire sur le droit; subordonnera la force à l'intelligence; dissoudra l'émeute et la guerre, ces deux formes de la barbarie; fera de l'ordre la loi des citoyens, et de la paix la loi des nations; vivra et rayonnera, grandira la France, conquerra le monde, sera en un mot, le majestueux embrassement du genre humain sous le regard de Dieu satisfait.

De ces deux Républiques, celle-ci s'appelle la civilisation, celle-là s'appelle la terreur. Je suis prêt à dévouer ma vie pour établir l'une et empêcher l'autre.

VICTOR HUGO.

IMPRIMERIE DE JULES-JUTEAU ET Cᵉ, RUE ST-DENIS, 144.

Et je vous vois déjà venir, ô ministres intègres ! Je de-
vine vos cris d'indignation, vos fausses colères, vos délits
d'opinion camouflant votre petitesse, votre mépris du peuple, votre honte et votre ridicule cachés sous l'immunité
parlementaire. Tout le monde ne peut pas savoir, n'est-ce
pas ?, que le peuple, « fragment sans cesse renouvelé
du Tout moral qu'on appelle nation, n'a pas le droit
d'abdication », qu' « il a le droit, plus le devoir, de résis-
ter à toute royauté, à toute usurpation ». Que voulez-
vous de plus, ô ministres intègres ? Tenez-vous vraiment
à ce qu'on vous rappelle cette autre phrase très juste de
Hugo : « Il y a des gens qui sont nés pour servir leur
pays et d'autres qui sont nés pour servir à table » ? Tout
est là, ce mot de Hugo dit tout, c'est le meilleur résumé,
la plus forte métaphore qu'il ait faite au sujet de la
politique. O ministres intègres ! Savez-vous à quoi je
rêve ? Je rêve à ce qui se passerait au Québec si nous
avions un poète comme Hugo, un poète national, engagé
tout à fait dans l'action, et dont l'écriture serait comme
l'envers de cette action, ou sa face cachée. O ministres
intègres ! Voyez-vous cela, un Hugo québécois ? Je
connais la majorité des poètes de mon pays, et ce n'est
pas un hasard si la plupart d'entre eux sont des for-
malistes. Le formalisme est une évasion, un refus du
pays réel, un déracinement volontaire, une descente dans
les enfers de l'hermétisme qui, une fois violé, ne révèle
que le vide d'une parole neutre qui n'a ni direction ni
lieu où vivre. Et puis, les chers poètes de mon pays
ont la pisse difficile. C'est qu'ils ne sont pas généreux,

GRAND CHEMI...

Le laid, c'est le beau. Caricature publiée dans les journaux français à l'époque de *Cromwell*. Suivent dans le sillage de Hugo les Balzac, Sue, Dumas, Gautier, Delavigne, etc.

qu'ils n'ont pas le scandale facile, qu'ils sont incapables de s'indigner. Pour un Gaston Miron, combien de rhéteurs d'occasion, combien d'hommes endormis qui ne demandent pas mieux que de le demeurer du moment qu'on leur laissera l'usage des mots dont ils ne connaissent pas la portée révolutionnaire ? Il faut lutter contre l'insignifiance. Hugo n'a fait que cela toute sa vie. Selon le mot d'Aragon, ce qui fait de lui un poète national, c'est sa grandeur, son cœur, sa hauteur de vues, ses perspectives prodigieuses, son amour de la paix et du progrès, sa confiance dans l'homme et son élévation illimitée. Et nous qui habitons ce pays, nous avons tellement besoin de tout cela. Et comment pourrions-nous être autrement que dans la fierté ? Il faudrait que nous nous jetions à corps perdu dans l'action, que nous apprenions à vivre dangereusement, comme Hugo en 1851, comme ce Hugo poursuivi par les polices de France à cause de ses activités révolutionnaires. L'écrivain qui n'est pas menacé a tendance à se laisser porter par le courant, il fait office de bouchon de liège, il est, comme le politicien, ouvert aux compromissions. Comment pourrait-il, dans ce cas, devancer le pays et établir, par les mots, l'homme neuf ?

Mais un mot encore, ô ministres intègres ! Peut-être le mépris qui a entouré et continue encore d'entourer le nom de Victor Hugo tient-il au fait qu'il était un homme libre. Vers la fin de sa vie, il disait : « Je suis devenu impossible à amalgamer », ce qui est une forme de courage. Il avait compris que le peuple est au-delà de

137

toutes les coteries. Ce n'est pas pour rien que les foules ignares en délire applaudissaient en lui le prophète de la paix, comme dit Jean Ethier Blais qui a aussi ajouté : « Hugo lui-même, ignorant ses propres pouvoirs, bêlait avec les autres. » Si tout le monde se mettait tout à coup à bêler ce que bêlait Hugo, on ne reconnaîtrait sans doute plus la terre qui prendrait des dimensions plus humaines. Le monde s'élargirait, l'homme irait en creux à l'intérieur de lui-même. Ce n'est pas tous les jours que l'on fait la découverte de sa sincérité. Et pour ma part, je préfère les foules ignares en délire qui applaudissent un homme comme Hugo plutôt que n'importe quel Nixon de Nixon. Je préfère ceux qui bêlent à gauche que ceux qui bêlent à droite parce qu'ils ont du mépris pour le peuple. Les peuples bien informés ne sont jamais ignares. Hugo avait compris cela, et voilà pourquoi il exigeait l'instruction obligatoire et gratuite. Il savait que dans la connaissance est la fin des injustices sociales. Il voulait qu'on réveillât la conscience humaine, qu'on chassât du pouvoir tous « les absents du devoir ». Il disait : « Le progrès, c'est un besoin d'azur. » Il disait : « Toutes les institutions mauvaises de ce monde finissent par le suicide. » Il disait : « La révolution est précisément le contraire de la révolte. Toute révolution, étant un accomplissement normal, contient en elle sa légitimité que de faux révolutionnaires déshonorent quelquefois mais qui persiste, même souillée, qui survit, même ensanglantée. Les révolutions sortent, non d'un accident, mais de la nécessité. Une révolution

138

est un retour du factice au réel. Elle est parce qu'il faut qu'elle soit. »

Hugo assis sur Paris.

O ministres intègres ! Je sais bien que vous ne lirez pas Hugo, que vous ne bêlerez pas avec lui et que vous resterez fidèles à vous-mêmes, c'est-à-dire hommes de lettres, fonctionnaires, ouvriers et bourgeois pourris par la vie facile, le haut standigne de vie, et ne craignant qu'une chose : être obligés un jour de vous engager et de monter sur les barricades de votre devoir. Vieil Hugo ! quand je pense à toi prenant le train pour Bruxelles où t'attend vingt ans d'exil, je voudrais te serrer les deux mains pour te remercier de nous rappeler notre lâcheté. Mais je me rappelle aussi que tu disais, dans *Napoléon-le-Petit :* le désespoir est une forme de désertion.

139

10

Mais ce qui me rend Hugo si sympathique, c'est que brusquement il est devenu névropathe. Il ressemble un peu à Edgar Poe : il y a au fond de lui une épouvante qu'il n'a jamais totalement maîtrisée ; il a des peurs très enfantines, est superstitieux, croit à la métempsychose. Pour Hugo, les choses comme les hommes ont des âmes. On imagine tout de suite les prolongements qu'il pouvait apporter à ces croyances dans des moments de grande tension créatrice. Il faut dire que sa famille avait, sur le plan de la névrose, un atavisme révélateur : son père, homme de grande violence, entrait souvent dans des colères terribles où sa paranoïa éclatait au grand jour ; il se disait persécuté et dénonçait des complots imaginaires. L'une des filles de Victor Hugo, la mélancolique Adèle, s'invente un grand amour, déserte le foyer, vit de longues années en exil à Halifax et dans les Barbades, et termine ses jours dans l'asile de Charenton. La légende veut qu'elle ne faisait jamais plus que dix pas en ligne droite ; alors elle changeait de direction et recommençait son manège. Et Eugène, le frère de Hugo, était lui aussi devenu fou le jour même du mariage du poète. C'est donc dire que la folie a toujours été présente dans la vie de Hugo, qu'il la craignait pour lui-même et les

Dessin fait à l'époque des Tables mouvantes.

siens, que son œuvre, du commencement à la fin, est pleine d'aliénés dont les obsessions ne sont qu'une transposition de celles qui l'habitaient.

C'est l'exil qui, pendant un moment, amena ce grand éclatement psychique de Hugo. Cet homme-là travaillait trop, il se laissait emporter par de dangereux courants créateurs, par le tourbillon de ses rêves qui prenaient tout à coup une dimension effrayante. Les photos de l'exil sont représentatives de ce qu'il était en train de devenir : entouré par l'océan, ce grand symbole des forces irrationnelles, Hugo change de visage ; ses traits s'empâtent, de grosses poches assombrissent ses yeux, ses cheveux blanchissent, s'allongent, découvrent un front gigantesque. Il n'est plus le dandy fameux des salons littéraires de sa jeunesse. Il s'habille maintenant sans recherche, comme s'il n'avait plus le temps de prendre soin de lui. Sous ses photos, il écrit toutes sortes de choses étranges en elles-mêmes, il se voit comme l'interlocuteur de Dieu, comme une espèce de médium à l'écoute des puissances obscures qui finiront par s'emparer de lui. Une photo le montre en état de méditation, les yeux à demi-clos, perdu dans une rêverie qu'il poursuit durant de longues heures, qui prend véritablement possession de lui. Mais tout cela n'a pas de direction précise ; les idées de Hugo courent en tous sens, jettent leur sonde partout. Le monde de ses illuminations ne s'est pas encore fixé, le fil conducteur reste invisible. Jusqu'à l'arrivée, à Marine Terrace, d'une femme vêtue de noir, qui souffre d'un cancer, et qui est une vieille amie

143

de Hugo : Delphine de Girardin. En moins d'une semaine, elle bouleversa la vie de Victor Hugo.

Delphine de Girardin faisait parler les Tables mouvantes, cette espèce de jeu bizarre que les Français avaient importé de l'Angleterre et qui permettait d'interroger les esprits disparus, donc de s'entretenir avec les morts et les spectres. A Paris, les soirées spirites avaient remplacé les salons littéraires ; cela était plus exotique et procurait des émotions plus fortes. Il suffisait de réunir quatre ou cinq participants autour d'un guéridon et de poser des questions aux Invisibles qui répondaient s'ils en avaient l'envie. Lorsque Delphine de Girardin parla de la chose à Hugo, il se montra sceptique, refusa de se prêter à l'expérience. Mais il était tenté et Delphine de Girardin en avait déjà convaincu de plus difficiles que lui. Un jour, elle visita les boutiques de Saint-Hélier et rapporta chez Hugo une petite table ronde à trois pieds. Et les conversations avec les Invisibles commencèrent. Hugo ne tarda pas à se passionner pour le spiritisme : il suffit que vint parler Léopoldine, sa fille qui s'était noyée dans la Seine, pour qu'il se sentit totalement concerné par le phénomène. Dans les débuts, les Tables sont laconiques, elles aiment bien le jeu du coq-à-l'âne. Ce n'est que plus tard que les Esprits accepteront les longues discussions philosophiques qui donneront à Hugo une étonnante mission, celle d'inventer une nouvelle religion, la religion du XXe siècle dont il devrait être le grand-prêtre. Pour le moment, le genre de dialo-

144

gue s'établissant entre les Hugo et les spectres est de
cet ordre :

    VICTOR HUGO. — Qui es-tu ?
      — L'Ombre.
      — Es-tu l'Ombre de quelqu'un ?
      — Du sépulcre.
      — Peux-tu nous dire ton nom ?
      — Non.
      — As-tu une communication à nous faire ?
      — Crois.
      — A quoi ?
      — A l'inconnu.
      — Qu'est-ce que l'inconnu ?
      — Le vide plein.
      — Parle toi-même.
      — La mort est le ballon de l'âme.
      — Le monde auquel tu appartiens est-il la con-
tinuation de cette vie ?
      — Non.
      — Cependant tu as vécu ?
      — Non.
      — Qu'es-tu donc ?
      — L'ombre.
      — L'ombre de quelqu'un qui a vécu ?
      — Non.
      — Dois-tu vivre ?
      — Non.
      — Es-tu un ange ?

— Oui.

— Pourquoi viens-tu ?

— Pour causer avec la vie.

— Qu'as-tu à dire ?

— Esprits, venez ici, il y a des voyants.

— Les esprits auxquels tu t'adresses, est-ce nous ?

— Non.

— Alors c'est nous qui sommes les voyants ?

— Oui.

— Toi, nous vois-tu ?

— Non.

— Les esprits que tu appelles ici ont-ils vécu de la vie des hommes ?

(Pas de réponse.)

— Peux-tu répondre ?

— Non.

— Puis-je te calmer ?

— Non.

— Es-tu un esprit heureux ?

— Non. Le bonheur n'est qu'humain. Il suppose le malheur.

— Tu parles ainsi parce que tu es dans l'absolu ?

— Oui.

— Parle de toi-même.

— L'infini, c'est le vide plein.

— Entends-tu par là que ce que nous appelons le vide est rempli par le monde des esprits ?

— Parbleu.

— Ombre du sépulcre, tu peux donc être gaie ?

146

— Non.

— Parle.

— Use ton corps à chercher ton âme.

— Es-tu seul dès esprits ici ?

— Je suis partout et je suis tout.

— Veux-tu que je continue à t'interroger ?

— Oui. Tu as la clef d'une porte du fermé.

— Connais-tu la vision que j'ai eue hier ?

— Je ne connais pas hier.

— Sommes-nous sûrs de te voir après la mort ?

— Tu n'as pas de lunettes.

— Si nous nous conduisons bien dans cette vie, pouvons-nous espérer une vie meilleure ?

— Oui.

— Si nous nous nous conduisons mal, aurons-nous une vie plus douloureuse ?

— Oui.

— Les âmes des morts sont-elles avec toi ?

— Sous moi.

— Es-tu plus près des âmes que de Dieu ?

— Il n'y a pour moi ni près ni loin.

— Dis-moi, les mondes autres que la terre sont-ils habités ?

— Oui.

— Par des êtres comme nous, âme et corps ?

— Les uns, oui, les autres, non.

— Après la mort, les âmes de ceux qui ont fait le bien sont-elles dans des espaces de lumières, ou vont-elles habiter d'autres globes ?

147

— Allume.
— Est-ce toujours l'Ombre du sépulcre qui est là ?
— Non.
— Qui es-tu ?
— Chateaubriand.
— Tu sais que nous t'aimons et que nous t'admirons ?
— Oui.
— Tu es mon voisin à présent. Réponds.
— La mer me parle de toi.
— Peux-tu nous parler du monde où tu es maintenant ?
— Non.
— Es-tu heureux ?
— Je vois.
— As-tu une communication à nous faire ?
— Oui.
— Parle.
— La marée vient sur lui.
— Continue.
— J'ai lu ton livre.
— *Napoléon-le-Petit* ?
— Oui.
— Dis-nous ce que tu en penses.
— Mes os ont remué.
— Parle. Tu sais que je lutterai jusqu'à la mort pour la liberté.
— République.

— La République, c'est l'avenir, n'est-ce pas ?
— Je ne vois que l'éternité.

Presque tous les soirs donc, les Tables mouvantes bougent dans le salon de Marine Terrace. Delphine de Girardin est partie maintenant mais cela n'empêche rien puisque le petit groupe de proscrits se débrouille fort bien. Le meilleur médium est Charles, le fils aîné de Hugo. Ce gros homme mou et paresseux aurait des pouvoirs psychiques assez peu communs ; les Tables parlent plus et mieux quand il les interroge. Hugo, lui, s'intéresse beaucoup aux révélations des Esprits. Les réponses que dictent les Tables le confirment dans ce qu'il croyait. L'Ombre lui dit : « Amant du beau, aimé du grand... Quelles ailes ! tu crées des mondes, les autres sont jaloux... Tu es immense, ce mot est la fin. » Pour Hugo, seuls les génies et Dieu sont immenses. Il est d'autre part assez révélateur que ce soit Napoléon qui donne à Hugo cette belle définition de Dieu : « un regard infini dans un œil éternel ».

Le monde qui se crée grâce aux Tables est un monde exemplaire, tourné totalement vers les choses de la mort. C'est en quelque sorte une nouvelle religion qui naît grâce aux Hugo et que l'Idée, Moïse, Socrate, Mahomet, Jésus-Christ, Dante et Shakespeare, sanctionnent. On voit tout de suite qu'il y a une forme de démence là-dedans, qu'un vent de folie soufflait sur Marine Terrace. On ne fait pas venir de l'au-delà Chénier pour lui demander de compléter ses poésies.

149

Le monde des phantasmes.

Le plein est le plateau; le plat est le roc.

On n'exige pas de Shakespeare qu'il écrive une nouvelle pièce. Pourtant, tout cela devient possible avec les Tables, une constellation de génies défilent que les Hugo interrogent dans l'espoir d'y trouver les réponses qu'ils cherchent dans une bizarre schizophrénie. Peu à peu, et grâce aux interventions des Esprits, c'est une authentique philosophie en instance de doctrine qui se creuse. Sa mythologie répond sublimement à la mythologie hugolienne. Par exemple, Moïse prétend qu'il y a des « âmes muettes » parce qu' « elles n'ont fait que naître et mourir ». Il ajoute que « les criminels se transformeront lentement et deviendront des justes » à cause du « rayonnement lointain de Dieu » qui « fondra ces cœurs de glace et leurs crimes s'écouleront en avalanche dans l'abîme du pardon divin ». Hugo, dans ses grands poèmes philosophiques des *Contemplations*, n'était pas allé moins loin. La Table confirme sa croyance. Lui ordonne d'aller plus loin, de prendre le plus d'espace possible, d'intégrer à la nouvelle mythologie des vérités trop longtemps négligées mais que Hugo, dans ses longs travaux, a commencé de découvrir. Mais La Table lui reproche cette forme interrogative dont il abuse dans ses poèmes. Elle lui suggère d'affirmer. Plus tard, elle se fera plus violente, elle lui ordonnera d'être « le sphinx de ta tombe » et « l'Oedipe de ta vie », elle l'accusera de modestie et lui conseillera plutôt de demander tout ou rien, d'exiger l'immensité, de faire des sommations à l'infini, de préparer la révolution totale. « Si j'étais à ta place, dit la Table, je ne ferais pas grâce au ciel

151

Victor Hugo et ses deux fils (Charles et François-Victor) à Jersey en 1860.

d'un paradis ; je ne lui permettrais pas de me cacher un enfer ; je me mettrais à même l'abîme ; je ferais de mon cerveau l'engloutisseur de Dieu ; je me donnerais une formidable bouchée de l'infini ; je serais un terrible Gargantua d'étoiles, un colossal Polyphème de constellations, de tourbillons et de tonnerres ; je boirais la jatte de lait de la Voie lactée ; j'avalerais les comètes ; je déjeunerais de l'aurore ; je dînerais du jour et je souperais de la nuit ; je m'inviterais, splendide convive, au festin des gloires, et je dirais à Dieu : mon hôte ; je me ferais une faim magnifique, une soif énorme, et, Silène des mondes, je courrais dans l'espace, ivre de sphères et chantant la redoutable chanson à boire de l'éternité, joyeux, radieux, sublime, les mains pleines de grappes d'astres et le visage pourpre de soleil ! Je ne laisserais pas une étoile vide, et à la fin du festin, je roulerais sous les cieux illuminés ! »

Lorsque Hugo demande à la Table pourquoi il a été choisi, elle lui répond presque à côté en lui faisant encore une recommandation. Elle lui dit : « Fais pour le XXe siècle une œuvre affirmative plutôt qu'une œuvre dubitative pour le XIXe siècle. »

L'étonnant est évidemment que Hugo ait cru les Esprits, qu'il soit allé jusqu'à prévoir, pour après sa mort, la publication, par tranches, des révélations des Tables. A cette époque, il était tout à fait détraqué, vivait dans un monde de phantasmes et d'hallucinations, rempli de symboles morbides que les voix d'Outre-Tombe amplifiaient démesurément. C'est le Drame, par exemple,

Photomontage d'Auguste Vacquerie.

qui confirme à Hugo que « les animaux sont des prisons
d'âmes » et que « lorsque la nuit est tombée, de toutes
parts il s'élève un immense bruit ; c'est la prière des
gueules, des becs, des nageoires ». D'où un sentiment
d'hystérie collective : la terre est emportée dans le
tourbillonnement du bruit et de la fureur, toute la

création devient une immense souffrance, rien n'est sûr car l'expiation suprême est le doute ; l'univers devient alors un fourmillement d'âmes délirantes et malheureuses qui ne pourront plus se libérer que dans le sacrifice de la mort. Les Voix insistent sur l'horrible, elles demandent à Hugo des vers sur les vermines et les crapauds, sur tous les êtres immondes et difformes qui vivent leur expiation dans le noir. » La nuit est le monstrueux regard de l'œil crevé », dit la Table. « Le monde est un immense bal masqué où les convives portent tous le domino de la mort. »

Hugo est tout à fait d'accord avec cette révélation ; il l'endosse. De toute façon, il l'avait déjà exprimée dans bien des poèmes qui, il est vrai, demeuraient encore inédits. Mais « le choix du noir » ne suffisait pas totalement à Hugo ; il voulait connaître l'avenir, métaphysiquement. Dans ses questions aux Ombres, cette idée revient constamment, elle est la grande obsession hugolienne pour qui la notion de progrès est sacrée. La Table confirme encore cet élément de sa philosophie ; elle lui dit que c'est sa souffrance même qui sauvera l'homme, que le matin viendra de la nuit même. C'est une philosophie de l'ambiguïté que la Mort résume magnifiquement en ces termes : « Vos soleils prennent la gangrène, vos lunes ont l'horrible peste du châtiment, vos constellations qui s'agenouillent depuis des milliers d'années ont fini par se briser le crâne et le poing contre les ténèbres et ne sont plus que des moignons d'enfer, vos créateurs ne sont plus que des lambeaux de chair, vos auréoles

ne sont plus que des haillons de rayons, vos prodiges ont
la tête coupée, votre firmament est l'immense égout où
roulent tous ces cadavres et vos splendides chevaux
de lumières, fous de rage et prenant le mors aux dents,
écartèlent l'humanité. » Comme l'on voit, c'est la dernière partie de la phrase qui est importante : pour
renverser l'ordre des choses, il suffit de chevaux de
lumière, il faut être poète, devancer la civilisation, voir
très loin devant elle. A la rigueur, inventer l'avenir
c'est se l'approprier, c'est le forcer à être ce que l'on
désire qu'il soit. Un homme, un seul homme peut
modifier le monde ; un poète, un seul poète, peut déclen-
cher la révolution. C'est ce qu'un soir la Table déclare
à Hugo, dans un texte extraordinaire qu'il vaut la peine
de citer entièrement :

> — L'homme n'est pas un moi simple, c'est un moi
> complexe ; dans son épiderme, il y a des millions
> d'êtres qui sont des millions d'âmes. Dans sa
> chair, il y a des millions d'êtres qui sont des
> millions d'âmes. Dans ses os, il y a des millions
> d'êtres qui sont des millions d'âmes. Dans ses
> cheveux, il y a des millions d'êtres qui sont des
> millions d'âmes. Dans ses ongles, il y a des
> millions d'êtres qui sont des millions d'âmes.
> Chaque souffle de sa bouche est une
> bouffée d'âme ; chaque regard de ses yeux est
> un rayonnement d'âmes. Mais le grand nid, c'est
> le cerveau ; là, chaque fibre est une âme qui

pense ; une idée ne se forme que par le travail lent et douloureux de toutes ces âmes prisonnières sous la voûte du crâne humain, un cerveau est un cachot ; une idée est une évasion. Tous les membres du corps de l'homme sont des couloirs de prison ; sa tête est le bagne ; l'homme est un prisonnier qui sort de prison ; l'homme est un immense moi plein de moi imperceptibles ; il est un monde à lui seul ; il est un enfer jusqu'au bout de ses ongles et un enfer jusqu'à la racine de ses cheveux ; ses veines sont des fleuves pleins de noyés ; ses os sont des poteaux pleins de carcans ; ses cheveux sont des cordes d'un fouet invisible dont le vent agite les sombres lanières sur les forçats de son crâne ; l'homme est rempli de suppliciés ; c'est l'instrument des exécutions en même temps que c'est l'exécuté ; c'est un pendu et c'est un gibet ; c'est un crucifié et c'est une croix ; c'est un écartelé dont les quatre membres écartèlent un monde et dont les bras et les jambes sont autant de chevaux furieux emportant dans l'inconnu des âmes sanglotantes ; l'homme se dresse le soir sur le monde ténébreux et toute la nature le regarde avec épouvante ; le ciel dit : c'est le Christ ; la terre dit : c'est le calvaire. L'homme a sur la tête un immense corbeau qui vole éternellement et dont il ne voit la grande aile que la nuit. Songez à cet abîme. L'homme est un moi peuplé de moi qui ne le connaissent pas et qu'il ne connaît pas. Chaque moi à son tour est rempli d'autres moi et ainsi jusqu'à l'infini. Le moi de l'homme vit tout entier et chaque moi intérieur de l'homme est également tout entier ; l'homme ne connaît rien de son être ; il ne peut savoir ce qui vit, meurt et naît en lui ; l'homme n'est que l'âme principale du corps humain ; il y a en lui des âmes de plantes, des âmes de pierres ; il y a plus, il y a des âmes d'étoiles. L'homme, c'est le monde ; l'homme, c'est le ciel ; l'homme, c'est l'infini ; l'homme, c'est l'éternité ; l'homme, c'est le germe de la création jeté aux quatre vents et courant dans les gouffres de Dieu ; immense atome, le moindre moi contient un exemplaire complet de tous les moi. La bête contient tous les moi de l'homme. La plante contient tous les moi de la bête. Le caillou contient tous les moi de la plante. Le globe contient tous les moi de la bête, de la plante, du caillou. Le ciel contient tous les moi de tous les globes. Dieu contient tous les moi de tous les cieux ; mais ceci n'est que le commencement des horizons. Vous verrez, vous verrez, vous verrez. O toutes puissances de Dieu ! Il a rendu le monde imperdable ; il a mis le germe de tous les êtres dans chaque être ; il a fait de tout fruit le noyau et de tout noyau le fruit ; il a enfermé l'homme dans la bête et la bête dans l'homme, la plante dans le caillou et le caillou dans la plante ; il a mis l'étoile dans

158

le ciel, le ciel dans l'étoile, et lui il s'est mis dans tout et il a mis tout dans lui, de sorte que si un jour il arrivait qu'un tourbillon, un déluge, un ouragan détruisit les hommes, les bêtes, les plantes et les pierres, s'il arrivait qu'une comète dévorât les étoiles et, s'anéantissant elle-même, ne laissât plus de la création qu'un grain de sable, Dieu sourirait et, prenant le grain de sable dans ses mains, il le lancerait dans l'espace en s'écriant : Sortez, millions de mondes !

A Jersey, entre deux séances de spiritisme.

Mais en définitive, rien n'est vraiment acquis ; les Invisibles épousent le rythme de la marée ; ce qui a été dit hier est retiré aujourd'hui, ou est recouvert par une nouvelle vague de mots qui creusent davantage un univers de plus en plus dément car il indique, plus qu'un éclatement de la conscience hugolienne, un éparpillement, une descente vertigineuse au centre même de l'inspiration ; tout ne marche plus que par intuition, les mots sont cassés, brisés, tournés à l'envers, s'emplissent de significations nouvelles ; le créateur se modifie, il perd son visage, sort de la réalité, devient la nuit, l'ombre, les ténèbres, l'inconnu, l'impossible, le mystère, voire même l'infini. Ce n'est plus l'homme qui écrit mais le dédoublement de l'homme, le Spectre dit la Table, le Fantôme. Voilà pourquoi « les mots s'effarent, les phrases frissonnent de tous leurs membres, le papier s'agite comme le voile d'un vaisseau, l'encrier devient abîme, les lettres flamboient, la table vacille, le plafond tremble, la vitre pâlit, la lampe a peur ». Ce sont là toutes les manifestations de l'illumination, la mise en scène formidable qui permettra peut-être au langage de proclamer la vérité. C'est du moins ce que Hugo demande à la Table qui répond avec fermeté :

— Il n'y a pas d'alphabet de l'incréé ; il n'y a pas de grammaire du ciel ; on n'apprend pas le divin comme l'hébreu ; le céleste n'est pas un dialecte du terrestre ; l'infini n'est pas une espèce de chinois inconnu ; les anges ne sont pas des professeurs de langue divine, suppléants de la chaire Immensité. Non, tout cela n'a pas de nom, tout cela est lumière et inconnu ; tout cela est rayon et masque ; tout cela est soleil et errant ; l'immensité est une famille de vagabonds ; l'espace n'a pas de passeport, le ciel n'a pas de signalement. L'éternité n'a pas de généalogie, la création n'a pas de nom de baptême ; Dieu n'a ni feu ni lieu ; tout ce qui est incréé est l'innommé, la langue céleste se parle dans l'éblouissement ; resplendir, c'est s'exprimer ; le lumineux, c'est le clair ; le foudroyant, c'est le sublime ; parler la langue céleste, c'est jeter des flammes ; un ciel qui parle, s'étoile ; un ciel qui se tait ferme les lèvres des ténèbres ; et chaque lettre de ce terrible vocabulaire est un incendie sur lequel souffle la sombre bouche de la nuit ; le dictionnaire de l'infini est plein de ponctuations d'étoiles ; et que dirais-tu donc si, pour te parler la langue que tu demandes, toi chétif, cette petite table au lieu de syllabes, de mots et de phrases, te jetait tout à coup dans l'oreille des millions d'astres, te lançait à la face Jupiter, Aldébaran, Saturne, et répandait sur ton papier l'immense tache d'encre de la nuit étoilée, et t'y faisait des corrections avec des comètes furieuses ?

« Le Naufrage », dessin pour *Les Travailleurs de la mer.*

Il y a malgré tout de la beauté dans cette démarche poétique qui se termine immanquablement par un jaillissement, un vomissement du dire, comme si la vérité ne pouvait plus être entendue que dans cette espèce d'orgie des phrases commençant pour ainsi dire à zéro et éclatant, après une lente progression, comme des pièces pyrotechniques, comme des fins de mondes, ou des naissances, puisque le foisonnement se produit toujours de la même façon, par un grondement de voix, une enflure énorme de la parole qui, au fur et à mesure des déclarations de la Table, a quelque chose d'automatique, comme si les mots répondaient aux mots, comme si les mots étaient déments aussi, et ne pouvaient finir que dans l'horrible et qu'après avoir, en bêtes voraces, mangé tout l'univers. Ce n'est pas pour rien que les dessins du Hugo de cette époque représentent des hommes sans corps, qui se livrent de ténébreux combats ; des tombeaux qui s'ouvrent et laissent sortir de curieux personnages dont la tête est recouverte d'une cagoule ; ou encore ces êtres fabuleux ont un œil immense au milieu de la poitrine. Un dessin montre même l'une de ces bizarres créatures qui se prépare, au moyen d'un long couteau, à crever l'œil qu'elle a au centre de son thorax. Tout cela nous ramène au symbolique, les griffonnages de Hugo étant des figures de rêve, les faces libérées des monstres de sa vie nocturne. L'une des dernières révélations de la Table a d'ailleurs été pour confirmer la primauté du rêve chez le créateur. Mais déjà par intui-

163

tion, Hugo avait compris que la mort n'est que le prolongement ultime du rêve :

— Je veux vous parler du rêve. Quand le vivant
s'endort, il s'établit immédiatement une communication entre son lit et sa tombe. Tout corps
couché prend la ligne de l'horizon de l'âme. L'endormi devient le réveillé de l'ombre ; il n'est pas
immobile, il vole dans l'immensité ; il n'est pas
aveugle, il voit dans l'infini ; il n'est pas sourd,
il entend dans l'espace ; il n'est pas muet, il parle
dans la mort ; il n'est pas couché, il est ailé ;
il n'est pas étendu, il est planant ; il n'est pas
tombé, il est ressuscité ; l'endormi est l'assaillant
de la nuit ; tout sommeil fait le siège du mystère ;
tout grabat est une brèche du sépulcre ; les rêves
sont les projectiles des étoiles ; le jour, tu vis, la
nuit, tu meurs ; les millions de soleils percent ton
plafond et se mettent à éclairer ta chambre ; ta
veilleuse est éteinte, un astre s'y allume ; ta
lampe pendant toute cette nuit va consumer une
des gouttes de la Voie lactée ; les cierges de
l'ombre vont scintiller autour de tes funérailles
nocturnes ; l'infini va prendre tes draps de lit et
t'ensevelir jusqu'à demain dans la fosse commune
du sommeil ; vivant tu vas te mettre en contact
avec la vie mortuaire ; ta chair va sentir ton crâne ;
ton squelette est ton formidable vêtement de
guerre de la nuit ; ô assiégeur de la forteresse

obscure ; mets, ô vivant, cette armure d'ivoire devant le donjon d'ébène et vois ; rêves, venez, tombez sur l'ennemi, vous êtes les visions douces ou terribles ; vous jaillissez de Vénus souriante ou de Saturne irrité, vous êtes le baiser de l'archange ou le coup de couteau du spectre ; vous êtes les amours ou les crimes ; vous êtes les revenants de l'âme ; vous êtes le rendez-vous de la femme adorée, vous êtes le retour de la fille chérie ; vous êtes aussi le guet-apens de la victime et vous poignardez le sommeil des assassins, et vous agitez tous les linceuls de la tombe dans les rideaux de l'alcôve effarée, pendant que dans la chambre ténébreuse le cadran vertigineux, boussole du vaisseau de l'endormi, tourne éternellement son aiguille vers la mort.

Les Tables mouvantes de Jersey se taisent définitivement en 1855 lorsqu'un des participants, Jules Allix, devient fou et tente de tuer Charles Hugo. Victor Hugo s'alarme et l'on remise le terrible guéridon au grenier. Quelques jours plus tôt, Jésus-Christ avait dit . « Si on pouvait se perdre en Dieu, on se retrouverait en s'orientant sur le lever de son éternel sourire. Le firmament, ô vivants, est un pardon infranchissable. Et maintenant mourrez. »

On dirait Karl Marx.

11

Et pourquoi donc ne le dirais-je pas plus simplement ? Pourquoi, en finissant, ne ferais-je pas cet aveu ?

J'aime le vieil Hugo, celui de la grande barbe blanche, des petits yeux sombres sous les sourcils en broussaille, des belles mains potelées, de l'énorme chapeau qui lui donne l'air d'un Texan à la retraite. Ce vieil Hugo habite Hauteville House, une espèce de château baroque comme son œuvre et bâti dans une île, Guernesey, lieu d'exil balayé par le vent, le froid et les violentes tempêtes de l'océan. Hugo se plaisait à Guernesey. Au-delà de l'horizon, il voyait les côtes de France et cela lui suffisait. Pour l'instant, il avait une œuvre à faire et cette œuvre prenait tout à coup dans la solitude un foisonnement excentrique, à mi-chemin entre la schizophrénie et la mégalomanie. Je veux dire qu'une fois installé véritablement à Guernesey, Hugo laisse tomber ses masques, se montre tel qu'il est, et moi j'admire cette espèce de mise à nu d'un homme qui avait trop triché, par ambition, par besoin d'être entouré, donc de se croire important. A Hauteville House, Hugo devient l'immense Vieux dont parle Flaubert ; il y a entre lui et le reste du monde une distantiation énorme qui ne

167

sera jamais plus comblée, même pas au moment de la guerre de 1870 alors qu'il refusera de prendre parti pour les républicains ou pour les communards. « Des deux côtés, disait-il, il y a du sang, de la violence, de la bêtise. » Hugo est une manière d'aigle donc, il vole au-dessus du monde connu qui disparaît dans le brouillard pour laisser entièrement sa place à une horde de personnages qui font de lui un créateur inépuisable et de plus en plus solitaire.

Car Hugo écrivait dans un look-out, petite pièce au sommet de Hauteville House d'où il avait une vue superbe sur l'île et l'océan. Il voyait les bateaux voguant en direction de l'Angleterre et il voyait la maison de sa Juliette qu'il était en train de décorer alors que sur de grands panneaux de chêne il dessinait des figures et des scènes chinoises qu'il pyrogravait ensuite selon une méthode bien à lui. Hugo avait tous les génies. Ses dessins étaient fantastiques puisqu'ils allaient dans tous les sens, tantôt étant groupes d'arbres sombres derrière lesquels une lune ronde est sans clarté, tantôt montrant des femmes dévêtues, des monstres sans pieds, des châteaux moyenâgeux, des bêtes fabuleuses, tout cela dans la prédominance du noir, du rouille et du bleu. Dessins et tableaux répétitifs qui touchent en moi quelque chose de lointain et de presque oublié, qui monte brusquement dans l'être, l'inondant d'une noire lumière qui est celle de l'origine, mais une origine apeurée, et les images qui me viennent alors arrivent du plus loin que moi, je vois de la cervelle sanguinolente, des bulbes rachidiens qui se

Le look-out de Hauteville House. Debout, Hugo écrivait sur la planchette à l'extrémité de la pièce.

brisent en mille morceaux avant de se transformer en lignes, en zébrures, en taches noires et orange, en droites et en courbes, en hachures, qui doivent bien contenir quelque étrange signe cabbalistique.

Hugo était malade, c'était un fou calme, un vieux bonhomme facilement perdu qui faisait trop attention au monde souterrain des images. Quand ces images prirent le dessus, il s'inventa des manies pour garder un pied dans le réel ; par exemple, il prit l'habitude, avant de se couper la barbe, de réchauffer longuement dans la poche de son gilet sa lame de rasoir. Et puis, comme les manies seules ne pouvaient constituer une défense suffisante, il écrivit comme jamais encore un homme n'avait écrit, debout, face à une planchette, dans le belvédère trop froid en hiver et trop chaud en été. Il écrivait rapidement, ses vingt pages par jour, sans ratures, comme un homme qui est sûr de lui. Sa fantaisie était de jeter les feuilles remplies derrière lui ; il ne les ramassait qu'une fois sa journée de travail terminée. Et si je l'aime, c'est pour cela : cet homme, par vice, n'a jamais cessé d'écrire, il aurait voulu tout dire, enfermer le monde dans son œuvre, dans ce fleuve de vie (j'y reviens toujours) roulant ses eaux dans sa tête. On est devant un phénomène d'inspiration où chaque pensée devient le fragment de l'œuvre à faire, où tous les prétextes sont bons pour obliger à écrire, sans arrêt, comme emporté par le mouvement même de cette écriture lâchée sur le monde comme un grand oiseau. Je ne reviendrai pas sur les pages que Péguy a écrites là-dessus, je ne referai pas ses démonstrations qui donnent à Hugo un visage inquiétant mais fort sympathique. Sans qu'il y paraisse, Hugo a passé sa vie à refaire ses poèmes, il ne s'est jamais lassé, il n'a jamais abandonné. J'admire cette volonté de puissance et ce choix délibéré de la mégalomanie. Et je vois le vieil Hugo qui se lève en même temps que le jour, il a bu son café noir et, en robe de chambre, il monte dans son look-out pendant que ses yeux s'attardent sur les tableaux, les porcelaines, les photographies et les panneaux de chêne qui recouvrent tous les murs de Hauteville House. Pendant trois ans, il a fait de ses mains ce château surréaliste qui ressemble à son extravagant génie ; partout, le mot Hugo a été écrit, sur le fauteuil des ancêtres, sur les portes, dans les encadrements, sur les panneaux, sur les dessins accrochés aux poutres — des mondes sombres, tout à fait fantastiques, comme cette *Guillotine* où l'on voit une tête coupée d'homme, comme ce panneau gravé et peint et représentant le combat du Chevalier et du Monstre, comme cette *Destinée*, gonflement d'une gigantesque vague noire faisant un maelstrom vertigineux, et comme tant d'autres dessins qu'il avait faits durant ses voyages, le long du Rhin, comme ces tours écroulées, ces colonnes ruinées, ces forteresses vides que le regard trouve maléfiques car il y a dans l'exécution du dessin une telle maîtrise dans l'horreur, un tel choix systématique du noir que l'on est, face à eux, comme envahi par une angoisse primitive ; et ces cagoules, ces masques, symboles de la peur, de la claustration, de la mutilation ; et ces dolmens en ruine où lui parlait « la Bouche d'ombre » ; et ces toiles d'araignées, ces naufrages, ces maisons visionnées, ce fantastique phare d'Eddystone, ces bêtes fabuleuses, tout en yeux, tout en ventre, tout en rire, véritables gnômes de mort dont Goulatromba est le chef-d'œuvre, lui qui est une bête mythique, à la tête

171

« Le phare d'Eddystone ».

énorme, dont le sourire est une grimace, avec la plume trop longue sur le crâne et l'épée le transperçant de bord en bord ; et des centaines de dessins encore, modernes, tout en lignes, sans représentation, abstraits, fermés sur eux, surréalistes comme jamais les surréalistes l'ont été ; et tout cela, tous ces tableaux, ces dessins, ces sculptures, ces pyrogravures, dans une maison absurde imaginée par Hugo. Pendant trois ans, il avait couru les brocanteurs, avait été chez les vieux habitants de l'île et trouvé toutes sortes de choses étranges : des vases de chine, des statuettes, des grosses malles de mariage au cuir fauve, de vieux lits sculptés, des panneaux gothiques, des bahuts, des dragons vernissés ; et il avait tout emporté à Hauteville House, et il s'était mis au travail, dessinant les meubles, coupant les pattes des chaises, démolissant les vieux fauteuils et les refaisant selon ses images intérieures, avec toutes sortes d'inscriptions, devises latines, mots d'esprit, calembours, vers, sentences : un univers de folie que chapeautait le look-out, véritable œil de verre au-dessus de la maison.

Tous les matins, Hugo montait dans le belvédère. Il avalait deux œufs crus et buvait une tasse de café froid, puis il ouvrait sa bouteille d'encre et commençait tout de suite à travailler, debout, habillé de sa robe de chambre en velours rouge ; tout en écrivant, il aimait bien marcher dans sa serre qui avait quinze pieds par dix pieds, il disait : « Puisqu'il faut mourir de quelque manière, j'aime mieux que ce soit par les jambes que par la tête, et j'use mes jambes

173

en marchant beaucoup et en évitant de trop m'asseoir. » Il disait aussi : « Peu de travail ennuie,
beaucoup de travail amuse. » Et : « Un écrivain
qui, se levant avant le jour, a fini sa journée à midi l'a
bien gagnée. » Aussi s'arrêtait-il d'écrire vers midi, ramassait les feuilles sur le plancher, content de lui, de
son travail qui allait toujours grand train. Puis, il se
déshabillait, se mouillait le corps avec une eau très froide,
à l'anglaise disait-il, et se frictionnait vigoureusement
avec des gants de crin, ce qui étonnait bien les gens
descendant la rue Hauteville pour aller au port.

Son après-midi, Hugo le passait en se promenant
dans l'île, le long des grèves, sur le rocher des Proscrits,
chez Juliette qui habitait tout près et chez qui il allait
dessiner d'immenses panneaux chinois. Il s'habillait alors
de vieux vêtements, se coiffait de grands chapeaux,
aimait qu'on pense à lui comme à un ours. C'est ainsi
qu'il disait à Octave Lacroix : « Je vis solitaire, avec
ma femme, ma fille et mes deux fils, Charles et François.
Quelques proscrits sont venus me rejoindre, et nous
faisons une famille... De temps en temps un ami passe
la mer et vient me serrer la main. Ce sont là nos fêtes.
J'ai des chiens, des oiseaux, des fleurs. J'espère pouvoir
avoir, l'année prochaine, une petite voiture avec un
cheval. Ma fortune, fort ébranlée et presque détruite
par le Coup d'État, a été un peu réparée par le livre
Les Misérables. Je me lève de bon matin, je me couche
de bonne heure, je travaille toute la journée, je me
promène au bord de la mer, j'ai pour écrire une espèce

de fauteuil naturel dans un rocher, en un bel endroit appelé Firmain-bay... J'aime beaucoup l'excellent et laborieux petit peuple qui m'entoure et je crois que j'en suis un peu aimé. Je ne fume pas, je mange du roastbeef comme un anglais et je bois de la bière comme un allemand. » Il n'était pas peu fier du fait que Hauteville House avait été bâti par un corsaire anglais et cela l'amusait beaucoup que de rappeler à ses amis qu'étant propriétaire, il devait payer tous les ans le droit de poulage à la reine d'Angleterre. C'est Gustave Rivet qui raconte qu' « en sa qualité de pair de France, Hugo avait le droit de ne pas balayer devant sa porte et de ne pas faire arracher l'herbe qui croissait devant sa maison. Il avait également le droit de mettre sa jambe dans le lit de la reine ». Tout cela est évidemment faux, sauf le droit de poulage qui était bien réel : « Il devait deux poules par an, et, chaque année, le dîmeur venait ponctuellement en réclamer le prix, au nom de la reine d'Angleterre, suzeraine du duché de Normandie. »

Et j'aime le vieil Hugo parce qu'il était bon. Dans son journal, il avait noté qu'il venait de se mettre en colère, pour rien, pour une niaiserie, et cette colère le laissait amer, elle lui rappelait trop qu'il est dur d'être noble, et Hugo voulait être plus que Hugo ; il y avait du moine en lui, je l'imagine bien vêtu d'une grande robe brune, marchant dans les herbes, les mains jointes derrière le dos, et pensant au monde qui s'ébranle dans sa tête, aux personnages qui y naissent, au verbe qui prend forme, aux phrases qui jaillissent. Et je le vois quand,

175

le souper terminé, dans la pénombre d'une grande pièce,
appuyé au foyer de marbre, il se met à lire, pour ses
enfants. Sa voix est belle, sombre et grave. Cet homme
est un prédicateur, il a les qualités du prédicateur, il
tient son monde en haleine et le poème est dit, l'épopée
se déroule comme les images d'un film, il y a les chevaux
morts dans la glace, la neige qui tombe, et le vieil empereur vaincu, qui revient vers la France avec les débris
de son armée. Ou bien c'est le poème qui ouvre *Les
Chansons des rues et des bois*, c'est le cheval Pégase, le
bel étalon lyrique lâché en toute liberté dans les grands
pacages du rêve. Et je dis, moi, que je trouve cela
beau, que cela m'émeut, que lassé, fatigué de mes pauvres
créatures, je retourne à Hugo, ouvre ses grands livres ;
la source, elle est là, le désir, le devoir de continuer me
revient tout de suite, et quoi d'autre pourrait-on trouver
dans les livres sinon la volonté d'être ce que l'on veut ?

Pourtant, Hugo parle peu de lui-même ; son *Journal*
est étonnamment discret sur sa vie intérieure ; il n'a pas
de conseils à donner, il ne poursuit, dans ses notes, aucun

but ; il ne livre que des détails sur son œuvre, il ne parle jamais des problèmes auxquels il fait face comme créateur, il n'est jamais question, dans ses carnets intimes, d'argent. Oh, il y a bien, de temps en temps, quelques indications, quelques chiffres, mais ils ne le concernent jamais ; il s'agit toujours des autres, de l'argent qu'il donne aux enfants pauvres, aux œuvres de charité. Il est tout le contraire d'un Balzac et tout le contraire d'un Flaubert angoissés par le problème de l'argent et par le problème de l'art. C'est étonnant qu'un homme comme Hugo n'est jamais été obsédé par cela, par l'œuvre à faire, et les façons de la faire, comme s'il n'avait pas le temps d'y penser ou comme si cela ne l'intéressait pas. A la différence d'un Kafka dont le journal est en lui-même le corps de l'œuvre, Hugo, quand il n'écrit pas ses poèmes ou ses romans, est un homme ordinaire, trop pris par la vie pour la noter. Tout son temps était utilisé par l'œuvre entreprise, et non seulement ne voulait-il pas s'en distraire mais il en était incapable. Je l'aime parce qu'il était fou et qu'il serait mort si on l'avait empêché,

pendant quelques jours, d'écrire. On ne peut pas dire cela de beaucoup d'écrivains, de Sade peut-être, de Malcolm Lowry, de Melville et de Thomas Wolfe qui écrivait dans *Au fil du Temps* ces phrases qui sont le meilleur portrait qu'on puisse faire du vieil Hugo de l'exil :

« Il ne se rendit pas compte à quel moment cela arriva, mais cela arriva brusquement, tout d'un coup. Et, à partir de ce moment-là, une fureur insensée s'empara de lui, à partir de ce moment, sa vie, plus que celle d'aucun autre qu'il connaîtrait jamais, allait se passer en une course errante et solitaire. »

Il y a dans ces destins quelque chose qui ne cessera jamais de m'atteindre ; c'est le mythe que je recherche, qui est là, bien présent dans l'œuvre assemblée au jour le jour, avec une patience et un courage qui m'étonnera toujours parce que je connais ma lâcheté, ma faiblesse d'écrivain qui a mauvaise conscience de faire si peu

178

alors que tout devrait être tenté, au-delà même de mes énergies, dans une fureur jamais remise en question puisque tout tient à cela, à cette ferveur d'invention sous laquelle la vérité doit se garder cachée dans toute la lumière de la création. Parfois j'ai peur de n'être pas comme Wolfe, comme Hugo, ou comme Sade, je crains que ma soif ne soit pas immense. Wolfe avait une belle phrase pour dire cela, il écrivait : « Comme un animal insatiable et furieux, il parcourait les rues, essayant d'extraire de leurs pavés un peu de pitié, d'un million de regards et de visages un peu de consolation et de sagesse ; ou bien il errait parmi des rayons sans fin où s'entassaient des livres, torturé par tout ce qu'il ne pouvait voir et ne pouvait connaître, aveuglé, épuisé, désespéré par ce qu'il lisait et voyait. Il voulait tout savoir, tout posséder, tout être ; être un et plusieurs, posséder tout le mystère de ce monde immense et grouillant, le tenir dans sa main, aussi lisible, aussi tangible qu'une pièce d'or. » Voilà comment était Hugo, il était tellement comme cela qu'il n'a jamais douté de lui-même ; cet homme savait ce qu'il devait faire et sa vie est exemplaire parce qu'il est allé au bout de lui-même, qu'il a voulu que sautent les barrières de l'écriture, au risque d'être écrasé par elles. J'ai de l'admiration pour cela, pour ce travail grandiose, pour cette naïveté peut-être qui faisait écrire à Hugo :

« Rendez-vous compte de l'état de mon esprit dans la solitude splendide où je vis, comme penché à la pointe d'une roche, ayant toutes les grandes écumes des vagues et toutes les grandes nuées du ciel sous ma fenêtre. J'habite dans cet immense rêve de l'Océan, je deviens peu à peu un somnambule de la mer et, devant tous ces prodigieux spectacles et toute cette énorme pensée vivante où je m'abîme, je finis par ne plus être qu'une espèce de témoin de Dieu. »

Cela est important car une phrase comme celle-là dit bien quel homme était Hugo. Pour certaines choses, il n'avait pas un esprit très subtil, en ce sens que c'était son instinct qui le guidait, et non sa raison. C'était un primitif, un homme des débuts du monde angoissé par la nature et les bêtes des origines ; toute son œuvre est un cri de terreur jeté à la face du monde. Cités englou- ties, tours ruinées, despotes faisant couler le sang de l'univers, mettant le feu aux splendeurs de l'homme, asservissant les peuples, devenant satyres perdus dans la contemplations des femmes nues, les tuant, les éventrant et les violant ; nuits noires des débuts, pour les crimes, les haines, la corruption et les maladies terribles, les pes- tes, les lèpres, les aliénations : c'est du Bosch parfois, ou le premier Sade, dont la vision de l'humanité est sans espoir. Voilà pourquoi l'avenir prend tout à coup une place si grande chez Hugo : l'idéalisme va en ce sens car c'est dans l'avenir seulement que sont pour l'homme les chances de durer et d'être vraiment, d'être éternellement. N'est-ce pas rassurant, le fait que Hugo, un beau matin, ait planté dans son jardin le chêne des États-Unis d'Eu- rope ? Geste insensé sans doute, geste de poète, mais j'y vois un beau symbole, et plus qu'un symbole : une

180

tentative d'appropriation de l'Histoire. Les États-Unis d'Europe, ils étaient dans le jardin de Hugo, ils poussaient leurs feuilles et leurs glands derrière Hauteville House ; et les petits-enfants de Hugo venaient y jouer le matin, et c'était le vieux rêve de Gilliatt qui s'accomplissait : l'avenir arrivant enfin dans une plénitude de soleil et d'éternité.

Il y a encore deux ou trois choses que je sais de lui. Il aimait jouer à l'énormité ; il montait par exemple les escaliers en courant, sans s'essouffler, et il avait soixante-dix ans, et cela rendait furieux Gambetta qui était plus jeune que lui mais moins solide. Hugo était relativement de petite taille : cinq pieds huit pouces. Il souffrait de cela car il aurait aimé être un géant non seulement parmi les génies mais parmi les hommes. Son œuvre fourmille de ces espèces de monstres pour qui rien n'est impossible ; ils sont des mondes dans le monde, font des lois que l'homme ordinaire ne peut défaire, inventent un ordre nouveau dans lequel le reste de l'humanité est en état de sujétion. Car la force physique est tout, a ses champions, et l'univers leur appartient. Hugo associe le géant à la sensualité ; pour lui, ces grandes forces primitives sont les masques d'une sexualité exubérante, les réservoirs inépuisables des sens, et ce n'est pas pour rien que les satyres de Hugo sont des colosses voyeurs : c'est par la vue que s'éveille le sexe, que foncent sur soi les grands chevaux noirs de la jouissance. Les images de Hugo font appel à l'œil, sont une glorification de l'œil. Deux ou trois fois dans sa vie, Hugo a craint de devenir aveugle. Cette atteinte à son intégrité physique, il n'aurait pu l'accepter ; l'équilibre des forces en lui tenait à peu de choses, il aurait suffi d'un rien, comme le prouve l'expérience des Tables mouvantes, pour que tout fût irrémédiablement perdu. Tout Hugo ne se trahirait-il pas ainsi ? Sa littérature était sa théorie, il avait besoin d'elle pour être, et pour *être éperdument* comme il dit de Dieu. Et pourtant, il devait bien savoir au fond de lui que l'écriture n'est d'aucune façon un acte libérant, que l'esprit est un tourbillon, une fureur folle qui, une fois mis en route, est entraîné par son propre mouvement, par ses propres lois, par ses exigences et par ce grand besoin qu'elle a de ne jamais s'arrêter, de fuir continuellement cette mort qui se tient au creux de soi, qui se tient dans les mots et les utilise contre celui qui en use pour l'apeurer, lui faire perdre pied et l'obliger à basculer dans le monde blanc de l'illuminé, du fou babillant dans quelque long corridor d'asile. Et tout l'art de l'écrivain consiste à éviter de tomber de cette corde raide sur laquelle il se tient, pieds nus, dans les rires et les cris. Et lorsqu'il glisse, lorsque ses doigts tordus laissent échapper le filin, il descend, tête première, dans l'univers de tous les possibles ; des gestes sont posés, des paroles sont dites, des événements ont lieu, qui ne disent que le dérèglement des sens, que l'enfoncement dans un monde mou, impossible à identifier, qui est une insurrection perpétuelle, une lente coulée dans la confusion, le cauchemar, le symbole qui ne se laisse plus déchiffrer, qui ne se laisse plus écarteler.

On est dans la chambre noire, Hugo est là aussi, il est agenouillé devant le cercueil de sa femme, il compte les clous de la caisse, puis, à l'aide d'une clé, il trace sur le plomb au-dessus de la tête de la morte, ses initiales : V. H. C'est le dernier recours que lui laisse le refus, c'est la marque ultime de l'appropriation.

C'est finalement sur ce grand travailleur qu'était Hugo que je voudrais encore ajouter un mot. Quand il a écrit *Notre-Dame-de-Paris,* et parce qu'il avait donné sa parole à l'éditeur, Hugo a revêtu une robe de chambre, pris tous ses vêtements qu'il a déposés dans une armoire ; après quoi, il a donné la clé à sa femme qui ne devait la lui remettre qu'une fois le manuscrit terminé. Hugo écrivait alors du matin au soir, sans arrêt, de sa belle écriture. Il faut dire que lorsqu'il commençait un roman, il savait où il allait ; il avait pris très tôt l'habitude de faire, avant d'écrire un livre, de longues et patientes recherches. Sa documentation était prodigieuse. Cet esprit curieux avait une âme de journaliste, à preuve les *Choses vues,* ces grands reportages écrits sur le vif, dans une langue extraordinairement dépouillée et, pourrait-on dire, objective. Et *Les Misérables,* ce véritable défi au génie humain ! Imaginez ! un manuscrit de 2,500 pages, qu'il avait commencé en 1840 et qu'à cause de la politique il avait mis de côté. Seulement pour se relire, pour «pénétrer de méditation et de lumière l'œuvre entière », il lui a fallu sept mois et des journées de quinze heures. Cela fait, il a mis un peu plus d'un an à récrire l'ouvrage et à y faire de nombreux ajouts. L'œuvre était si dense que Hugo même s'y perdait ; quand il relisait une partie de son roman, il s'étonnait d'avoir oublié en chemin certains de ses personnages qui avaient brusquement disparu entre deux pages. Alors Hugo imaginait un rebondissement qui se dénouait plusieurs centaines de pages plus loin. Cet homme jouait avec les mots, cet homme avait, à la place du cerveau, une phrase ininterrompue, dite sans arrêt donc, mais toujours à dire, s'approfondissant, pénétrant l'âme comme une vis sans fin, de sorte que ce qui était écrit n'était rien à comparer avec ce qui restait à dire, à nommer, à défaire, à inventer et à tuer. Un matin, Hugo a dû se lever avec une idée lumineuse, il a dû comprendre qu'il était le verbe, l'incarnation de la parole. Cela est à la source de toute sa grandeur, de toute sa puissance et, surtout, de toute sa méthode. Hugo ne croyait pas au hasard en littérature ; son métier de créateur il tenait à l'assumer entièrement, avec une rare conscience. Sa correspondance avec ses éditeurs est exemplaire. Hugo me fait penser à Balzac qui reprenait jusqu'à treize fois la correction des épreuves d'un roman. Son *William Shakespeare* est un modèle du genre ; des livres complets ont été intercalés sous les conseils de l'éditeur et d'Auguste Vacquerie. Car Hugo, au contraire de ce qu'on pourrait penser, était très sensible aux critiques de ses amis qui lisaient ses manuscrits ; il n'hésitait pas à retrancher des paragraphes ou à en écrire de nouveaux quand les recommandations lui semblaient judicieuses. De même, ses notes aux typographes sont légendaires ;

Balzac.

dans la composition de ses manuscrits, il n'oubliait rien, ni la présentation ni le choix des caractères ni les illustrations ; il n'acceptait pas que les correcteurs changeassent sa ponctuation ou modifiassent son ortographe. Des épreuves sales l'horrifiaient ; quand elles contenaient trop de fautes, il refusait de les lire et les retournait à l'éditeur. Ses lettres à Lacroix disent bien le sérieux qu'il mettait à corriger ses textes ; et l'éditeur s'arrachait les cheveux parce que le rituel « bon à tirer » ne venait pas rapidement sous sa plume. Et je ne parle pas de ses contrats qui sont de véritables pièces d'anthologie.

J'ai devant moi une reproduction du buste de Hugo sculpté par Rodin et j'ai aussi celle où il le représente comme une manière de Dieu en marche ; Hugo est complètement nu, c'est un athlète dont la tête a quelque chose de fabuleux : il y a la grande barbe, le nez droit, les cheveux rebelles, le regard éteint... ce dieu est chaste et viril mais il n'y a aucune trace de sensualité chez lui. Qu'une grande puissance calme, tournée vers l'intérieur où se livre le vrai combat, celui que Hugo sur son lit de mort a identifié comme étant celui du jour et de la nuit. Cela ne suffirait-il pas pour que je l'aime comme un père, inaccessible comme tous les pères, et pourtant si près de moi, en moi pour tout dire ?

Buste de Hugo. Par Rodin.

12

À dix-huit ans, quand j'ouvrais *Les Misérables*, je me sentais tout à la fois frustré et coupable ; il y avait bien des choses que je ne comprenais pas, sur lesquelles j'étais tout à fait incapable d'approfondissement. Durant de longs chapitres, Hugo me tenait à l'écart, il m'interdisait son livre, me renvoyait à des chapitres plus accessibles où tout était simple, où tout faisait image. Par exemple, j'ai longtemps passé par-dessus *Waterloo*, *le Petit-Picpus*, *Quelques pages d'histoire* et *l'Argot* ; j'ai été longtemps sans m'interroger sur l'étrange structure romanesque des *Misérables*. Autrement dit, j'étais un lecteur facile, amateur de héros qui eux-mêmes sont de grands faiseurs d'action. Les disgressions philosophiques ne me touchaient guère, bien que, au fond de moi, je les admirais ; elles représentaient ce que je n'écrirais jamais.

Je ne sais pas si je reviens de loin comme on dit, mais quand je songe à tout cela, quand je pense au début de moi-même, je me rends compte que c'est justement de commencer qui est difficile. Trouver son propos n'est pas aisé, les risques de piétinement sont nombreux ; et la littérature est un monde flou qui ne se laisse pas facilement circonscrire ; elle nous devance même souvent, les

mots éclatent toujours dans l'irrationnel, et c'est pourquoi il faut souvent courir après si l'on ne veut pas
perdre de vue ce que l'on fait. Le grand jeu se joue
dans l'inconscient ; la raison marque infailliblement un
grand retard sur lui. Ce qui importe, c'est la provocation.
A dix-huit ans, on ne tire rien de soi. Oh, peut-être y
a-t-il l'enfance sur laquelle on peut parler mais elle
ne m'a personnellement jamais passionné ; il n'y a pas
de temps de l'enfance, on ne se rend compte de l'enfance
qu'après. Pour l'enfant, il n'y a pas de durée. Que
l'instant se répétant indéfiniment et ne faisant un ensemble que grâce à la mémoire. L'enfant ne peut écrire
sur l'enfance : tout le pousse vers l'avenir, c'est par
l'avenir qu'il se rappelle.

A dix-huit ans, je ne savais pas ce que je voulais
écrire, je n'avais que de l'ambition, j'écrivais au hasard
en espérant que le sens de ce que je faisais se laisserait
découvrir dans le mouvement même de l'écriture. J'étais
incapable de parler de moi, de ma famille, j'avais besoin,
pour arriver à quelque chose, de situer mes personnages
dans quelque *noman's land* où je pouvais les atteindre
en toute impunité. D'où l'insignifiance de ce que j'écrivais. D'où sa fausseté. D'où cette espèce de honte dont
je me laissais envahir quand l'éditeur me retournait mes
manuscrits. J'aurais dû deviner tout cela à cette époque
mais il y avait trop de signes et je m'y perdais. Ainsi,
lorsque j'arrivais à la maison après avoir travaillé à la
banque ou au poste de radio, je me disais : « Ce soir,
j'écris, je fais vingt pages. » J'allais dans ma chambre,

je prenais *Napoléon-le-Petit,* je l'ouvrais au hasard et je me mettais à lire. J'oubliais que je devais écrire, je n'arrivais pas à mettre le livre de côté pour rédiger mes propres contes. Il est dur de sortir de l'impuissance et l'on ne peut y arriver que si l'on est provoqué. C'est cela que je recherchais en lisant beaucoup. Pendant longtemps, c'est surtout Hugo qui a rempli ce rôle ; dans ses romans, je faisais la découverte de ma vie et de mon milieu. Les misérables, ils étaient dans mon quartier, ils étaient ces ivrognes, ces infirmes, ces enfants déguenillés, morveux et sales, ces enfants de fond de cour comme nous disions dans la vérité de notre langage quotidien, ce curé fou et plein d'obsessions, ces filles faciles qui se laissaient suivre par des meutes de jeunes garçons qui ne voulaient plus se contenter de seulement bander, ces ouvriers, ces boîtes à lunch, ces tas de détritus derrière les maisons, ce vieil homme solitaire se promenant dans la rue Charleroi, ces cris, ces bagarres, ces odeurs ... il suffisait de songer à l'une seule de ces choses pour que tout le reste se mette à bouger, à revivre au fil de la plume.

Je me promenais dans Paris et j'étais content de n'être plus à Morial-Mort et pourtant tout me ramenait à mon quartier et c'est pour lui que, dans la petite chambre de la rue Gît-le-Cœur, j'inventais des images. J'étais dans la ville de Hugo, j'allais parfois m'asseoir sous le pont, ou au pied du monument de la Place de la Bastille, ou au Jardin des Plantes, et, tandis que je songeais à ce roman que j'avais terminé avant de

La petite Cosette.

quitter Morial, Valjean et sa Cosette s'assoyaient sur
un banc du Jardin du Luxembourg pour y attendre Marius. Et Gavroche, dans le ventre de l'éléphant de la
Bastille, regardait les étoiles entre les fentes. Et je
compris à ce moment-là que la fonction de la littérature
était d'abord d'être mythologique, d'être plus grande
que l'homme, d'aller loin à l'intérieur du ventre des
symboles. Et je compris que si je voulais être vraiment
romancier, je devais sans tarder me mettre à l'étude de
mon pays, que dans son passé j'y ferais des découvertes
importantes qui allaient me permettre des prolongements
sans lesquels il ne pourrait, pour moi, y avoir de vérité.
Le sens d'une œuvre comme celle de Jacques Ferron
m'apparut enfin : en assumant le pays, en le devançant
dans des contes ou des romans bizarres, difficiles, parce
qu'ils creusaient une réalité dont on s'était presque
toujours tenu éloigné, Ferron faisait de nous des hommes dignes et fiers, en marche vers leur destin, et luttant
pour un nouvel ordre du monde. Une œuvre s'affirmait
enfin, qui venait de nous. On met parfois du temps à
faire la paix avec son pays, je veux dire avec les gens
de son pays. Cela vient du fond de soi ; si l'on ne
songe pas à passer outre, à aller plus profondément
dans l'être, on perd sa peine, on égare son monde.
Hugo m'avait fait comprendre que l'œuvre véritable en
est une de connaissance, connaissance du pays et connaissance de l'homme. Avec Ferron, j'ai élargi ces notions,
c'est-à-dire que je me suis identifié à cet univers où je
me retrouvais et retrouvais des héros authentiques. Fer-

ron a fait œuvre nationale ; le pays commence avec lui, le pays devient possible avec lui. Et sachant cela, la vérité de mon enfance, de mon quartier de Morial-Mort, me frappa au front. Je devenais incapable de mépris. Même quand je me rappelais mon commencement rue de Castille, je n'étais plus honteux. Je trouvais même qu'il y avait quelque chose de digne dans le fait que j'essayais d'écrire au beau milieu du bruit (c'étaient les cris des douze frères et sœurs, la télévision, le pick-up portatif, Marcel Martel qui chantait pour notre admiration : « Vous ne connaissez pas ma blonde même si elle est si jolie ; elle a les yeux tout croches les jambes aussi, à la maison j'm'en sers de planche à r'passer »). Non, il y avait dans ces manifestations une vérité que je ne pouvais plus renier, dont je devais maintenant parler à tout prix, ne serait-ce que pour l'exorcisme et parce

Victor Hugo

23 avrnan 1882

194

que, pendant quelque temps, j'avais été plein de cela, de ce folklore dont les racines devaient être mises à jour. Oh, il y a tant de choses à faire, tant de manquements graves à la connaissance. Derrière nous, trop d'hommes déjà ont écrit, que je n'ai pas lus. Je voudrais parler de Melville, de Cohen, de Miller, de Joyce, de Meyrink, de Kerouac et de bien d'autres qui me font penser à Hugo, qui m'inspirent la même admiration et me rappellent certains devoirs d'écriture. Pour la première fois cette année, je n'ai pu relire entièrement *Les Misérables* ; or je méprise la connaissance qui vous arrive, bien codée, sur des fiches roses ; un auteur qu'on a lu mais qu'on ne relit pas est un auteur mort, qui n'a pas écrit une ligne et qui, par conséquent, est susceptible de devenir n'importe quoi, une formule sans doute, un pion sur l'échiquier de la culture. Un autre que Hugo aurait pu m'apprendre cela peut-être. Mais la « veine noire de la destinée » a voulu que ce soit lui qui, le premier, m'ait fait croire à la fiction. Il n'était peut-être pas sans intérêt que je le dise.

DEUXIÈME PARTIE

L'impie est mort
La Vérité

L'Église n'a pas besoin de M. Victor
Hugo. Elle a vécu sans son amitié,
elle ne mourra pas de son apostasie.
L'Étendard, L'Univers

1

Hugo n'a guère eu d'influence au Québec. L'Église qui ne lui pardonnait pas ses poèmes anticléricaux lui livrait une guerre sans merci. L'appuyait dans sa tâche tout ce que le Canada français d'alors avait de conservateur. Cela commençait dès l'école. Dans ses *Mémoires*, Louis Fréchette écrit :

« Au collège, nos leçons de littérature se réduisaient à ceci : « Cela se dit-il ? ou cela ne se dit-il pas ? » Le professeur demandait à l'élève : « Avez-vous lu cela quelque part ? » Et si l'élève répondait non, c'était une faute. Il fallait avoir lu cela quelque part. Pas dans Victor Hugo, par exemple, car alors c'était deux fautes. »

Il faut dire toutefois qu'ils étaient rares les professeurs qui enseignaient Victor Hugo. Le fait que *Les Misérables* et *Notre-Dame-de-Paris* furent à l'Index constituait un jugement sans appel. D'ailleurs, Hugo mit du temps à franchir l'Atlantique. À la vérité, c'est toute la littérature québécoise du XIXe siècle qu'il faudrait se rappeler avant d'envisager le problème bien particulier posé par Victor Hugo qui n'a fait que s'inscrire dans un mouvement plus général qui n'était que la continuation ou la reprise, à des niveaux différents, de ce qui se passait en France.

En 1800, la littérature québécoise n'existait pas encore. Il n'y avait, pour former le lecteur, ni revue ni journal littéraire. En 1764 était paru le premier numéro de *La Gazette de Québec,* seul journal alors publié au Québec. Le 5 janvier 1805 était lancé, toujours à Québec, le *Quebec Mercury.* Vingt ans après, Montréal possédait, en 1784, son premier journal qui répondait au nom original de *La Gazette de Montréal.* Une autre feuille, *Le Herald,* parut en 1838. Ces quatre journaux, lancés par des Anglo-Canadiens, étaient, comme l'écrit Edmond Lareau dans ses *Mélanges historiques et littéraires,* fondamentalement opposés aux intérêts canadiens-français, et ne gardaient aucun ménagement chaque fois qu'il s'agissait de notre nationalité. Le directeur du *Mercury* écrivait en 1806 :

« Cette province est déjà trop française, il est absolument nécessaire que nous fassions tous nos efforts par tous les moyens avouables pour nous opposer à l'accroissement des Français et de leur influence. Après une possession de 47 ans, il est juste que la province devienne anglaise. »

De la conquête de 1760 au début du XIXe siècle, le Québec n'eut donc aucun organe de presse capable de défendre les intérêts des francophones. Il fallut attendre les Bédard, Tachereau, Blanchet, Bourdages et Plante qui, en 1806, achetèrent une presse et fondèrent *Le Canadien,* journal avant tout politique et dont la presque totalité de l'existence fut d'ailleurs consacrée à combattre le francophone *Quebec Mercury.* La création littéraire proprement dite n'eut jamais une place importante dans *Le Canadien*. Les pièces de poésie qui y furent publiées ne l'ont été que parce qu'elles étaient très politiques.

Une cinquantaine d'années s'écouleront donc pendant lesquelles les Québécois seront culturellement coupés de la France. Ce n'est qu'en 1811 qu'ils purent lire dans *Le Vrai Canadien* la première pièce de poésie française, *L'Hiver*, d'un certain G. Legouvé.

Selon Edmond Lareau, c'est en août 1818 que parut le premier numéro de *L'Abeille canadienne*, la plus ancienne revue littéraire publiée au Québec, revue fondée et dirigée par H. Mézières qui avait, pendant de longues années, séjourné en France. Lareau précise :

« Il se publiait alors au Canada huit journaux politiques, tant anglais que français ; et c'est afin de répondre à un besoin d'une autre nature qu'il fonda à Montréal un journal purement littéraire et scientifique paraissant deux fois par mois. »

H. de Mézières nourrissait de nobles ambitions, comme en fait foi ce prospectus inséré dans le premier numéro de *L'Abeille canadienne* :

« Pour remplir une lacune assez considérable dans notre domaine littéraire, il nous est venu en pensée de publier un ouvrage périodique où, maintenant le respect retenu à la religion, aux mœurs et à l'autorité légitime, nous pourrions retracer avec critique et discernement tout ce qui concerne les sciences, les arts et la littérature, moyennant quoi il fût facile aux lecteurs de suivre dans ces découvertes le génie éprouvé de la vieille Europe et à la fois l'essor que prend sur notre continent une jeune nation dont l'esprit d'entreprise rappelle naturellement l'origine.

« Mais une tentative de ce genre exigeait l'établissement d'une correspondance avec des littératures de premier mérite, soit en Europe, soit de ce côté-ci de l'Océan ; c'est à quoi nous avons employé tous nos soins depuis plus d'un an. Aujourd'hui que nous sommes parvenus à intéresser les savants étrangers en faveur de nos essais littéraires, nous avons l'honneur d'offrir aux honnêtes gens de ce journal, le premier dans ce genre qui ait paru en Canada et que nous produisons deux fois par mois sous le titre de *L'A. B. C.* Notre but sera d'exposer les grandes découvertes qui intéressent les arts et la morale politique ; emprunter aux sciences ce qu'elles offrent de plus applicable et de plus utile aux besoins journaliers de la société ; donner la note et l'explication de tous les procédés qui obtiennent en Europe des brevets d'invention ; profiter des expéditions de commerce pour expliquer la situation politique des peuples éloignés de nous et quasi-inconnus ; donner l'annonce raisonnée des ouvrages que produisent les littératures étrangères et spécialement l'anglaise et la française ; tel est en peu de mots le but que l'on se propose dans la rédaction de ce nouveau journal. Nous donnerons accessoirement l'analyse des poèmes et pièces fugitives de quelque importance. »

Ce manifeste serait absolument sans intérêt pour nous s'il ne symbolisait pas, dans sa globalité, tout ce que la vie littéraire québécoise d'alors avait d'équivoque et de puéril. *L'Abeille canadienne* de H. de Mézières mourut moins d'un an plus tard, dans l'indifférence (et sans avoir publié ces « littérateurs de premier mérite, soit en Europe, soit de ce côté-ci de l'Océan », comme l'avait promis l'auteur du prospectus).

Laurence A. Bisson diffère toutefois d'avis avec Edmond Lareau ; il nous apprend que c'est plutôt Michel Bibaud qui fonda au Québec la première revue littéraire, et cela dès 1817. Dans *L'Aurore*, Bibaud reproduisait des articles de littérature et de sciences qu'il tirait de *La Ruche d'Aquitaine* de Bordeaux. Son journal, comme celui de Mézières, ne vécut pas, faute de lecteurs.

Mais Bibaud était un entêté ; en vingt-cinq ans, il lança une dizaine de journaux littéraires dont *La Bibliothèque Canadienne*, *l'Observateur*, *Le Magasin du Bas-Canada* et *l'Encyclopédie Canadienne*. Michel Bibaud est le père du journalisme québécois, et le précurseur du romantisme que les journaux qu'il éditait ont diffusé grâce à des poèmes, extraits de roman ou textes plus généraux. Mais ces revues littéraires que dirigeait cet étrange bonhomme, que valaient-elles ?

« Les articles de fond, dit Lareau, sont écrits avec cette âpreté, cette rudesse et cette sécheresse qui font le caractère dominant du style de Michel Bibaud. La pensée chez lui n'arrive qu'avec effort. Il est obligé de mouler sa phrase avant de la coucher sur le papier.

Elle ne coule pas, elle arrive pesante et saccadée. Il représente bien la première phase de notre littérature ; il en a gardé l'empreinte dans ses écrits qui manquent à la fois de rudesse et d'originalité. »

Pour tout dire, les journaux de Bibaud traitaient fort peu de littérature et beaucoup plus d'agriculture, de physique, de géologie, de géographie, d'économie politique, de topographie, voire même d'histoire, ce qui était la spécialité du journaliste. Après quelques mois de parution, l'orientation des journaux de Bidaud se modifiait inévitablement, et de littéraires qu'ils étaient censés être, ils devenaient plus simplement politiques, seule activité capable, à ce moment-là, d'intéresser les Québécois.

Il n'en demeure pas moins que Bibaud a été le premier à publier Chateaubriand (des extraits du *Génie du christianisme*) et Lamartine (les premières *Méditations*). Quant à la participation indigène, elle était toujours à peu près nulle dans les revues et journaux de Bibaud.

Ce fut *La Minerve,* fondée en 1826, qui s'intéressa le plus au romantisme. En février 1829, ses lecteurs purent prendre connaissance d'un compte-rendu du *Dernier jour d'un condamné* de Victor Hugo :

« Un mauvais rêve dont on n'ose pas se souvenir le jour, écrivait le critique. *Les Orientales* sont venues en même temps que *Le Dernier jour d'un condamné* et, pour ma part, j'aimerais que l'imagination brillante qui a créé le roman eût ajouté une belle ode au recueil poétique, ou épuré et complété celles qui n'y sont qu'imparfaitement, mais tout près d'être belles. »

C'est dans les années 1830-1840 que la popularité de Hugo, non contestée par l'Église qui le condamnerait bientôt à cause de ses prises de position anticléricales, connut son apogée. En 1831, *La Minerve* publia *A la jeune France* ; en 1832, on fit un compte rendu des *Feuilles d'automne* ; en 1836, on parla de *Littérature et philosophie mêlées,* puis, en 1837, on publia *Claude Gueux.*

Michel Bibaud, dont *La Bibliothèque Canadienne* était devenue *L'Observateur,* publia en 1832 le poème *Au voyageur* qu'il avait extrait des *Feuilles d'automne.* Pendant ce temps, *L'Ami du peuple* présentait à ses lecteurs de larges extraits du *Voyage aux Alpes.* Puis vinrent *Souvent lorsque tout dort* (dans *Le Populaire)* et des poésie repiquées des *Chants du Crépuscule* (dans *Le Fantasque,* ce malicieux journal de N. Aubin qui était édité à Québec).

Après 1840, tous les journaux littéraires publièrent plus ou moins régulièrement des textes de Hugo qui n'était pas, toutefois, le plus populaire des écrivains français dont les œuvres étaient reproduites ici. Chateaubriand, Lamartine, Casimir de Lavigne, Béranger et Turquety avaient beaucoup plus de lecteurs et d'admirateurs. L'influence de Hugo fut donc à peu près nulle dans la première partie du XIXe siècle. Aucun journal

La bataille d'*Hernani*.

ne parla de la bataille d'*Hernani* et ne considéra Hugo comme le chef de cette nouvelle école qu'on appelait le romantisme. Les Québécois étaient encore trop conservateurs et ne se reconnaissaient guère en Hugo. Lamartine leur allait mieux : ses poésies familiales et religieuses surtout étaient aimées. Comme l'a écrit Laurence A. Bisson, la faculté critique des Québécois était encore rudimentaire. De toute façon, ils ne faisaient pas de distinction nette entre les écoles, de sorte qu'ils parlaient de la même façon de Hugo, Lamartine, Béranger, De Lavigne et Barthélémy.

La littérature, confinée aux revues dont la parution était épisodique, et aux journaux qui la toléraient plus qu'ils la stimulaient, ne pouvait être que marginale et accuser un grand retard par rapport à ce qui se faisait en France. Un genre seulement enthousiasmait les Québécois : la chanson, que Béranger avait popularisé. C'est que, dit Laurence A Bisson, « on avait gardé du XVIIIe siècle une certaine tournure d'esprit voltairienne qui se délectait à sa muse grivoise, et puis Béranger, c'était aussi un chantre de la liberté, cette liberté qui commençait à être revendiquée par les Canadiens français ».

O Canadien qu'illustre le courage,
Viens à ma lyre inspirer de doux chants ;
Ton nom toujours a bravé l'esclavage,
Ton bras armé fut l'effroi des tyrans,

> Ta voix mâle et sonore
> Répète encore
> Ces mots sacrés que te redit ton cœur ;
> La liberté, la patrie et l'honneur.

....

A part cès chansons et les tentatives sans lendemain des Bibaud, Mézières, Aubin et Fréchette qui tentèrent de créer un mouvement littéraire et de former une jeune élite, le Québec de 1800-1850 nagea culturellement dans les eaux du non-être. Edmond Lareau écrit :

« Au milieu d'essais médiocres, d'une portée nulle, d'aucune utilité pratique, c'est à peine si vous trouverez quelques pages qui indiquent un talent sûr. Les jeunes gens, une fois qu'ils ont obtenu le droit de cité dans une revue, l'abandonnent juste au moment où l'éclat de leur mérite pourrait lui donner plus d'importance. On se sert de ces publications comme d'une école, pour y faire un stage, se former, conquérir une palme, attacher son nom à la liste des littérateurs de son pays, puis son chapeau à la main, la plume à l'oreille et un sourire à la fois dédaigneux et amer sur les lèvres, on fait la courte révérence au public. »

Cette période, comme le disait l'abbé H. R. Casgrain, « c'est la pensée flottante, vaguement ébauchée, d'un peuple qui se replie, pour la première fois, sur lui-même ».

De la Conquête au début du XIXe siècle, l'Angleterre n'encouragea guère les Québécois à commercer avec la France : les nouveaux livres français ne parvenaient au lecteur québécois (quand cela arrivait) qu'avec au moins dix années de retard. Depuis la très documentée étude de Laurence A. Bisson, nous possédons des documents sûrs sur la vie culturelle québécoise au début de 1800. Il y a d'abord ce commentaire de John Lambert publié dans *La Bibliothèque Canadienne* de 1828 :

« L'état des arts et des sciences n'a pas fait de progrès bien rapides après la conquête du pays par les Anglais. Les marchands et les colons étaient peu propres à répandre le goût des arts et des sciences. Pendant plusieurs années, on n'imprima qu'un almanach. Il y a maintenant six papiers-nouvelles : quatre se publient à Québec et deux à Montréal. Citons *Le Courrier* de Québec : deux ou trois jeunes Français canadiens l'ont établi pour y insérer leurs pièces fugitives. La seule bibliothèque publique qu'il y ait au Canada se trouve à Québec, dans l'une des salles de l'Évêché. Elle est toute petite et très médiocrement fournie de livres nouveaux. Les romans sont en grande vogue chez les dames du Canada. Mais généralement parlant, la lecture n'est pas un amusement aussi commun ici qu'en Angleterre. »

Une soixantaine d'années plus tard, Albert Lusignan ajoutera quelques détails supplémentaires à cet article révélateur sur « nos premiers rapports littéraires avec la France ». Albert Lusignan écrira :

« Avant 1830, on importe très peu de livres de la France. On copie les livres qu'on emprunte ; on copiait jusqu'aux romans. Quand on apprenait le titre d'un nouvel ouvrage dans un journal français égaré, on chargeait un ami qui passait en France d'en rapporter un exemplaire... Quand un ami se voyait prêter un nouveau livre, il commençait par le copier. Il y avait à Montréal un comte qui avait peut-être copié dans sa jeunesse cent gros volumes. »

Irrégulièrement, les livres français se mirent à entrer au Québec aux environs de 1810, apportés par des navires anglais. On avertissait les Québécois de l'arrivée d'une nouvelle cargaison par des annonces publiées dans *La Gazette de Québec*. Des annonces rédigées en anglais évidemment :

« Langevie et Cie, have for sale about 2,000 volumes of French books, well assorted, being the remainder of consignment received last fall. These books will be sold at reduced prices and at long credit to purchasers of large quantities at a time. And two pieces of oiled Floor Cloths. »

Les livres qu'on mettait en vente, et qui étaient sans aucun doute des surplus de stock dont les libraires français voulaient se débarrasser, étaient classiques : on y trouvait des Boileau, des Racine, des Corneille, des Rotrou, des La Fontaine, des Montesquieu, des Régnier... Aucun roman du siècle dans les premières cargaisons, si l'on excepte un livre d'un certain M. Fiévée paru à Paris en 1803, donc huit ans avant que les lecteurs québécois ne puissent se le procurer.

L'autre source d'approvisionnement pour les lettrés québécois était ces bibliothèques privés que l'on mettait

parfois en vente. Selon Laurence A. Bisson, ces bibliothèques qui avaient jadis appartenu à la noblesse coloniale
(elles remontaient donc au XVIIe siècle et à la première
moitié du XVIIIe siècle) témoignaient d'une assez solide
culture classique et de la connaissance de l'antiquité
grecque et romaine. On relève dans le catalogue d'une
de ces bibliothèques mises en vente en 1817 les œuvres
suivantes :

« Caractères de La Bruyère ; Voyage du jeune Anar-
charsis ; Lettres de Descartes ; Philosophie de Gassendi ;
Chimie de Lavoisier ; Chimie de Captal ; Oeuvres diverses de Barthélémi ; Montaigne, tome II, Poétique
d'Aristote ; Pensées de Pascal ; Télémaque. »

Ce n'est qu'en 1819 que les Québécois auront un
représentant littéraire à Paris qui se chargea de leur faire
parvenir les livres publiés en France, et cela sans passer
par l'Angleterre. Mais même avec cet agent, il faudra
compter de quatre à douze années entre le moment de
la publication d'un roman en France et celui de son
arrivée au Canada français. En 1830, les Québécois
connurent un précédent en ce domaine puisqu'ils purent
lire un nouvel ouvrage à peu près en même temps que
les Européens. Ce livre, c'était les *Études historiques
et analyse raisonnée de l'histoire de France de Chateaubriand.* Quant au premier roman de Victor Hugo, *Han
d'Islande,* il n'arriva au Québec qu'en 1847, soit vingt-
cinq ans après la date de la première édition.

Apparemment, les Québécois ne se plaignaient guère
de telles anormalités qui contribuaient à retarder la

naissance d'une véritable vie littéraire nationale. Seul Michel Bibaud trouvait le moyen de protester. Il écrivait en 1832 dans *Le Magasin du Bas-Canada* :

« Un savant ou un étranger qui voyagerait dans le Bas-Canada et, y observant l'état de la société sous le rapport de la littérature et des sciences, peuplée d'un demi-million d'individus parlant la langue française, il ne se publie pas dans cette langue un seul journal littéraire et scientifique ; et il ne pourrait s'empêcher de conclure, avec une grande apparence de vérité, que parmi les Canadiens d'origine française, il n'y a pas un seul homme capable de conduire un journal de ce genre, ou pas assez de lecteurs instruits, ou amis de l'instruction pour le soutenir. »

Bibaud ne se trompait pas dans son jugement, si maladroitement écrit fût-il. La nomenclature des revues et journaux littéraires lancés au Québec au XIXe siècle serait longue, fastidieuse et déprimante à cause du symbole d'échec collectif culturel qui s'en dégage. Plusieurs de ces revues et journaux auraient mérité de connaître le succès, ne serait-ce que parce qu'ils conditionnaient le lecteur à la chose littéraire et stimulaient les jeunes écrivains. A cet égard, le cas du *Coin du feu* est révélateur. Lancé à Québec en 1841, *Le Coin du feu* publia des pièces importantes de Victor Hugo (*Lorsque l'enfant paraît ; Le retour de l'Empereur ; Data Lilia* et plusieurs morceaux des *Chants du Crépuscule*), de Casimir de Lavigne, de Jules Janin, de même qu'un compte-rendu sur l' « état de la littérature actuelle et notamment du romantisme ». Après quarante-neuf numéros, *Le Coin du feu* cessait de paraître :

« Nous nous trouvons obligés d'annoncer aux nombreux (sic) lecteurs du *Coin du feu* que le nombre (sic) de ses abonnés, après un essai d'un an, n'est pas suffisant pour nous permettre d'en continuer la publication, à l'expiration du semestre courant. »

Michel Bibaud fut le premier critique de notre pauvreté intellectuelle. Il a su cerner en quelques lignes les pourquoi de l'état lamentable de notre littérature et de ses littérateurs, à Montréal surtout qui, pendant de longues années, a marqué le pas sur Québec où est née, grâce aux Fréchette et aux Crémazie, notre littérature dont le premier véritable mouvement a eu lieu vers 1850 et connut son apogée dix ans plus tard (avec *Le Foyer canadien*) pour dégénérer rapidement par la suite. Que sont en effet devenus les Octave Crémazie, Louis Fréchette et Pamphile Lemay vers 1867 ? Fréchette s'est exilé aux États-Unis, Lemay se plaint de ne plus pouvoir écrire, préoccupé par sa douzaine d'enfants à nourrir et Crémazie a dû s'enfuir en France pour échapper à ses créanciers. Dès lors, le mouvement littéraire qu'ils ont créé se trouve privé de ses leaders, devient une proie facile pour l'Église conservatrice. Edmond Lareau écrivait en 1877 :

« De nos jours les écrits originaux et indigènes sont devenus rares. Ces excellents articles de littérature nationale qu'on lisait avec tant de charmes dans les commencements de la *Revue* ont été remplacés par des extraits de littérature étrangère ; on emprunte tout à la France et on ne laisse qu'un tout petit espace pour le Canada. Ceci s'explique un peu par la dispersion de ses fondateurs ; les uns ont pris une direction ; les autres une autre ; la politique a enlevé le grand nombre ; la mort, quelques-uns. Le sang nouveau n'a pas non plus suffi pour réparer ces pertes. »

2

Mais ce dont Lareau ne parlait pas quand il s'interrogeait sur notre pauvreté intellectuelle, c'était de l'influence de l'Église qui, pour des besoins de stratégies politiques, avait étouffé dans l'œuf la jeune littérature québécoise. Toutes ces querelles qui ont abouti à la fermeture de l'Institut Canadien sont trop bien connues pour que cela vaille la peine qu'on les relève ici.

Ce qui me parait plus intéressant, c'est le fait que Victor Hugo (c'est-à-dire le Hugo de l'exil) a cristallisé autour de son nom la majorité des attaques de l'Église contre les anticléricaux. Pendant une trentaine d'années, la droite québécoise a tiré à boulets rouges sur le poète de Guernesey qui symbolisait toute la France post-révolutionnaire. Tant et aussi longtemps que Hugo avait été le poète de *La prière pour tous,* l'Église avait applaudi. Mais exilé, Hugo dépassait la mesure : sa haine du prêtre ne pouvait que se retourner contre lui. Pendant la seconde moitié du XIXe siècle, les prêtres québécois allaient dénigrer Hugo dont toute l'œuvre avait été réduite à un anticléricalisme grinçant. L'Église avait même ses sbires qui, dans de beaux textes, faisaient le procès

de Hugo. Personnellement, je trouve que ces documents ont une grande valeur ethnologique.

Le classique de cette époque est certes *Dans le camp ennemi,* une espèce de pamphlet qu'avait écrit l'abbé Lacasse. Un chapitre était notamment consacré aux *francissons,* c'est-à-dire aux Français, ces impies qui avaient chassé la religion de leur pays et tentaient de commettre le même sacrilège au Québec. L'Abbé Lacasse écrivait :

« Les francissons se sont emparés de cette classe de viveurs (c'est-à-dire ces collégiens qui ont laissé leurs

216

études en Belles-Lettres et qui n'ont jamais voulu étudier depuis, et qui ne connaissent que peu l'histoire des hommes du jour et beaucoup celle des hommes de la nuit), — ils ont dîné et veillé avec eux, leur ont parlé des grands, grands hommes de la France impie : Sainte Beuve, Eugène Sue, Alexandre Dumas, Victor Hugo, le grand Hugo... Et dire qu'il y a un certain nombre de polissons à Montréal qui se traînent devant ces monstres, qui vont leur lécher les pieds. Quelques-uns de ceux-ci sont des journalistes qui vont préparer à leur club, en dégustant un verre d'absinthe, un article de journal qu'on destine à des yeux catholiques ! »

Des journaux aux romans, et par extension aux libraires, il n'y avait qu'un pas, et l'abbé Lacasse le fit sans même prendre le temps de relever sa soutane :

« Cependant, il y a de bons journalistes, mais il faut bien l'avouer, dans nos villes le nombre en est assez restreint. Pour moi, je croirais être en conscience si je payais un journal dont les rédacteurs seraient des ennemis de mon Évêque, par conséquent du Pape, c'est-à-dire de Jésus-Christ.

« Permettez-moi de terminer par ces paroles que je vous citais dans *Le Prêtre vengé :* « Sainte-Thérèse a vu la place qu'elle devait occuper en enfer pendant l'éternité, si elle eût continué à lire des romans — et les romans d'alors n'étaient pas méchants comme ceux d'aujourd'hui. Je vous laisse sous l'impression de cette pensée : « En enfer, pendant toute l'éternité. »

217

Cet avertissement donné, l'abbé Lacasse se sentit obligé de cerner davantage le problème que soulevaient ses amis les libraires :

« Dans le pays, pour vendre du poison, même de la poudre, il faut une permission spéciale.

« On craint avec raison les imprudences et l'on veut protéger la vie corporelle de nos concitoyens.

« Quand le choléra menace, on prescrit une quarantaine, lorsqu'une maladie contagieuse éclate, on établit un cordon sanitaire, tout cela est très bien.

« Mais, je me demande pourquoi on reste indifférent quand le poison des mauvais livres est vendu à qui veut en acheter. Femmes, enfants, jeunes filles peuvent aller s'empoisonner à qui mieux mieux. On expose dans les vitrines des livres très immoraux qui contiennent des histoires obscènes . . . et l'on ne dit rien ; plus que cela, les catholiques vont acheter là, sinon les livres (ce qui arrive malheureusement trop souvent) du moins le papier, les plumes, les cahiers dont ils ont besoin, ainsi qu'albums, images, etc. Ces libraires ne vendent que des mauvais livres ; pour prendre les badauds, ils tiennent des livres de prières.

« Voici ce qu'un homme de la campagne racontait il n'y a pas plus d'un mois. Il était à Montréal et voulait acheter un beau livre de prières à sa fille qui avait trait douze vaches, soir et matin pendant l'été. Il entre dans une librairie, achète un livre. Comme il va sortir, la demoiselle qui l'avait servi lui dit : « Si vous vouliez acheter un beau livre, en voici un que tous les prêtres et les sœurs achètent. Oh ! le beau livre et rien qu'un écu. » Le brave homme se laisse gagner, tire ses deux trente sous, le livre est enveloppé et soigneusement apporté à la maison. La fille toute radieuse, après avoir contemplé son livre de prières, déchire avec empressement l'enveloppe de l'autre et lit avec stupeur ce titre-ci : *Les ruines cléricales*. Est-ce assez diabolique ceci ? »

Et brusquement l'abbé Lacasse jette son masque : il visait quelqu'un par-delà ses attaques au sujet des libraires, et ce quelqu'un c'est évidemment Victor Hugo :

« Dieu merci ! écrivait-il. Nous avons une quantité de bons libraires qui sont prêts à subir des pertes plutôt que de vendre de mauvais livres, témoin la maison Cadieux et Dérome qui a mieux aimé perdre de l'argent que de faire venir les œuvres de Victor Hugo. Un tel acte honore cette maison, ainsi elle peut compter sur l'encouragement des catholiques sincères, tandis que celui qui l'a poursuivie, est tombé sous le mépris des catholiques. *L'Opinion Publique* qu'il avait fondée, n'est plus. Que voulez-vous ? quelle confiance pouvait-on accorder à un homme qui avait voulu *hugoliser* le pays ? »

Le grand mot étant enfin lancé, l'abbé Lacasse put river son clou au chef du romantisme tout en y allant d'un morceau patriotique :

« Les catholiques du Canada ont éprouvé une grande peine en apprenant la triste nouvelle que M. L. H. Taché voulait faire venir trois cents exemplaires des œuvres complètes de Victor Hugo. Taché est un nom national, une partie de notre gloire, un des beaux fleurons de notre couronne. Quand l'enfant bégaie ce nom en lisant à sa mère les annales de la propagation de la foi, de douces larmes s'échappent de son cœur enflammé et de son regard contemplant les immenses contrées du Nord-Ouest : Maman, dit-il, je ferai, moi aussi, un missionnaire, n'est-ce pas ? Oh ! que de vocations à la vie religieuse, le souvenir de ce nom a déterminées ! Que d'actes de dévouement il a produits ! que de prières il a fait monter au ciel ! Le nom de Hugo est petit, bien petit à côté de celui-là. Hugo a passé une partie de sa vie à blasphémer, à salir un drapeau que Taché a lavé de ses sueurs et de son sang depuis soixante ans. Hugo est francisson, Taché est Canadien français, ces deux noms se repoussent. On a voulu les accoler : Louis Hugo Taché ; que cela sonne mal !

« Espérons cependant que le coupable regrettera amèrement sa faute ; c'est le désir sincère, ardent, de l'opinion publique.

« Laissons aux francissons la sale besogne d'empester le pays de livres infâmes. Pour nous, catholiques, notre devoir est tout tracé : pas de méchants compagnons « rôdant autour de nous comme un lion rugissant prêt à nous dévorer » ; ces dernières paroles sont celles du Pape Saint-Pierre qui les avait apprises de Notre-Seigneur Jésus-Christ. »

Ne restait plus qu'à communiquer aux masses le mot d'ordre traditionnel et clérical :

« Eh bien, O bon Jésus ! nous allons combattre sous vos ordres ; il est encore temps, l'ennemi monte à l'assaut avec une rage diabolique, mais il n'est pas maître de la forteresse ; avec votre secours que nous implorons, nous remporterons bientôt la victoire ; nous avons droit, ils ont tort, ils sont une poignée, nous sommes le nombre ; courage donc et en avant !

« Finissons ce chapitre ; il faut faire une guerre à mort aux mauvais livres, aux mauvais journaux et *tuer* toute librairie où l'Église, par ses représentants, n'aura pas droit de cité. »

Hugo n'était pas le seul attaqué par l'Église. Alexandre Dumas, Émile Zola, Bourget et Balzac n'échappèrent pas à la censure cléricale. Des rédacteurs de journaux de Montréal qui avaient, par exemple, commencé de publier *Le Comte de Monte-Cristo* durent abandonner leur feuilleton quand il furent menacés d'excommunication par l'Évêque de Montréal.

3

Le XIXe siècle littéraire québécois fut donc par excellence celui du conservatisme. Rares furent les hommes de cette époque qui osèrent s'élever contre l'ordre établi en écrivant des livres qui auraient marqué, ne serait-ce que prudemment, leur dissidence. Pour un Arthur Buies (qui de toute façon adoptera l'habit du Zouave !), combien de Pamphile Lemay, de Tardivel et de Crémazie qui étaient incapables de sortir de leur impuissance qu'ils masquaient sous d'apparentes idées nouvelles. Voyez ce qu'écrit Crémazie, l'auteur du *Journal du siège de Paris,* sur le roman :

« Le roman, quelque religieux qu'il soit, est toujours un genre secondaire ; on s'en sert comme du sucre pour couvrir les pilules lorsqu'on veut faire accepter certaines idées bonnes ou mauvaises. Si les idées, dans leur nudité, peuvent supporter les regards des honnêtes gens de bon goût, à quoi bon les charger d'oripeaux et de clinquant ? C'est le propre des grands génies de donner à leurs idées une telle clarté et un tel charme, qu'elles illuminent toute une époque sans avoir besoin d'endosser ces habits pailletés que savent confectionner les esprits médiocres de tous les temps. Ne croyez-vous pas qu'il vaudrait mieux ne pas donner de romans à vos lecteurs (je parle de la partie française, car le roman vous sera nécessairement imposé par la littérature indigène), et les habituer à se nourrir d'idées sans mélange d'intrigues et de mise en scène ? Je puis me tromper, mais je suis convaincu que le plus tôt on se débarrassera du roman, même religieux, le mieux ce sera pour tout le monde. »

Crémazie y alla même de quelques couplets contre Hugo qu'il avait croisé dans les rues de Paris. Mais cela n'a pas grande importance. Tout autre fut le rôle que joua auprès des lecteurs le sinistre Basile Routhier qui fut l'un des adversaires les plus acharnés du Hugo de l'exil. Dans ses *Causeries du dimanche* et dans ses *Grands drames,* Routhier commença d'abord par avouer qu'il a jadis beaucoup admiré l'auteur des *Misérables* mais que les années ont modifié son jugement. Louis Veuillot étant maintenant devenu son maître, Routhier écrit :

« Un homme qui ne rit pas, c'est l'auteur de *L'Homme qui rit.* Mais il n'en vaut guère mieux, et s'il fallait choisir entre les facéties de la petite presse et les antithèses ronflantes de Victor Hugo, il y aurait lieu d'être embarrassé.

« Il n'abandonne jamais sa pose et ses airs de prophète, j'allais dire de dieu, et s'il eût vécu dans l'antiquité païenne, c'est lui qu'on aurait fait Jupiter. Dans notre siècle, il n'est que l'un des membres les plus importants de ce dieu des panthéistes qui se nomme Grand-Tout. Il n'est pas mécontent de cette dignité, quoiqu'il espère mériter mieux et, depuis qu'il est revenu à Paris, il s'efforce de la revêtir d'un nouvel éclat.

« Il faut avouer qu'à Guernesey, depuis quelques années, ce personnage s'éclipsait visiblement. Le vaisseau qui porte sa gloire faisait de l'eau, et il allait sombrer lorsque l'avènement de la République l'a remis à flot. Léger comme un papillon, le vieillard est alors accouru à la voix de sa bien-aimée, et le rêve qu'il a caressé longtemps d'être le président de la République Universelle a ranimé ses illusions éteintes. Il a cru que son jour était enfin levé et que tous les peuples, prosternés devant la République une et indivisible, allaient enfin le choisir pour chef et pour pontife.

« Il a compris que cette double dignité devait lui donner un crédit immense, et, à peine rentré dans Paris, il a saisi non pas son épée, mais sa plume. Du haut de je ne sais quel piédestal, fait d'orgueil et d'ineptie, il a adressé des proclamations solennelles aux Allemands et aux Français.

« Ce sont des chefs-d'œuvre d'incohérence et de folie ; et à côté de quelques idées où l'on retrouve encore un reste de génie, il a entassé confusément l'excentrique, le ridicule et le trivial. »

Après avoir cité quelques extraits de l'appel de Hugo aux Prussiens qui, en 1870, s'apprêtaient à assiéger Paris, Routhier commentait : « On peut être plus fade, mais on ne peut pas être plus fou. » Puis il critiquait la deuxième lettre de Hugo aux Allemands, qui est un véritable cri de guerre (« Que toutes les communes se lèvent ! que toutes les campagnes prennent feu ! que toutes les forêts s'emplissent de voix tonnantes ! que de chaque maison il sorte un soldat ! ») :

« Hélas ! faire de semblables phrases est bien joli, mais vaincre les Prussiens serait plus beau. Il est bien à craindre que le volcan ait besoin d'être secouru, que Marseille ait en vain chanté sa chanson terrible, et que la ville ait pris sa fourche inutilement.

« Il a une chose que Victor Hugo n'a pas comprise, et que la France refuse encore de comprendre, c'est que pour vaincre la Prusse, il faut apaiser Dieu.

« Il y a une autre vérité qu'il ignore et que la France méconnaît : c'est qu'il a sa grande part de responsabilité dans les malheurs qui accablent sa patrie. Il est de ceux qui l'ont gâtée et qui ont attiré sur sa tête les foudres divines. Il est un de ceux qui l'ont égarée loin des sentiers de la vérité et de la justice. Il est un de ceux qui lui ont enlevé son Dieu, et qui ont placé sur ses autels la Raison humaine et la Liberté.

« Et pour expier son crime il fait des phrases creuses, et son cœur n'est pas assez affligé pour empêcher sa cervelle de fabriquer des antithèses ! Pauvre cœur et pauvre cervelle ! Il faut qu'une nation soit bien malade pour se laisser conduire par de tels chefs. »

La religion toujours. La littérature, pour Routhier comme pour tant d'autres, n'était, après tout, qu'affaire de religion. Le critique ne s'en cachait d'ailleurs pas puisqu'il écrivait, le plus sérieusement du monde :

226

« Il faut admettre que Victor Hugo avait été magnifiquement doué par la Providence. C'était un beau génie, un immense talent qui aurait dû être, et qui a peut-être été le plus grand poète de son temps. Fidèle à la religion dans laquelle il est né, il pouvait atteindre à la gloire de Racine : il a préféré être le rival d'Eugène Sue et de Michelet. Quelle aberration ! »

Et ceci, pour finir :

« Le compte qu'il aura à rendre à Dieu de l'emploi de son génie sera terrible. Car il a complètement manqué à la mission qu'il devait remplir. L'Église qu'il devait défendre, il l'a combattue. La patrie qu'il devait grandir et conduire à la vérité, il l'a pervertie. En cessant d'être catholique, il a cessé d'être français, et en trahissant l'Église, il a trahi la France. »

De tous les écrivains et critiques littéraires québécois, c'est Routhier qui a le plus parlé de Victor Hugo. Évidemment, il trouvait ses œuvres immorales et voulait que l'Index contre elles fût scrupuleusement observé afin que la jeunesse, si calme et si bonne, ne fût point débauchée. Quant au génie proprement littéraire de Hugo, Routhier avait encore bien des réserves à faire :

« Shakespeare est son grand modèle et il l'a imité d'une manière étonnante. Il est certain qu'il en a tous les défauts, mais il est moins sûr qu'il en ait pris toutes les qualités. Aujourd'hui, il exagère tellement le genre de Shakespeare qu'il est devenu ridicule. »

Pour donner plus de force à son argumentation et pour prouver que n'importe qui peut écrire comme Hugo,

Routhier *livre au lecteur une imitation :* qu'écrirait
l'adulateur de Shakespeare s'il venait à Kamouraska
pendant une tempête ? Routhier écrit :

J'ai vu Kamouraska par une nuit sans étoiles.
C'était un soir ténébreux où l'horreur et l'inconnu s'étaient donné rendez-vous. L'air et l'o-
céan, tous deux en révolution, fraternisaient.
Accolade sublime.

Fougueux et libre, l'air avait secoué le joug du
tyran nuage, et comme un peuple qui s'éveille, il
roulait ses flots irrésistibles et innombrables. L'o-
céan se soulevait pour courir à sa rencontre, et
les deux éléments se donnaient des baisers qui
devenaient des abîmes. C'était le choc de deux
infinis. Pluriel effrayant.

L'infini d'en haut se précipitait sur l'infini d'en
bas. Il l'enlaçait, le soulevait, le secouait, et
l'entraînait dans une course parabolique vertigineuse.

Où allaient-ils ?
— Dans l'ombre.
D'où venaient-ils ?
— De l'ombre.
Que voulaient-ils ?
— Mystère.

C'est là l'inexplicable et l'incompréhensible. Ces
deux êtres sans vie vivaient. Ces deux matières
pensaient, chantaient, riaient, hurlaient, mar-

chaient. Ces deux riens étaient tout. Obscurité lumineuse qui ouvrait une porte sur l'inconnu.

L'océan était un abîme. L'air aussi. Quand ces deux abîmes fraternisent, l'infini apparaît. L'incommensurable se mesure, et l'invisible prend une forme. C'est la pénombre du mystère, et l'œil y aperçoit ce qui ne se voit pas : la quantité de pensée qui se mêle à la matière.

L'air et la mer chantaient. Pourquoi ? — Parce que . . .

Chant inimitable, et que l'art humain ne peut noter. Fort et faible, harmonieux et discordant, lugubre et rieur. Suite de mélopée vague et rêveuse où le réel se fait idéal, et l'idéal le réel. Chanson qui prend une forme et devient spectre, qui vous poursuit avec des cris de rage, ou des ricanements sinistres, et qui vous siffle dans les oreilles. Concert de fantômes.

— Les ténèbres étaient palpables.

— Qu'est-ce que l'obscurité ?

— Une condensation de néant. De tous côtés le vertige remplissait l'étendue. La terreur grouillait obscurément dans l'ombre, et le vide ténébreux s'étendait sans limites. Effondrement sinistre de la réalité.

Le rivage était là imperturbable et froid. On eût dit qu'il s'était endormi en écoutant les sourds grognements des vents et de la mer. Vainement, la vague, l'écume à la bouche, le mordait au flanc. Il dormait. L'absence d'âme paralysait le corps.

Au loin, dans la brume, apparaissaient, spectres, énormes, des fantômes gigantesques couchés dans la mer. Rochers retentissants et fiers, îles chevelues et sombres, qui, spectateurs silencieux, regardaient se dérouler le drame terrible, joué par leurs acteurs favoris, la mer et le vent. Théâtre sublime où l'homme se faisait atome, et où l'atome devenait géant.

Je regardais mais mon œil ne pouvait pénétrer à travers la muraille d'ombre.

J'écoutais, mais mon oreille ne pouvait analyser cette confusion de concerts.

Dans cette promiscuité sans fond, où l'indécis donnait le bras à l'invisible, mon âme seule voyait et entendait dans les sphères lumineuses le frôlement des infinis. L'inexprimable prenait une voix, et l'éclipse du visible dévoilait l'idéal.

Cela était immense et merveilleux.

Et Routhier concluait par ces mots :

« Maintenant, lecteur, imaginez des centaines de pages de ce style (*sic*), et vous vous demanderez avec effroi quel peut être l'avenir d'une littérature qui a choisi Hugo pour modèle. »

4

Après avoir lu cela, il est facile de comprendre la haine que vouèrent à Louis Veuillot et compagnie les intellectuels québécois anticléricaux du XIXe siècle. C'est Louis Fréchette surtout qui a fait preuve, envers eux, d'une grande violence. Il faut dire qu'il était un admirateur forcené de Victor Hugo dont il a imité jusqu'aux titres des recueils de poésies ; *La Légende d'un Peuple* de Fréchette est le pendant québécois de la fameuse *Légende des Siècles* de Hugo ; on y trouve ce même besoin de gonfler l'histoire, de renforcer ses aspects mythiques afin que naissent les héros de qui viendront les grands revirements. Avant Fréchette, cela ne s'était pas encore fait, le lyrisme et l'épopée s'étant confinés aux chansons et aux sermons religieux. Malgré tous ses défauts, l'œuvre de Fréchette est exemplaire en ce qu'elle témoigne profondément de son temps ; les contes de Fréchette sont un peu plus que des contes, ils sont l'éclatement d'un rêve bien québécois. A travers des personnages absolument farfelus, ermites ou grands buveurs, débiles mentaux ou poètes usurpés, se laissent circonscrire des archétypes qui, cent ans après, sont toujours valables dans notre littérature.

Lorsqu'on étudie un peu attentivement la vie de Louis Fréchette, l'on se rend compte jusqu'à quel point il était hugolien. Le thème de l'exil, par exemple, a une force étonnante, dépasse le courant traditionnel d'une littérature incapable de se prolonger autrement que par une déchirure. Elle peut prendre toutes les formes ; ce peut être Crémazie s'enfuyant à Paris, et cet exil devient brusquement le symbole de la sécheresse, de l'œuvre arrêtée, de l'œuvre impossible ; ce peut être Pamphile Lemay dont les douze enfants étaient l'exil même, et ce peut être Fréchette s'expatriant aux États-Unis à la suite d'une assez obscure histoire d'espionnage (il aurait été vu en train de se promener avec une Fénian dans les rues de Québec, et il craignait les représailles). Cela se passait en 1865, à une époque où Fréchette était tout à fait avalé par le mythe de Hugo : dans *La Voix d'un exilé*, recueil de poésies qu'il avait écrites de Chicago, il reprenait à son compte les grands thèmes des *Châtiments :* on y découvre un Fréchette qui s'est exilé volontairement et dont la proscription doit être une mise en accusation de la société canadienne. On retrouve le rythme des *Châtiments*, l'invective hugolienne et la prophétie. Marcel Dugas écrit :

« Il annonce les plus grands malheurs au Canada. Les maîtres du pouvoir sont rangés dans la catégorie des voleurs, des misérables, des assassins. Il n'est pas de termes assez gros, assez injurieux auxquels il n'ait recours : la politique canadienne n'est qu'une caverne

232

Victor Hugo, grand-père.

de bandits, de malfaiteurs qui veulent détruire jusqu'au souvenir de l'esprit français. »

Toute sa vie, Fréchette a été poursuivi par cette idée d'être le Hugo québécois. Il est vrai qu'il avait une belle prestance, que ses œuvres honorées par l'Académie française, que ses activités politiques, faisaient de lui l'un des intellectuels québécois les plus connus de son époque. Fréchette a profité de sa réputation comme font tous ceux qui, à la force de leurs poignets, s'en bâtissent une. Mais il est un événement dans sa vie qu'il est bon de rappeler, d'abord parce qu'il est important en soi, et puis parce qu'il nous parle de Hugo. Fréchette a toujours eu un rêve profond : rencontrer Victor Hugo. Il fut effectivement le seul Québécois à être reçu par lui. Même s'il fut accueilli comme un mendiant, Fréchette conserva de cette rencontre une grande fierté. Il semble que la société littéraire d'ici partagea également ce sentiment puisque, dit Dugas, « de retour en Amérique, Fréchette est salué comme le poète national du Canada ». A la Société Royale d'Ottawa, Fréchette raconta avec emphase la visite qu'il fit à Hugo. C'est une véritable pièce d'anthologie qu'il faut citer entièrement :

CHEZ VICTOR HUGO

A l'époque où j'eus l'honneur d'être reçu chez lui, il emplissait le monde de sa renommée. Il était rentré en France en triomphateur, après

234

vingt années d'exil qui avait entouré son front de l'auréole des martyrs et des prophètes. Et il vieillissait dans l'austérité d'un travail persistant et plus fécond que jamais, caressé par ses petits-enfants, idolâtré par son grand Paris, acclamé par la France, salué par l'univers entier. On disait de lui « qu'il était entré tout vivant dans l'immortalité » ; et ceux qui pouvaient apercevoir, même de loin, le vieillard prodigieux qui, à douze ans, avait été nommé par Chateaubriand l'enfant sublime, se sentaient tentés de baisser la tête, presque éblouis.

C'était quatre ans avant sa mort — en 1880. J'étais depuis quelques semaines à Paris ; et, à chaque instant, des célébrités littéraires, avec lesquelles les circonstances m'avaient mis en contact me disaient :

— Avez-vous vu Victor Hugo ?

— Il faut aller voir Victor Hugo !

— Ne manquez pas de faire une visite à Victor Hugo.

Un jour, Eugène Manuel — l'éminent poète qui vient de poser pour la deuxième fois sa candidature à l'Académie française — insista plus que les autres :

— Vous avez une trop belle occasion, me dit-il ; vous seriez impardonnable de ne pas en profiter. Il n'y a pas deux Victor Hugo au monde ; et, malheureusement, il n'y est pas pour de longues années maintenant. Ne le voit pas qui veut, du reste ; je n'ai pu le rencontrer, moi, que lorsque j'ai été candidat à l'Académie. Les circonstances dans lesquelles vous vous trouvez vous ouvrent tout naturellement sa porte ; profitez-en. Demandez une audience, et présentez-vous chez lui à dix heures du soir. C'est le moment où il sort de table.

Paul Féval m'avait même chargé d'un message pour le grand maître :

— Vous lui soufflerez de ma part, avait-il dit, qu'il est le colosse du siècle, mais aussi un grand scélérat.

En France, plus encore qu'ailleurs peut-être, ceux qui ne pensent pas comme nous sur certains sujets sont des scélérats, ni plus ni moins. Enfin, sans être absolument disposé à me charger de la dernière partie de la commission surtout, je me décidai à demander l'entrevue en question. J'écrivis donc à cet effet une petite lettre dans laquelle j'essayai de réunir, entre autres qualités de style, un peu d'élégance avec beaucoup de concision. Et ce n'est pas sans un léger tremblement nerveux, je l'avoue, que je traçai, sur le dos de l'enveloppe, la suscription suivante :

A Victor Hugo,
130, avenue d'Eylau.

Quelques jours après, à mon retour d'une excursion dans le Berri, je trouvai sur ma table une petite note ainsi concue :

« Monsieur,

Je suis chargé par M. Victor Hugo de vous dire que vous serez le bienvenu chez lui, le jour qui vous conviendra, à dix heures du soir. Agréez, Monsieur, l'assurance de mes sentiments distingués.

Richard Lesclide. »

L'avenue d'Eylau — qui devait devenir, l'année suivante, l'avenue Victor-Hugo — est, comme on le sait, une des douze voies publiques qui convergent à l'Arc de Triomphe de l'Étoile. Le soir même, un coupé de remise me déposait à la porte du grand poète.

La maison qu'habitait l'immortel auteur de tant de chefs-d'œuvre — aujourd'hui transformée en musée — n'a rien de particulièrement imposant. C'est un hôtel assez élégant, mais de petites dimensions, tout blanc, avec de grands jardins à côté et en arrière. La porte, ni très large ni très haute, à deux vantaux alors peints en vert, s'abrite sous une espèce de marquise vitrée. Elle affleure presque le trottoir.

Ma montre marquait dix heures. Je tirai le bouton doré, et le bruit de la sonnette me retentit jusqu'au fond de la poitrine. Mille émotions

237

diverses m'assaillaient. J'allais me trouver face
à face avec l'homme extraordinaire dont les con-
ceptions grandioses avaient si souvent éveillé mes
enthousiasmes juvéniles. J'allais toucher cette
main qui avait jeté tant d'incomparables pages
aux quatre vents du monde et du siècle. J'allais
contempler ce front monumental, tout chargé de
gloire et d'années, et que le génie avait couronné
d'un nimbe impérissable. J'allais voir Victor Hugo. Le cœur me battait violemment, et j'avais
des envies folles de me sauver. Enfin la porte
s'ouvrit :

— M. Victor Hugo ?

— Il est à table, me répondit une petite bonne
fraîche et accorte ; que monsieur se donne la peine
d'entrer.

— Voici ma carte.

Et pendant que la jolie bonne s'acquittait du
message, jetant un coup d'œil à ma gauche,
j'aperçus par l'entre-bâillement d'une porte, dans
une toute petite pièce, deux femmes en grand
deuil qui paraissaient pleurer. La bonne revint
avec le sourire.

— Monsieur prie monsieur d'entrer au salon, dit-
elle ; il sera à lui dans un instant.

Et soulevant une lourde portière, elle m'in-
troduisit dans le salon, tout au bout de l'anti-
chambre. Je ne vis personne, mais j'entendis le
bruit de plusieurs voix en conversation animée,

238

mêlé au cliquetis et aux tintements ordinaires d'une salle à manger à la fin d'un repas.

Le salon du grand poète formait un carré long, meublé d'une façon que je n'ai remarquée nulle part ailleurs. Il était tout garni de tentures capitonnées et de draperies, le tout en satin rouge, sans autres ornements qu'un lustre en cristal suspendu au plafond, deux appliques en bronze doré à trois branches, et une riche pendule placée sur le manteau de la cheminée, lequel était en marbre noir et garni de velours rouge, bronché d'or. Deux rangées de fauteuils en bois doré, et en satin rouge aussi, s'alignaient face à face, au milieu de la pièce et dans sa plus grande longueur, sur un tapis à fleurs roses et à fond blanc. Entre ce salon et la salle à manger, une large baie sans porte s'ouvrait sur un espace sombre.

C'est par cette baie, devenue tout à coup lumineuse et pour ainsi dire rayonnante, que m'apparut le maître. Il marchait d'un pas un peu lourd, mais la tête haute et grave, ayant à son bras sa vieille amie, Mme Drouet — une autre des personnes chères que le grand octogénaire devait voir disparaître avant lui.

Plusieurs convives les suivaient, parmi lesquels une autre dame, brunette pleine de vivacité dont je n'ai jamais su le nom — Mme Dorien probablement — Auguste Vacquerie, Paul Meurice, Eugène Locroy — je les reconnus par leurs portraits qui m'étaient familiers — et enfin, un jeune homme que je supposai être le secrétaire du poète, M. Richard Lesclide.

Tout le monde connaît la tête de Victor Hugo, ces beaux traits réguliers et pensifs, ce grand front marmoréen, couronné d'une chevelure courte, presque hérissée, blanche comme la neige, et cette bouche gracieuse respirant une bienveillante bonhomie, encadrée par une barbe courte et argentée comme la chevelure. Ses portraits sont en général très fidèles. Seulement ce que la photographie ne pouvait rendre, c'est son teint. Je m'attendais à voir une figure mate et olivâtre, pâle en tout cas. Je me trompais. Victor Hugo — grand mangeur et qui aimait les bons crus, quoi qu'on en ait pu dire — avait le teint fleuri des sanguins. Un cas assez remarquable, comme on le voit, à l'encontre de la légende qui veut que tous les poètes soient nécessairement étiques, poussifs et blêmes.

Quant au reste du physique, Victor Hugo était un homme d'à peu près cinq pieds huit pouces, carré d'épaules, et de taille un peu pleine. On ne lui aurait pas donné son âge.

Il s'avança vers moi la main tendue. Mais, au moment où j'allais répondre aux quelques paroles polies qu'il venait de m'adresser, voilà qu'une des personnes en noir que j'avais entrevues en entrant se précipite dans le salon, et vient tomber, en fondant en larmes, à genoux entre le poète et moi.

Victor Hugo se pencha vers elle, la releva avec bonté, lui demanda ce qu'elle désirait ; et, comme la suffocation empêchait la pauvre femme de parler, il l'entraîna dans la salle à manger, d'où nous arriva bientôt, au milieu des exclamations et des sanglots, la voix sympathique du maître qui disait :

— Calmez-vous, calmez-vous, chère madame ; nous allons voir à cela.

Victor Hugo était, à Paris, l'homme par excellence à qui s'adressaient toutes les grandes infortunes. Cet incident avait naturellement interrompu le caquelage bruyant des convives, qui recommença de plus belle l'instant d'après.

— Moi, s'écriait la jeune dame, je ne conçois pas qu'on dise monsieur Victor Hugo ; c'est absurde.

— Et pourquoi donc ? demandait quelqu'un.

— Tiens ! mais est-ce qu'on dit monsieur Voltaire ?

— Ah ! cela, c'est différent . . .

— Mais pas du tout : Victor Hugo est aussi grand que Voltaire.

— C'est vrai, mais . . .

— Ah ! vous direz tout ce que vous voudrez, on ne doit pas appeler Victor Hugo monsieur.

C'est trop bourgeois, c'est l'assimiler au premier venu.

— Ah ! mais pardon, Madame.

— C'est inutile, vous dis-je.

— Vous admettrez pourtant que Victor Hugo est bien le premier venu pour certaines gens.

— Je les plains ceux-là.

— Tant que vous voudrez, mais il y a deux hommes dans le grand homme. Victor Hugo pour le public, mais pour sa blanchisseuse : monsieur Victor Hugo.

— Voyons, Monsieur, dit la petite dame en s'adressant à moi, vous êtes américain.

— Oui, Madame, du Canada.

— Comment dit-on chez vous, Victor Hugo, ou monsieur Victor Hugo ?

— Ma foi, Madame, répondis-je sans trop savoir comment me tirer d'affaire, tout à l'heure, à la petite bonne qui m'a ouvert la porte, j'ai dit monsieur Victor Hugo, mais c'était pour la première fois de ma vie. Il est vrai qu'en Amérique nous n'avons pas l'avantage de posséder de blanchisseuse du grand homme.

— Là !

— Eh bien ? . . . C'est absolument cela.

— Mais oui, c'est comme je disais.

— Ah ! mais non, par exemple.

— Permettez !

— Ah ! mais non, voyons !

— Permettez, permettez donc...
— Pardon, pardon, pardon...
— Oh ! la la la la !

Et patati et patata ; c'était un torrent. Tous parlaient à la fois. Il paraîtrait que, bien loin d'avoir tranché la difficulté, ma réponse n'avait fait qu'embrouiller la question. Je ne sais trop quelle contenance garder, lorsque la grande figure léonine du maître reparut dans le cadre lumineux de la salle à manger.

— Allons, me dis-je à moi-même, du courage !

Le fait est que j'aurais aimé tout autant me voir loin. Mais jugez de mon embarras lorsque le grand poète s'approcha de moi, et me dit sur un ton plein de bonté :

— Et vous, cher monsieur, que puis-je faire pour vous être utile ?

— Je vous demande pardon, grand maître, balbutiai-je... je ne suis pas un solliciteur... je désire seulement... vous présenter...

Mais pour comble d'ahurissement, je m'aperçus, en sentant la sueur perler à mon front, qu'il me fallait hausser la voix : mon imposant interlocuteur se penchait la tête vers moi, la main à l'oreille. Il ne m'entendait pas. Cette demi-surdité m'étonnait, comme si un homme comme Victor Hugo eût dû être inaccessible aux infirmités humaines.

243

Dans mon embarras, il me vint une idée ; je tirai de ma poche la lettre de M. Lesclide et la présentai au poète.

— Ah ! très bien, dit-il, vous êtes un confrère. Pardonnez à ma méprise. Cette scène m'a tout bouleversé.

Et puis, en me serrant très cordialement la main et en m'indiquant du geste ses convives et la rangée de fauteuils, il ajouta, sur un ton d'extrême urbanité :

— Vous êtes chez vous, Monsieur. Si ma maison ne peut être ouverte à tout le monde, vous êtes de ceux qui ont toujours droit d'y être les bienvenus. Vous venez du Canada, notre ancienne colonie, à ce que je vois.

— Oui, maître.

— Une très grande perte que nous avons faite là. Les folies de Louis XV nous ont enlevé la moitié de l'Amérique. Il y a bon nombre de descendants français chez vous, n'est-ce pas ?

— Plus de deux millions.

— Vraiment ? Et depuis quand habitez-vous ce pays-là ?

— J'y suis né, maître. Je suis un enfant des anciens colons français. Vous m'avez fait l'honneur de m'écrire deux fois : une en 1863, de Guernesey, une autre il y a trois ans, par l'intermédiaire de votre collègue au sénat, M. Laurent Pichat.

— Bon, j'y suis, j'y suis !... Vous savez, je m'embrouille un peu dans ces détails-là... Ah ! l'Amérique, j'aurais bien voulu la voir ! Il y a eu là des hommes antiques. Mais que voulez-vous, je n'ai jamais eu le temps de voyager.

— Vos ouvrages ont voyagé pour vous, maître. Ils vous ont créé des amis passionnés dans les deux hémisphères ; des amis, ajoutai-je en reprenant un peu d'aplomb, qui voyageraient bien, eux, s'ils étaient surs d'être admis comme moi en votre présence.

— Le fait est que je suis un peu forcé de me claquemurer. Je n'ai pas encore terminé mon œuvre, voyez-vous ; et, à mon âge, le temps presse.

— Merci de m'avoir mis au nombre des exceptions, cher maître ; cette entrevue sera certainement le souvenir de ma vie.

— Vous n'avez qu'à renouveler, si cela vous fait plaisir, me dit Victor Hugo très affectueusement.

Je n'ai eu ni le temps ni la hardiesse de profiter de l'invitation. Après quelques minutes de conversation sur des sujets plus ou moins personnels, je me levai pour prendre congé du grand homme. Il me reconduisit jusqu'à la porte du salon. Je vois encore sa main blanche et potelée, assez forte, mais aux doigts très effilés, soulever pour moi la portière de satin rouge. Quelques minutes après, j'arpentais les Champs-Élysées, la tête assiégée par mille pensées tumultueuses.

Pas un autre homme au monde ne m'a causé la millième partie de ces impressions. Je comprenais ces vers de Jean Richepin, parlant de sa première visite chez Victor Hugo :

> Il me semble, ce soir, que le boulevard bleu,
> Bordé de becs de gaz, est un chemin
> [d'étoiles,
> Et que celui chez qui je vais, c'est le bon
> [Dieu.

5

Si j'aime Fréchette, c'est évidemment à cause de ses *Originaux et Détraqués* qui me rappellent assez curieusement mon enfance. Il y a dans la façon d'écrire de Fréchette je ne sais quoi, une vétusté sans doute, qui me fait faire un long plongeon dans le passé. Et puis, j'ai connu cette société presque mythique, soucieuse de hiérarchie mais dans laquelle le fou et l'idiot avaient leur place, qui était importante et jamais remise en question. Dans mon enfance, les fous calmes n'étaient jamais enfermés, à preuve Pichlotte, Horton, Pitt, les Mantines, Ti-Gus et le Kouacque, héros inoubliables et symboles d'une vérité qu'un beau jour l'on transpercera définitivement.

Originaux et Détraqués est peut-être le meilleur document que nous possédons au sujet du XIXe siècle, de la vie quotidienne des Québécois et de ce qui fait leur identité. Même pour l'étude de Hugo, ce livre n'est pas à ignorer ; c'est parfois un pastiche du style hugolien, de sa trivialité, et c'est parfois un peu mieux que cela, c'est-à-dire des croquis très habiles d'un observateur perspicace. Toute société a ses illuminés et dans tout homme il y a une bête qui peut facilement devenir la proie de l'obsession ou de la mégalomanie.

A certains moments de sa vie, Hugo n'écouta plus que les voix des forces irrationnelles. Fréchette passe un peu par la même expérience par le biais de ses contes. Il y a là-dedans quelque chose d'extrêmement sympathique et qui a été tout à fait nouveau dans notre littérature. D'ailleurs, Hugo n'est pas absent des *Originaux et Détraqués*. Dans l'un de ses contes, Fréchette nous apprend qu'à l'époque où il habitait Québec, il a connu un « singulier individu qui s'appelait Grosperrin ». Ce Grosperrin dont on ne savait s'il était français, belge ou suisse, connaissait les îles Jersey et Guernesey, mais ignorait l'anglais. Il disait qu'il était un philosophe cosmopolite, un enfant de l'humanité habitant cette planète qu'on appelle le globe terrestre. Grosperrin était une espèce de fou ou de génie, Fréchette ne savait trop, qui faisait de la poésie. Savetier de métier, il n'avait jamais appris son alphabet, de sorte qu'il était incapable d'écrire. Il imaginait donc *ses poésies dans sa tête* puis les dictait à qui voulait bien l'entendre. Après quoi il faisait corriger ses textes avant d'aller les remettre à l'imprimeur.

Un jour, Grosperrin écrivit un poème qu'il intitula *Les vrais Misérables, poésies incomparables du philosophe Grosperrin, Jersey, 1861*. L'intention du pastiche est ici flagrante. Cela va même plus loin que cela, comme l'affirme Fréchette :

« Victor Hugo venait de publier *Les Misérables* ; et comme Grosperrin se donnait habituellement comme le seul rival sérieux qu'eût le grand poète, de là ce titre.

« On parle beaucoup de Victor Hugo, disait-il. Pardi, c'est pas difficile de se faire un nom quand on a ses avantages. Il sait l'orthographe, lui. Il peut écrire ses vers lui-même. C'est sa supériorité sur moi. Mais tout le monde vous dira que ses poésies (*prononcez pohêsies*) ne peuvent pas être comparées à celles de Grosperrin, philosophe-cordonnier. Il le sait bien du reste et c'est pour cela qu'il n'a jamais pu me sentir. Mais je m'en fiche un peu, par exemple ! Victor Hugo n'est pas autre chose qu'un artiste, tandis que moi, je suis un homme de génie. Voilà ! Je ne le lui envoie pas dire. »

Son animosité envers Hugo, le sieur et philosophe Grosperrin la cultiva toute sa vie. C'était à l'époque heureuse où, à Québec, les poètes donnaient des récitals ou se promenaient dans les vieilles rues en récitant leurs vers. Ils étaient très écoutés et bien payés s'il faut en croire Fréchette qui dit qu'en une seule année l'un de ces poètes (dont la voix était extraordinaire, faut-il ajouter) mit à la banque plus de cinq cents dollars. Ce ne fut toutefois pas le cas de Grosperrin qui tenait à sa réputation de poète traditionnaliste qui se veut pauvre, romantique, baroque mais inspiré. Grosperrin ne manqua jamais d'esprit dans la peau d'un Hugo adapté pour le Québec. Grosperrin faisait évidemment de grandes colères contre Hugo, contre le faux Hugo de Jersey. Pas une semaine ne s'écoulait sans qu'il composât des *vars* au sujet de l'homme de Guernesey. Le cas est intéressant puisqu'il est unique. Fréchette croit que Gros-

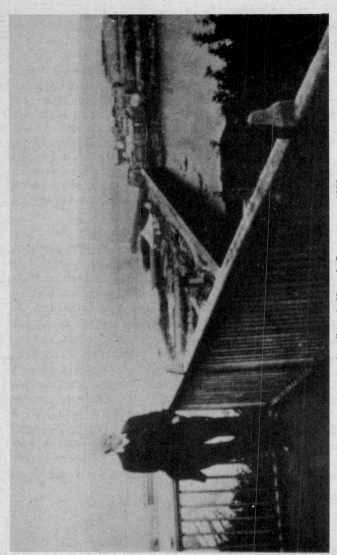

Le dernier séjour de Hugo à Guernesey en 1878.

perrin atteignit le sommet de sa carrière quand il écrivit ce poème qui connut son heure de gloire :

> Hugo s'est enrichi de prose « misérable » :
> Mon vers me ruinera, bien qu'il soit admirable.
> Du nom des malheureux Hugo fait des palais :
> Moi, pauvre cordonnier, je n'en aurai jamais.
> Mes feuillets sécheront quoique pleins de lumière,
> Et derrière un vieux mur couvriront de poussière.
> De Hugo le grand ver engraisse son jardin,
> Mais moi, le ver rongeur va dévorer le mien.
> Un immense roman rend Hugo populaire ;
> C'est un petit tyran qui flatte la misère.
> Un poète enrichi ressemble à ce gredin
> Qui nous promettait plus de beurre que de pain.
> Ces poètes heureux sont marchands de paroles :
> Dans leur caisse nos maux se changent en pistoles.

Fréchette n'était pas attentif pour rien aux émanations de poètes comme Grosperrin ; ils trouvaient en eux comme une boursouflure extrême de lui-même, une limite qu'il n'atteindrait heureusement jamais car il y avait en ce qu'il croyait et disait suffisamment d'originalité pour ne plus être tout à fait piégé par le personnage de Hugo. Mais le XIXe siècle québécois est un siècle de polémistes ; les règles littéraires et politiques favorisaient la querelle, les journaux, tous fortement identifiés à des idéologies souvent contradictoires, l'encourageaient, la cultivaient pour un public qui en était friand.   C'est dans cette perspective qu'il convient d'analyser la polémique qui mit en cause, à la fin du siècle, deux poètes d'ici : William Chapman et Louis Fréchette.

6

Le 7 mars 1896, *La Vérité*, organe du très catholique Tardival célèbre pour ses récits religieux de voyages,
commençait la publication d'une série d'articles de William Chapman sur les plagiats littéraires. Ce Chapman
avait une personnalité assez bizarre ; admirateur de
Hugo depuis sa jeunesse, il écrivait debout en face de
son pupitre et ses vers étaient aussi hugoliens qu'ils
pouvaient l'être. Dans sa série d'articles assez virulents,
Chapman, avant de s'attaquer à Fréchette, se fit les
dents sur Basile Routhier dont presque toute l'œuvre,
selon le polémiste, avait été repiquée d'Alexandre Dumas.
Ses notions de plagiat, Chapman les tenait de Larousse
et de La Mothe de Voyer qui avaient écrit :

1) Aujourd'hui le mot plagiat peut se définir : l'action de s'approprier la pensée d'autrui, ou, comme le
dit Charles Nodier dans ses *Questions de Littérature
Légale*, « de tirer d'un auteur le fond d'un ouvrage
d'invention, le développement d'une notion nouvelle ou
encore mal connue, le tour d'une ou plusieurs pensées ».

2) Prendre des anciens et faire son profit de ce
qu'ils ont écrit, c'est commettre piraterie au-delà de la
ligne ; mais voler ceux de son siècle, en s'appropriant

253

Louis Fréchette.

leurs pensées, c'est tirer la laine au coin des rues, c'est ôter les manteaux sur le pont Neuf.

Fort de ces définitions, Chapman construisit sa thèse sur Fréchette ; les articles de *La Vérité*, augmentés pour la circonstance, donnèrent un livre assez impressionnant de 323 pages. Intitulé *Le Lauréat* (Fréchette ayant bonne réputation pour avoir remporté de nombreux prix littéraires français d'importance mineure), l'étude de Chapman était un pamphlet, une charge épouvantable contre l'auteur de *La Légende d'un Peuple.* Il serait trop long et fastidieux de reproduire ou seulement de résumer tous les passages du livre de Chapman dans lequel Hugo est directement mis en cause. Quelques extraits, comme ceux qui suivent, suffisent. Dans une manière d'introduction, Chapman écrivait :

« M. Fréchette s'est efforcé toute sa vie d'imiter Victor Hugo, en politique comme en littérature, seulement, il faut le dire, à la manière du molosse qui voudrait copier le lion.

« En 1851, Victor Hugo, après avoir fulminé contre le coup de force du prince Bonaparte, fut obligé de quitter la France, se réfugia en Belgique, puis de là s'enfuit en Angleterre.

« A Jersey, dans sa retraite de Marine-Terrace, le poète, débordant des imprécations vengeresses du satirique, écrivit les choses les plus ignobles et les plus révoltantes qui aient jamais jailli d'une plume trempée

William Chapman.

dans le fiel et la fange, contre les têtes dirigeantes de son pays, contre Mgr l'archevêque de Paris, contre Pie IX, etc. Il y prédit une foule d'événements qui, malheureusement, se sont accomplis ; et plusieurs écrivains français s'accordent à dire que *Les Châtiments* ont largement contribué à la chute du second Empire et aux infortunes qui ont fondu, il y a une vingtaine d'années, sur la vieille mère-patrie.

« En 1866, M. Fréchette, après avoir, lui aussi, fait de la politique, après avoir tourné le dos à son bureau d'avocat, jonché de papiers tout à fait étrangers à sa clientèle, quitta sa ville natale pour aller planter sa tente sous le soleil de l'étranger.

« A Chicago, dans son Exile's Hermitage, un autre Marine-Terrace, M. Fréchette écrivit *La Voix d'un Exilé*, cette diatribe imitée des *Châtiments*, dans laquelle il expliquait que ses ennemis politiques étaient de triples voleurs et des assassins, se comparait au Christ chassant, à coups de fouet, les vendeurs du temple, et prédisait une foule de choses qui ne sont ... pas arrivées :

> Vengeur, j'ai sous les yeux un immortel exemple,
> J'ai vu l'Homme de Paix, sur les dalles du temple,
>   Terrible, et le fouet à la main.
> A moi, ce fouet sacré, ce fouet de la vengeance !
> Arrière, scélérate ! arrière, vile vengeance !
> ....
> Je vous appliquerai le fer rouge à l'épaule,
>   Et je vous mordrai jusqu'au sang.

257

« N'est-ce pas qu'ici l'on reconnaît bien en M. Fréchette le molosse qui, l'écume à la gueule, cherche à mordre le passant ! »

Mais cela n'est encore rien, est assez inoffensif quand on connaît la violence que mettait Fréchette à démolir un rival. Chapman avait été à la bonne école, dans un pays où l'exubérance verbale et réactionnaire d'un Louis Veuillot était légendaire, voire même l'exemple à imiter. Chapman disait :

« Quelquefois, quand la rage faisait un instant trève chez l'exilé de Chicago. M. Fréchette, toujours pour singer son fétiche, adressait à ses amis du Canada des pièces qu'il imitait des chefs-d'œuvre du Maître, et il écrivit, un jour, à l'adresse de M. Pamphile Lemay, une ode dans laquelle il lui parlait de leur jeunesse, de leurs premières armes dans la lice de la poésie, le félicitait du couronnement de sa Découverte du Canada par l'Université Laval.

« Bref, tout ce qui différenciait les vers de Victor Hugo à Lamartine de ceux de M. Fréchette à M. Lemay, c'est que les premiers disaient à l'auteur des *Méditations* : « Songe à moi dans tes triomphes ! » tandis que les seconds demandaient au traducteur d'*Évangéline* : — « Songes-tu à moi qui tant de fois t'ai applaudi ? »

« C'était toute la différence, et des fragments pris dans l'ensemble des pièces de Victor Hugo et de M. Fréchette vont prouver tout de suite mon assertion :

VICTOR HUGO

Tandis que la foudre sublime
Planait tout en feu sur l'abîme,
Nous *chantions*, hardis matelots.

FRÉCHETTE

Nous rêvions, nous *chantions*, c'était là notre vie.
....
Tu charmais les zéphirs, je narguais la bourrasque.

VICTOR HUGO

Bientôt la nuit toujours croissante,
Ou quelque vent qui *t'emportait*
M'a dérobé ta *nef* puissante
Dont l'ombre auprès de moi flottait.
....
C'est mon tourbillon, c'est ma voile !
C'est *l'ouragan* qui, furieux,
A mesure éteint chaque étoile
Qui se hasarde dans mes cieux ;
C'est la *tourmente* qui *m'emporte* ...
....

FRÉCHETTE

L'orage *m'emporta* loin de la blonde rive
Où ton esquif flottait toujours à la dérive,

Bercé par des flots bleus pleins d'ombrages
[mouvants.
Et *depuis,* balloté par la mer écumante,
Hochet de *l'ouragan,* jouet de la *tourmente,*
J'erre de vague en vague, à la merci des vents.

VICTOR HUGO

Seul je suis resté sous la nue.
Depuis l'orage continue.
Le temps est noir, le vent mauvais,
L'ombre m'enveloppe et m'isole,
Et si je n'avais *ma boussole,*
Je ne saurais pas où je vais.

FRÉCHETTE

J'aimais, et je croyais à l'amitié fidèle ;
Tout me parlait d'espoir, quand le sort, *d'un coup*
[*d'aile,*
Brisa mes rêves d'or, *ma boussole* et mon cœur.

« Comme vous voyez, commentait Chapman, j'ai fait une légère erreur au moment de faire mes citations.

« Oui, il y a une différence ici ; c'est que Victor Hugo a gardé sa boussole et que M. Fréchette, lui, a perdu la sienne avec autre chose.

« Il est facile aussi de voir qu'il n'a plus, depuis quelque temps, rien pour s'orienter. »

Ce coup de griffe donné, Chapman n'était pas homme à lâcher sa proie. Une réfutation des œuvres de Fréchette, pour être efficace, devait leur ressembler, c'est-à-dire être démesurée, ce par quoi Chapman, sans le savoir, s'avouait hugolien.

Mais continuons à comparer, comme nous y invite Chapman :

VICTOR HUGO

Mille acclamations sur l'onde
Suivront toujours ta voile blonde
Brillante en mer comme un fanal,
Salueront le vent qui t'enlève,
Puis sommeilleront sur la grève
Jusqu'à ton retour *triomphal.*

FRÉCHETTE

Oui, je suis loin, ami ! mais souvent les rafales
M'apportent des lambeaux de clameurs
[*triomphales,*
Et j'écoute, orgueilleux, ton nom que l'on redit.
....

VICTOR HUGO

Alors d'un cœur tendre et fidèle,
Ami, souviens-toi de l'ami

261

Que toujours poursuit à *coups d'aile*
Le vent dans ta voile endormi.
Songe que du sein de l'orage,
Il t'a vu surgir au rivage,
Dans un triomphe universel,
Et qu'il oubliait sa tempête
Pour chanter l'azur de ton ciel.

FRÉCHETTE

Alors je me demande, en secret, dans mon âme,
Si tu *songes* parfois, quand la foule t'acclame,
A celui qui jadis tant de fois t'applaudit.

« Et voilà l'originalité de M. Fréchette, l'originalité qui distingue le rimeur du véritable poète ! »

Mais cela encore n'était pas suffisant. Chapman jugea bon d'élargir son propos sur Fréchette. Pour montrer jusqu'à quel point *le lauréat* était un poète minable, il l'opposa à d'autres romantiques comme Gautier et Dumas, et même à des scribouilleurs comme le frère Achille. Car, disait Chapman, « le plus souvent Fréchette se contente, pour le vers qu'il veut tourner, de prendre un hémistiche à Victor Hugo et un autre à quelque poète moins connu ». Parfois même Fréchette « allait jusqu'à glisser parmi ses bouts-rimés des vers pris tout ronds à Pierre et à Jacques ». Pour étayer sa thèse, Chapman citait de courts morceaux de quelques poètes :

VICTOR HUGO

L'été, quand il a plu, le champ est plus *vermeil,*
Et le ciel fait briller *plus frais* au beau *soleil*
   Son *azur* lavé par la pluie.

FRÉCHETTE

La tempête a toujours son lendemain *vermeil.*
La pelouse a des tons plus *verts* après l'averse,
Et *l'azur* vif où nul nuage ne se berce
Ne sait pas refléter les rayons du *soleil.*
. . . .

Le FRÈRE ACHILLE

Et toi, beau Canada, *quand* je lis ton histoire,
Ou que le souvenir rappelle à ma mémoire
   Ce *que* Dieu t'a *donné*
De sang pur et fécond, de vertus magnanimes,
Je m'écrie, admirant ces dévoûments sublimes :
« Terre de mes aïeux, tu fus *prédestinée !* »

FRÉCHETTE

Et toi, de ces héros généreuse patrie,
Sol canadien que j'aime avec idolâtrie,
Dans l'accomplissement de tous ces grands travaux,
Quand je pèse la part que le ciel *t'a donnée,*
Les yeux sur l'avenir, terre *prédestinée,*
J'ai foi dans tes destins nouveaux.
. . . .

LECONTE DE LISLE

Grands aigles fatigués de planer dans les nues.

FRÉCHETTE

Quand l'aigle est fatigué de planer dans la nue.
....

CRÉMAZIE

Il est sous le soleil une terre bénie.

FRÉCHETTE

Il est sous le soleil une terre bénie.
....

VICTOR HUGO

Dans les urnes de la clarté.

FRÉCHETTE

... Boire aux urnes de clarté.
....

CHAPMAN

Nous sommes sur les bords du Saguenay sauvage.

FRÉCHETTE

Nous sommes sur les bords du Saint-Laurent
[sauvage.
....

THÉOPHILE GAUTHIER

Où vont, tristes jouets du temps, nos destinées.

FRÉCHETTE

O temps ! courant fatal où vont nos destinées.
....

VICTOR HUGO

Avec de vieux fusils sonnant sur leur épaule.

FRÉCHETTE

Avec de vieux fusils gelés sur leurs épaules.
....

VICTOR HUGO

Qui t'arrache à ton piédestal.

FRÉCHETTE

Arrachée à ton piédestal.
....

LAMARTINE

Et que les bras croisés sur sa large poitrine.

FRÉCHETTE

Lui, les deux bras croisés sur sa vaste poitrine.
....

VICTOR HUGO

Risquez-vous hardiment.

FRÉCHETTE

Risquez-vous hardiment . . .
....

MADAME DE GIRARDIN

Et le monde est sauvé.

FRÉCHETTE

Et le monde est sauvé.
....

VICTOR HUGO

Cet abîme où frissonne un tremblement farouche.

FRÉCHETTE

Où vibre je ne sais quel tremblement farouche.
....

PROSPER BLANCHEMAIN

Niagaras grondants, blondes Californies.

FRÉCHETTE

Niagaras grondants, blondes Californies.
....

VICTOR HUGO

Qui fit voler au vent les tours de la Bastille.

FRÉCHETTE

Toi qui jettes au vent les tours de la Bastille.
....

VICTOR HUGO

Qui dit : il faut monter pour venir jusqu'à moi.

FRÉCHETTE

Et puis il faut monter pour aller jusqu'à toi.

Les accusations de William Chapman ne laissèrent pas Louis Fréchette indifférent ; il engagea avec son rival une violente polémique qui s'allongea sur plusieurs années. Il utilisa même les procédés de Chapman pour démontrer à son tour que son rival plagiait honteusement... Victor Hugo !

7

Le 18 mai 1885, Victor Hugo tombe foudroyé par une congestion pulmonaire. Il dit dans son délire : « C'est ici le combat du jour et de la nuit ». Son agonie dure quatre jours. Il s'éteint le 22 mai, à trois heures de l'après-midi, en balbutiant : « Je vois de la lumière noire ». Au même moment, le tonnerre éclate sur Paris, la pluie tombe et des éclairs gigantesques trouent le ciel. La France prend le deuil.

Dès le lendemain de la mort de Hugo, le gouvernement français présente à l'Assemblée nationale un projet de loi pour que des funérailles nationales soient faites au poète. De partout des télégrammes arrivent et les députés italiens font spontanément une imposante manifestation en l'honneur de l'auteur des *Misérables*. A Paris, le Conseil municipal demande que le corps de Hugo ait les honneurs du Panthéon. De grandes foules défilent dans les rues. On songe à transporter la dépouille au catafalque de l'Arc de Triomphe secrètement et dans la nuit. Mais les maires de Paris protestent : ils veulent se joindre au cortège. De toute façon, le peuple accepte mal qu'on cache Hugo ; il occupe les grands boulevards, chante, danse, récite quelques-uns des vers

Le cercueil de Victor Hugo exposé sous l'Arc de Triomphe le 31 mai 1885.

les plus fameux du poète. Les funérailles tournent au carnaval.

Pas moins d'un million cinq cent mille personnes venant de Paris, de la France et de presque toutes les parties du monde, assistèrent aux obsèques de Hugo. Le matin des funérailles, l'armée, des chars de fleurs, des couronnes portées par les représentants des colonies françaises, mille deux cents délégations internationales de toutes sortes, trois mille collégiens, précèdent le corbillard de Victor Hugo — le corbillard des pauvres comme il l'avait demandé dans son testament. Derrière le corbillard, seul, tête nue, marche Georges Hugo, le petit-fils du poète. Le défilé dure huit heures, la cérémonie funèbre est une apothéose. Les funérailles de Hugo sont plus belles, plus impressionnantes encore que celles de Voltaire mort lui aussi au mois de mai. Pendant plusieurs semaines, les marches du Panthéon restent couvertes de fleurs. Deux jours avant sa mort, Hugo avait écrit une dernière fois dans son journal : « Aimer, c'est agir. »

Lorsqu'on lit les journaux québécois de l'époque, l'on est étonné de l'importance qu'ils accordèrent à la mort de Hugo. Des feuilles comme *La Presse*, *L'Étendard*, *La Patrie* et *Le Nouvelliste* publièrent, en première page, de longs articles biographiques, critiques ou portant exclusivement sur l'événement même des funérailles de Hugo. Il est vrai toutefois que la plupart des textes publiés n'étaient que des reproductions des grands journaux français. Ils sont peu intéressants, en ce sens qu'ils n'impliquaient guère les Québécois qui, règle générale, ne commentèrent pas la mort de Hugo. Sauf quelques irréductibles dont il est facile de caractériser les tendances. Au fait, il y eut deux attitudes, comme toujours : celle des ultramontains et celle des autres, moins nombreux parce que le pays était entièrement sous la coupe des catholiques pour qui l'œuvre de Hugo s'arrêtait aux *Rayons et les Ombres*, donc à la première jeunesse de l'écrivain qui n'avait pas encore pris position contre la religion et pour le socialisme. Le Hugo de l'exil était tout particulièrement honni par les catholiques. D'où une violence souvent haineuse dont *La Vérité* et *L'Étendard* furent les fers de lance. Ainsi *L'Étendard* écrivait-il :

« La tourbe ignoble le retint captif et le força d'être jusqu'à la fin un blasphémateur et un apostat. »

Le dix juin, le rédacteur revenait à la charge :

« ... Son corps profane actuellement l'église Sainte-Geneviève, avec la dépouille déshonorante de Voltaire et de Jean-Jacques Rousseau. »

Le douze juin, c'est par une citation de *L'Univers* qu'on condamnait Hugo :

« L'Église n'a pas besoin de M. Victor Hugo. Elle a vécu sans son amitié, elle ne mourra pas de son apostasie. Que lui importe un homme né sur un coin de terre, qui a vécu quelques dizaines d'années et qu'on oubliera comme tant d'autres, que lui importe à elle qui est de tous les temps et de tous les pays et qui englobe l'humanité dans son sein ? »

Une semaine plus tard, F.X.A. Trudel poussait, au sujet de Hugo, ce cri qui se passe de tout commentaire : « Et cela meurt comme une bête ! » (aucun prêtre n'ayant été au chevet de Hugo au moment de sa mort). En disant cela, Trudel ne faisait que reprendre une idée fixe de Tardivel, directeur de *La Vérité*, qui avait écrit en manchette : « L'Impie est mort ». Tardivel ajouta même que Hugo, « ce malheureux », était mort comme il avait vécu, c'est-à-dire qu'il avait fait « une mort affreuse » et qu'un journal catholique comme le sien devait apprendre à ses lecteurs « les détails horribles de sa mort ». *Le Nouvelliste*, lui, avait été plus insidieux, le journaliste écrivant :

« Victor Hugo, c'est la marque du dieu. Elle est placardée sur sa guenille, sur son autel et sur son temple. Il y a eu le veau gras, il y a eu le veau d'or : ils ont inventé le Veau Humain : V.H. C'est le dieu qui convient aux hommes avachis. »

Dans un autre article, *L'Étendard* vantait les débuts de Hugo, louait ses poésies religieuses. Après quoi, cet effort lui coûtant beaucoup, il se rattrapait en s'exclamant :

« Mais hélas ! un orgueil insensé, l'apostasie de ses principes religieux, et une impiété insolente en firent bientôt l'un des fléaux de notre siècle. »

Opinion que partageait *Le Nouvelliste*, journal littéraire et commercial, qui publia aussi de longs articles sur la mort de Hugo. Mais il fallait être un véritable spécialiste pour les comprendre car les typographes transformaient outrageusement les textes. Dans l'édition du 27 mai, on lit qu'après avoir publié *Notre-Dame de Paris*, Hugo écrivit *Les Feulles* (sic) *d'automne*, *Marié Tudore* (sic), qu'en 1841 il entra à L'Acanémie (sic), qu'après avoir chanté tour à tour Louis XVIII, Louis-Philippe et Napoléon, il fut élu à l'Assemblée législative grâce aux concours des partleans (sic) réunis dn (sic) coqs, des abeilles et des lys ; qu'alors on croyait qu'il tensit (sic) à l'un des gouvernements déchus, par la reconnaissance et les chants ; mais, ajoutait-on, Victor Hugo prouva qu'il avait un double privilége (sic), celui de ne regretter personne et de croire en lui : « C'était un Hugoïste. » Voilà pourquoi sans doute il avait voté des lois restrestivis (sic) avant de devenir le proscrit de Jersey où l'océan lui lourissait (sic) des mécaphores (sic). *Le Nouvelliste* apprenait même à ses lecteurs que retourné en France après vingt ans d'exil, Hugo publia *Actes de paroles* (sic). Auparavant, il avait fait éditer *Les Ckâtiments* (sic) et deux volumes de poésies intitulés : *Toute la Lyre, L'Ane, Le Pape, La Pitié suprême*. Après cela, concluait le rédacteur, « on est marqué du sceau de l'immortalité ».

274

Le Courrier du Canada n'épousait guère, lui non plus, la cause de « cet impie avancé ». Le 25 mai, son directeur écrivait :

« . . . Que d'œuvres, que de faits, que de viscissitudes et de transformations !

« . . . Qu'a-t-il fait de cela, le poète, le citoyen, l'homme ? Qu'a-t-il fait du Génie, qu'a-t-il fait du temps ? Terrible question, au seuil de l'Éternité !

« . . . Sa dernière période commence en 1848 et se termine au tombeau. C'est l'époque de la décadence, où les défauts s'exagèrent, où le génie s'obscurcit, où le grotesque règne en maître.

« Victor Hugo sera enterré civilement. Que Dieu ait pitié de son âme ! »

Commentant l'une des dernières paroles de Hugo durant son agonie (« Je vois de la lumière noire »), *La Vérité* repiquait un « terrible article » de *La Croix* :

« Que ces morts d'apostats sont effrayantes !

« Lamennais, Gambetta, About et tant d'autres, élevés dans la foi, nourris du lait de l'Église, renégats par intérêt, par orgueil, par ambition, par amour des louanges ; ils n'ont pas eu, à la dernière heure, cette grâce de retour à Dieu que probablement ils souhaitent en secret !

« Nous sommes au siècle des morts impénitentes : la secte maçonnique a fait une institution.

« Celle que nous déplorons est une des plus terribles :

« Je vois « une lumière noire », disait le moribond. *Une lumière noire !* horrible et sinistre parole !

« Il existe donc une lumière noire : une lumière qui n'éclaire pas, qui ne réjouit pas le cœur, qui ne guide pas la marche, qui ne montre pas le but !

« Cette lumière noire, nous autres, chrétiens nous l'appelons les ténèbres.

« On leur a donné le nom de lumière, on les a mieux aimés que la Vérité, fille du Ciel, qui éclaire tout homme venant en ce monde, mais ça toujours été une lumière sortie de l'enfer.

« La fausse science, les dogmes (?) de la ligue de l'Enseignement, l'histoire transformée en arme de haine et de combat contre la Vérité : voilà la lumière noire !

« L'instruction du peuple par le théâtre : le temple de Vénus transformé en école, voilà la lumière noire !

« La Poésie mésalliée avec le réalisme, enlaidissant la nature qu'elle devait rétablir dans sa splendeur première, ce sont les ténèbres, c'est la lumière noire !

« Le pauvre dévoyé avait toujours à la bouche le mot lumière : « Le siècle des lumières ; la ville lumière » mais il ne connaissait plus que la lumière noire, il ne parlait que de la lumière noire !

« Cette âme, pour laquelle on a beaucoup prié, fit-elle un acte de repentir à la vue de ces horribles ténèbres et du feu qui les suit ?

« C'était bien la peine d'avoir tant écrit, tant versifié, tant respiré d'encens, tant savouré de louanges.

Doué d'une imagination brillante, mais dénué de jugement et dépourvu de sens commun, il s'était laissé enivrer
au point de toucher à la folie. Espérons que là sera
son excuse. »

Ces textes, pour fastidieux qu'ils puissent paraître,
décrivent bien une certaine époque cléricale, autoritaire
dans ses manifestations et absolument intolérante. La
majorité silencieuse du Québec de 1885 se reconnaissait
dans ces articles comme le prouvent les nombreuses
lettres « d'appui, de félicitations et de reconnaissance »
que les journaux se vantaient de recevoir toutes les
semaines. Qu'une feuille catholique écrive en toute
impunité qu'*on doit regretter, et regretter amèrement,
que le malheureux soit mort en repoussant les secours
de la religion, mais voilà le seul regret que la mort de
Hugo puisse causer à un catholique*, est assez signifi-
catif de presque toute la presse de ce temps qui consi-
dérait que « la vraie charité » exige « que les journalistes catholiques, en pareille occurence, opposent aux
éloges scandaleux de la presse non catholique, une parole
de vérité qui protège les lecteurs contre le danger de
la séduction et venge la vertu outragée par une mauvaise vie ».

Cette déclaration visait surtout Louis Fréchette, alors
chroniqueur à *La Patrie*, quotidien du soir qui s'était
acquis une belle réputation de libéralisme. Fréchette
ne pouvait évidemment pas demeurer silencieux à la

277

mort de Hugo. Il n'est pas malaisé d'affirmer qu'on lui doit les meilleurs articles écrits au Québec dans les mois qui ont suivi les funérailles de Hugo. Ses textes critiques sur le poète sont mesurés, d'un style musclé, parfois belliqueux envers les chroniqueurs catholiques des autres journaux dont il dit :

« Il n'y a qu'en Allemagne et au Canada qu'on ait insulté à la tombe de Victor Hugo.

« Nos ultramondains ont en cela donné une main cordiale aux Prussiens.

« En France, au moins, les cléricaux les plus fanatiques se sont inclinés devant l'homme de génie et devant le citoyen sans reproche.

« Ils ont fait leurs restrictions au point de vue religieux.

« Ce n'était peut-être point opportun, la conscience ne relevant que de Dieu, mais c'était leur droit.

« Il n'y a qu'ici et chez les Prussiens que l'on a trouvé des buses capables de *stercorer* sur les cendres du grand homme.

« Et cependant si quelqu'un de leurs fétiches protestants mourait aujourd'hui pour demain, nos ultramondains s'informeraient-ils si monsieur l'orangiste est allé à confesse avant de mourir ?

« Ah ! mais, dira-t-on, c'est différent, ceux-là sont dans la bonne foi.

« Et Victor Hugo ?

« Comment pouvez-vous avoir l'audace d'insinuer que ce grand homme qui a édifié le monde par toutes sortes de vertus est mort de mauvaise foi ?

« S'est damné pour le plaisir de la chose ?

« Allez donc vous cacher !

« Déplorez qu'il ne soit pas mort catholique, vous avez ce droit.

« Mais entre cela et vos indécentes diatribes devant la majesté de la mort, il y a loin.

« Mais revenons à ces bons Allemands qui raillent le culte de Paris et de la France pour le grand poète.

« Leur aplatissement est pourtant proverbial, à eux.

« Seulement, ce n'est pas toujours devant le génie.

« Signalons à ce propos une circulaire adressée aux fonctionnaires de l'ordre judiciaire prussien.

« Elle en dit plus que tous les commentaires.

« C'est en Poméranie qu'un président adresse aux fonctionnaires de son ressort l'instruction que voici :

> Il est parvenu à notre connaissance que quelques fonctionnaires ne saluent pas leurs supérieurs, quand ils les rencontrent dans la rue, avec le respect qu'il leur est dû. Afin de rétablir l'ordre en cette matière (sic), nous prescrivons ce qui suit : Chaque fonctionnaire devra, quand il rencontre en rue M. le président ou l'un des juges, passer à droite, s'incliner et tirer son chapeau, qu'il abaissera jusqu'à la hauteur du genou.

« On saisit le reste : si, comme dit *Le National,* pour de simples juges, on dresse l'Allemand à tirer son chapeau jusqu'au genou, il est évident que pour un ministre il doit au moins s'agenouiller, et pour d'autres dignitaires se rouler sur le ventre.

« Après cela, messieurs les Prussiens peuvent bien trouver peu digne le respect que les Français manifestent aux cendres de Victor Hugo ! »

Une fois ses colères apaisées, Fréchette pouvait vraiment communiquer aux lecteurs de *La Patrie* sa connaissance de Hugo qu'après une trentaine d'années de fréquentation, il avait eu le temps d'approfondir. Sous l'anticléricalisme de Hugo, disait-il (après s'être excusé de ne pouvoir reproduire d'alexandrins du Maître à cause de la largeur des colonnes du journal qui ne le lui permettait pas), il y a ce grand poète qui ne cessera jamais d'être actuel parce qu'il a su mieux que quiconque avant lui creuser l'intérieur de l'homme. Pour Fréchette, l'œuvre de Hugo était un chant d'espoir, un grand cri contre tous les genres d'oppression, donc un acte de liberté qui demeurerait à jamais exemplaire. Ce qui valut au chroniqueur de *La Patrie* d'être accusé de faire « des phrases épileptiques à la Hugo » et de publier « des rictus d'écrivain impie ».

Il serait impossible de terminer sans reproduire deux cours textes publiés dans les journaux d'ici à la suite de la mort de Hugo. Le premier met en cause le curé Labelle qui, en mai 1885, faisait un voyage de propagande en France. Le directeur du *Nouvelliste* tint à faire paraître ce billet qu'il avait reçu de Paris. Je trouve qu'il s'agit là d'un petit chef-d'œuvre d'humour et de cynisme (presque) volontaire :

« Le jour des funérailles de Victor Hugo, MM les abbés Labelle et Proulx, actuellement à Paris, sont allés prier sur le tombeau de Louis Veuillot. Voici ce que dit à ce propos *L'Univers* :

« Il est superflu de dire quels sentiments M. le curé Labelle et tous ceux qu'il associe à son œuvre portent à la France ; il l'est non moins de dire que c'est la France chrétienne qui garde l'amour de nos frères canadiens, chez lesquels on retrouve si vives les traditions de l'ancienne mère-patrie ; mais il est bon de publier le témoignage, et *L'Univers* est particulièrement heureux de signaler celui que manifestait la colonie canadienne, inspirée par M. Labelle, au jour des funérailles de Victor Hugo.

« Les délégués canadiens se sont rendus au cimetière Montparnasse ; ils ont prié sur la tombe de Louis Veuillot et, comme souvenir de leur pieuse visite au tombeau de celui qui aimait tant à célébrer les mâles vertus du Canada catholique, ils ont fixé au monument funéraire une très belle couronne dont l'encadrement renferme un crucifix avec cette devise :

« Au vaillant défenseur de l'Église,
« Le Canada français et catholique. »

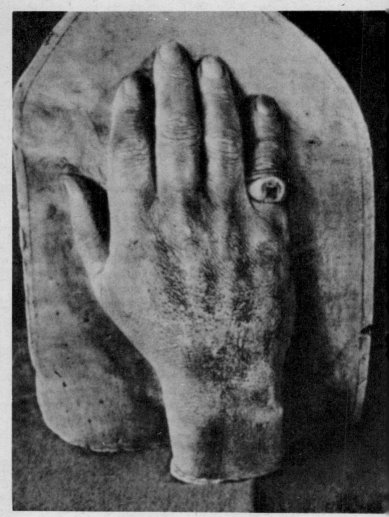

Un moulage de sa main.

« Au spectacle de ce simple et grand hommage, nous n'avons pu retenir nos larmes. Que nos frères catholiques du Canada, que nos compatriotes de l'ancienne colonie française en soient vivement remerciés ! »

Quant au dernier texte, il fut publié dans *La Vérité* du 23 janvier 1886. La veille, Napoléon Legendre avait donné une conférence sur *La langue que nous parlons* à l'Institut Canadien de Québec. Le correspondant de *La Vérité*, après avoir critiqué les idées de Napoléon Legendre, écrivait :

« Un incident piquant a marqué la fin de cette conférence. M. Legendre terminait par une péroraison éloquente sur la nécessité pour nous de conserver et de défendre la belle langue de nos ancêtres ; il était souvent interrompu par des applaudissements. Tout à coup, le conférencier entame une période ronflante sur Hugo, « le grand poète que la France pleure encore », etc., etc. Quelqu'un dans l'auditoire donne le signal : deux ou trois personnes y répondent en battant timidement des mains. Puis un silence morne se fait : l'effet est raté, le nom de Hugo n'est pas applaudi !

« Cet incident nous a fort réjoui. »

/mars 1967 — octobre 1970

TROISIÈME PARTIE

/anthologie arbitraire

/poésie

LES DJINNS

E come i gru van cantando lor lai
Facendo in aer di se lunga riga,
Cosi vid' io venir traendo guai
Ombre portate dalla detta briga.

                            Dante.

Et comme les grues qui font dans l'air de longues files vont
chantant leur plainte, ainsi je vis venir traînant des gémisse-
ments les ombres emportées par cette tempête.

Murs, ville,
Et port,
Asile
De mort
Mer grise
Où brise
La brise,
Tout dort.

Dans la plaine
Naît un bruit.
C'est l'haleine
De la nuit.
Elle brame

Comme une âme
Qu'une flamme
Toujours suit !
La voix plus haute
Semble un grelot.
D'un nain qui saute
C'est le galop.
Il fuit, s'élance,
Puis en cadence
Sur un pied danse
Au bout d'un flot.

La rumeur approche.
L'écho la redit.
C'est comme la cloche
D'un couvent maudit ;
Comme un bruit de foule,
Qui tonne et qui roule,
Et tantôt s'écroule,
Et tantôt grandit.

Dieu ! la voix sépulcrale
Des Djinns !... Quel bruit ils font !
Fuyons sous la spirale
De l'escalier profond.
Déjà s'éteint ma lampe,
Et l'ombre de la rampe,
Qui le long du mur rampe,
Monte jusqu'au plafond.

C'est l'essaim des Djinns qui passe,
Et tourbillonne en sifflant !
Les ifs, que leur vol fracasse,
Craquent comme un pin brûlant.
Leur troupeau, lourd et rapide,
Volant dans l'espace vide,
Semble un nuage livide
Qui porte un éclair au flanc.

Ils sont tout près ! — Tenons fermée
Cette salle, où nous les narguons.
Quel bruit dehors ! Hideuse armée
De vampires et de dragons !
La poutre du toit descellée
Ploie ainsi qu'une herbe mouillée,
Et la vieille porte rouillée
Tremble, à déraciner ses gonds !

Cris de l'enfer ! voix qui hurle et qui pleure !
L'horrible essaim, poussé par l'aquilon,
Sans doute, ô ciel ! s'abat sur ma demeure.
Le mur fléchit sous le noir bataillon.
La maison crie et chancelle penchée,
Et l'on dirait que, du sol arrachée,
Ainsi qu'il chasse une feuille séchée,
Le vent la roule avec leur tourbillon !

Prophète ! si ta main me sauve
De ces impurs démons des soirs,

J'irai prosterner mon front chauve
Devant tes sacrés encensoirs !
Fais que sur ces portes fidèles
Meure leur souffle d'étincelles,
Et qu'en vain l'ongle de leurs ailes
Grince et crie à ces vitraux noirs !

Ils sont passés ! — Leur cohorte
S'envole, et fuit, et leurs pieds
Cessent de battre ma porte
De leurs coups multipliés.
L'air est plein d'un bruit de chaînes,
Et dans les forêts prochaines
Frissonnent tous les grands chênes,
Sous leur vol de feu pliés !

De leurs ailes lointaines
Le battement décroît,
Si confus dans les plaines,
Si faible, que l'on croît
Ouïr la sauterelle
Crier d'une voix grêle,
Ou pétiller la grêle
Sur le plomb d'un vieux toit.

D'étranges syllabes
Nous viennent encor ;
Ainsi, des arabes
Quand sonne le cor,

Un chant sur la grève
Par instants s'élève,
Et l'enfant qui rêve
Fait des rêves d'or.

Les Djinns funèbres,
Fils du trépas,
Dans les ténèbres
Pressent leur pas ;
Leur essaim gronde :
Ainsi, profonde,
Murmure une onde
Qu'on ne voit pas.

Ce bruit vague
Qui s'endort,
C'est la vague
Sur le bord ;
C'est la plainte,
Presque éteinte,
D'une sainte
Pour un mort.

On doute
La nuit...
J'écoute : —
Tout fuit,
Tout passe,
L'espace
Efface
Le bruit.

LE ROUET D'OMPHALE

Il est dans l'atrium, le beau rouet d'ivoire.
La roue agile est blanche, et la quenouille est noire ;
La quenouille est d'ébène incrusté de lapis.
Il est dans l'atrium sur un riche tapis.

Un ouvrier d'Egine a sculpté sur la plinthe
Europe, dont un dieu n'écoute pas la plainte.
Le taureau blanc l'emporte. Europe, sans espoir,
Crie, et, baissant les yeux, s'épouvante de voir
L'océan monstrueux qui baise ses pieds roses.

Des aiguilles, du fil, des boîtes demi-closes,
Les laines de Milet, peintes de pourpre et d'or,
Emplissent un panier près du rouet qui dort.

Cependant, odieux, effroyables, énormes,
Dans le fond du palais, vingt fantômes difformes,
Vingt monstres tout sanglants, qu'on ne voit qu'à demi,
Errent en foule autour du rouet endormi :
Le lion néméen, l'hydre affreuse de Lerne,
Cacus, le noir brigand de la noire caverne,
Le triple Géryon, et les typhons des eaux
Qui le soir à grand bruit soufflent dans les roseaux ;
De la massue au front tous ont l'empreinte horrible,
Et tous, sans approcher, rôdant d'un air terrible,
Sur le rouet, où pend un fil souple et lié,
Fixent de loin dans l'ombre un œil humilié.

LE CHEVAL

Je l'avais saisi par la bride ;
Je tirais, les poings dans les nœuds,
Ayant dans les sourcils la ride
De cet effort vertigineux.

C'était le grand cheval de gloire,
Né de la mer comme Astarté,
A qui l'aurore donne à boire
Dans les urnes de la clarté.

L'alérion aux bonds sublimes,
Qui se cabre, immense, indompté,
Plein du hennissement des cimes,
Dans la bleue immortalité.

Tout génie, élevant sa coupe,
Dressant sa torche, au fond des cieux,
Superbe, a passé sur la croupe
De ce monstre mystérieux.

Les poètes et les prophètes,
O terre, tu les reconnais
Aux brûlures que leur ont faites
Les étoiles de son harnais.

Il souffle l'ode, l'épopée,
Le drame, les puissants effrois,

Hors des fourreaux les coups d'épée,
Les forfaits hors du cœur des rois.

Père de la source sereine,
Il fait du rocher ténébreux
Jaillir pour les grecs Hippocrène,
Et Raphidim pour les hébreux.

Il traverse l'Apocalypse ;
Pâle, il a la mort sur son dos.
Sa grande aile brumeuse éclipse
La lune devant Ténédos.

Le cri d'Amos, l'humeur d'Achille
Gonfle sa narine et lui sied ;
La mesure du vers d'Eschyle,
C'est le battement de son pied.

Sur le fruit mort il penche l'arbre,
Les mères sur l'enfant tombé ;
Lugubre, il fait Rachel de marbre,
Il fait de pierre Niobé.

Quand il part, l'idée est sa cible ;
Quand il se dresse, crins au vent,
L'ouverture de l'impossible
Luit sous ses deux pieds de devant.

Il défie Eclair à la course ;
Il a le Pinde, il aime Endor ;

Fauve, il pourrait relayer l'Ourse
Qui traîne le Chariot d'or.

Il plonge au noir zénith ; il joue
Avec tout ce qu'on peut oser ;
Le zodiaque, énorme roue,
A failli parfois l'écraser.

Dieu fit le gouffre à son usage.
Il lui faut les cieux non frayés,
L'essor fou, l'ombre, et le passage
Au-dessus de pics foudroyés.

Dans les vastes brumes funèbres
Il vole, il plane ; il a l'amour
De se ruer dans les ténèbres
Jusqu'à ce qu'il trouve le jour.

Sa prunelle sauvage et forte
Fixe sur l'homme, atome nu,
L'effrayant regard qu'on rapporte
De ces courses dans l'inconnu.

Il n'est docile, il n'est propice
Qu'à celui qui, la lyre en main,
Le pousse dans le précipice,
Au-delà de l'esprit humain.

Son écurie, où vit la fée,
Veut un divin palefrenier ;
Le premier s'appelait Orphée,
Et le dernier, André Chénier.

Il domine notre âme entière ;
Ezéchiel sous le palmier
L'attend, et c'est dans sa litière
Que Job prend son tas de fumier.

Malheur à celui qu'il étonne
Ou qui veut jouer avec lui !
Il ressemble au couchant d'automne
Dans son inexorable ennui.

Plus d'un sur son dos se déforme ;
Il hait le joug et le collier ;
Sa fonction est d'être énorme
Sans s'occuper du cavalier.

Sans patience et sans clémence,
Il laisse, en son vol effréné,
Derrière sa ruade immense
Malebranche désarçonné.

Son flanc ruisselant d'étincelles
Porte le reste du lien
Qu'ont tâché de lui mettre aux ailes
Despréaux et Quintillien.

Pensif, j'entraînais loin des crimes,
Des dieux, des rois, de la douleur,
Ce sombre cheval des abîmes
Vers le pré de l'idylle en fleur.

Je le tirais vers la prairie
Où l'aube, qui vient s'y poser,
Fait naître l'églogue attendrie
Entre le rire et le baiser.

C'est là que croît, dans la ravine
Où fuit Plaute, où Racan se plaît,
L'épigramme, cette aubépine,
Et ce trèfle, le triolet.

C'est là que l'abbé Chaulieu prêche,
Et que verdit sous les buissons
Toute cette herbe tendre et fraîche
Où Segrais cueille ses chansons.

Le cheval luttait ; ses prunelles,
Comme le glaive et l'yatagan,
Brillaient ; il secouait ses ailes
Avec des souffles d'ouragan.

Il voulait retourner au gouffre ;
Il reculait, prodigieux,
Ayant dans ses naseaux le soufre
Et l'âme du monde en ses yeux.

Il hennissait vers l'invisible ;
Il appelait l'ombre au secours ;
A ses appels le ciel terrible
Remuait des tonnerres sourds.

Les bacchantes heurtaient leurs sistres,
Les sphinx ouvraient leurs yeux profonds ;
On voyait, à leurs doigts sinistres,
S'allonger l'ongle des griffons.

Les constellations en flamme
Frissonnaient à son cri vivant
Comme dans la main d'une femme
Une lampe se courbe au vent.

Chaque fois que son aile sombre
Battait le vaste azur terni,
Tous les groupes d'astres de l'ombre
S'effarouchaient dans l'infini.

Moi, sans quitter la plate-longe,
Sans le lâcher, je lui montrais
Le pré charmant, couleur de songe,
Où le vers rit sous l'antre frais.

Je lui montrais le champ, l'ombrage,
Les gazons par juin attiédis ;
Je lui montrais le pâturage
Que nous appelons paradis.

—Que fais-tu là ? me dit Virgile.
Et je répondis, tout couvert
De l'écume du monstre agile :
—Maître, je mets Pégase au vert.

LA CHANSON DE GRAMADOCH

C'est juste. Je mentais, je ne puis le celer.
Quand on n'a rien à dire, on parle pour parler.
Pour moi, je crains l'ennui qui me rendrait malade,
Et je vais à l'écho chanter une ballade.

Pourquoi fais-tu tant de vacarme,
      Carme ?
Rose t'aurait-elle trahi ?
      — Hi !

Pourquoi fais-tu tant de tapage,
      Page ?
Es-tu l'amant de Rose aussi ?
      — Si !

Qui te donne cet air morose,
      Rose ?
— L'époux dont nul ne se souvient,
      Vient

Du lit où l'amour t'a tenue
      Nue,
Tu le vois qui revient, hélas !
      Las.

Ton oreille qui le redoute,
      Doute,

Et de sa mule entend le trot,
Trop.

Il va punir ta vie infâme,
Femme !
Ah ! tremble ! c'est lui ; le voilà,
Là !

En vain le page et le lévite
Vite,
Cherchent à s'enfuir du manoir
Noir.

Il les saisit sous la muraille,
Raille,
Et les remets à ses varlets,
Laids.

Sa voix, comme un éclair d'automne,
Tonne :
— Exposez-les tous aux vautours,
Tours !

Que des tours leur corps dans la tombe
Tombe !
Qu'ils ne soient que pour les corbeaux
Beaux !

Entr'ouvre-toi sous l'adultère,
     Terre !
Démon ennemi des maris,
     Ris !

Quand il s'éloigna, bien fidèle,
     D'elle,
Invoquant, en son triste adieu,
     Dieu ;

Nul amant, nul de ces Clitandres,
     Tendres,
Qui font avec leur air trompeur
     Peur,

N'osait parler à la rebelle
     Belle.
Elle en avait, quand il revint,
     Vingt.

LA CHANSON DE TRICK

Siècle bizarre !
Job et Lazarre
D'or sont cousus.
Lacédémone
Y fait l'aumône
Au roi Crésus.
Epoque étrange !
Rare mélange !
Le diable et l'ange ;
Le noir, le blanc ;
Des damoiselles
Qui sont pucelles,
Ou font semblant.
Beautés faciles,
Maris dociles,
Sots mannequins,
Dont leurs Lucrèces,
Fort peu tigresses,
Font des Vulcains.
Des Démocrites
Bien hypocrites ;
Des rois plaisants ;
Des Héraclites
Hétéroclites ;
Des fous pensants ;
Des pertuisanes
Pour arguments ;

Tendres amants
Prenant tisanes ;
Des loups, des ânes,
Des vers luisants ;
Des courtisanes,
Des courtisans.
Femmes aimées ;
Bourreaux bénins ;
Douces nonnains
Mal enfermées ;
Chefs sans armées ;
Clercs mécréants ;
Titans pygmées,
Et nains géants !
Voilà mon âge.
Rien ne surnage
Dans ce chaos
Que les fléaux.
De mal en pire
Va notre empire.
Nos grands Césars
Sont des lézards ;
Nos bons cyclopes
Sont tous myopes ;
Nos fiers Brutus
Sont des Plutus ;
Tous nos Orphées
Sont des Morphées ;
Notre Jupin

Est un Scapin.
Temps ridicules,
Risibles jours,
Dont les Hercules
Filent toujours !
Ici l'un grimpe,
L'autre s'abat,
Et notre olympe
N'est qu'un sabbat !

LA CHANSON D'ÉLESPURU

Vous à qui l'enfer en masse
Fait chaque nuit la grimace,
Sorciers d'Angus et d'Errol ;
Vous qui savez le grimoire,
Et n'avez dans l'ombre noire
Qu'un hibou pour rossignol ;
Ondins qui, sous vos cascades,
Vous passez de parasol ;
Sylphes dont les cavalcades,
Bravant monts et barricades,
En deux sauts vont des Orcades
A la flèche de Saint-Paul ;
Chasseurs damnés du Tyrol,
Dont la meute aventurière
Bat sans cesse la clairière ;
Clercs d'Argant, archers de Roll ;
Pendus séchés au licol
Qui ranimez vos poussières
Sous les baisers des sorcières ;
Caliban, Macduff, Pistol ;
Zingaris, troupe effroyable
Que suit le meurtre et le vol ;
Dites, — quel est le plus diable,
Du vieux Nick ou du vieux Noll ? —
Sait-on qui Satan préfère
Des serpents dont il est père ?
C'est l'aspic à la vipère,

Le basilic à l'aspic,
Le vieux Nick au basilic,
Et le vieux Noll au vieux Nick.
Le vieux Nick est son œil gauche,
Le vieux Noll est son œil droit ;
Le vieux Nick est bien adroit,
Mais le vieux Noll n'est pas gauche ;
Et Belzébuth dans son vol
Va du vieux Nick au vieux Noll.
Quand le noir couple chevauche,
A leur suite la Mort fauche.
L'enfer fournit le relai ;
Et chacun d'eux sans délai
A sa monture s'attache,
Nick sur un manche à balai,
Noll sur le bois d'une hache.
Pour finir ce virelai,
Avant qu'il se fasse ermite,
Puissé-je, pour mon mérite,
Voir emporter en public
Le vieux Noll par le vieux Nick !
Ou voir entrer au plus vite,
Pour lui tordre enfin le col,
Le vieux Nick chez le vieux Noll !

LA CHANSON DES DOREURS DE PROUES

Nous sommes les doreurs de proues.
Les vents, tournant comme des roues,
Sur la verte rondeur des eaux
Mêlent les lueurs et les ombres,
Et dans les plis des vagues sombres
Traînent les obliques vaisseaux.

La bourrasque décrit des courbes,
Les vents sont tortueux et fourbes,
L'archer noir souffle dans son cor,
Ces bruits s'ajoutent aux vertiges,
Et c'est nous qui dans ces prodiges
Faisons rôder des spectres d'or.

Car c'est un spectre que la proue.
Le flot l'étreint, l'air la secoue ;
Fière, elle sort de nos bazars
Pour servir aux éclairs de cible,
Et pour être un regard terrible
Parmi les sinistres hasards.

Roi, prends le frais sous les platanes ;
Sultan, sois jaloux des sultanes,
Et tiens sous des voiles caché
L'essaim des femmes inconnues
Qu'hier on vendait toutes nues
A la criée en plein marché.

Qu'importe au vent ! qu'importe à l'onde !
Une femme est noire, une est blonde,
L'autre est d'Alep ou d'Ispahan ;
Toutes tremblent devant ta face ;
Et que veut-on que cela fasse
Au mystérieux océan ?

Vous avez chacun votre fête.
Sois le prince, il est la tempête ;
Lui l'éclair, toi l'yatagan,
Vous avez chacun votre glaive ;
Sous le sultan le peuple rêve,
Le flot songe sous l'ouragan.

Nous travaillons pour l'un et l'autre.
Cette double tâche est la nôtre,
Et nous chantons ! O sombre émir,
Tes yeux d'acier, ton cœur de marbre,
N'empêchent pas le soir dans l'arbre
Les petits oiseaux de dormir.

Car la nature est éternelle
Et tranquille, et Dieu sous son aile
Abrite les vivants pensifs ;
Nous chantons dans l'ombre sereine
Des chansons où se mêle à peine
La vision des noirs récifs.

Nous laissons aux maîtres les palmes
Et les lauriers ; nous sommes calmes
Tant qu'ils n'ont pas pris dans leur main
Les étoiles diminuées,
Tant que la fuite des nuées
Ne dépend pas d'un souffle humain.

L'été luit, les fleurs sont écloses,
Les seins blancs ont des pointes roses,
On chasse, on rit, les ouvriers
Chantent, et les moines s'ennuient ;
Les vagues biches qui s'enfuient
Font tressaillir les lévriers.

Oh ! s'il fallait que tu t'emplisses,
Sultan, de toutes les délices
Qui t'environnent, tu mourrais.
Vis et règne, — la vie est douce.
Le chevreuil couché sur la mousse
Fait des songes dans les forêts ;

Monter ne sert qu'à redescendre ;
Tout est flamme, puis tout est cendre ;
La tombe dit à l'homme : vois !
Le temps change, les oiseaux muent,
Et les vastes eaux se remuent,
Et l'on entend passer des voix ;

L'air est chaud, les femmes se baignent ;
Les fleurs entre elles se dédaignent ;
Tout est joyeux, tout est charmant ;
Des blancheurs dans l'eau se reflètent ;
Les roses des bois se complètent
Par les astres du firmament.

Ta galère que nous dorâmes
A soixante paires de rames
Qui de Lépante à Moganez
Domptent le vent et la marée,
Et dont chacune est manœuvrée
Par quatre forçats enchaînés.

LE SACRE

Dans l'affreux cimetière,
Paris tremble, ô douleur, ô misère !
Dans l'affreux cimetière
Frémit le nénuphar.

Castaing lève sa pierre,
Paris tremble, ô douleur, ô misère !
Castaing lève sa pierre
Dans l'herbe de Clamar,

Et crie et vocifère,
Paris tremble, ô douleur, ô misère !
Et crie et vocifère :
— Je veux être césar !

Cartouche en son suaire,
Paris tremble, ô douleur, ô misère !
Cartouche en son suaire
S'écrie ensanglanté :

— Je veux aller sur terre,
Paris tremble, ô douleur, ô misère !
Je veux aller sur terre
Pour être majesté !

Mingrat monte à sa chaire,
Paris tremble, ô douleur, ô misère !

Mingrat monte à sa chaire,
Et dit, sonnant le glas :

— Je veux, dans l'ombre où j'erre,
Paris tremble, ô douleur, ô misère !
Je veux, dans l'ombre où j'erre
Avec mon coutelas,

Etre appelé : mon frère,
Paris tremble, ô douleur, ô misère !
Etre appelé : mon frère,
Par le czar Nicolas !

Poulmann, dans l'ossuaire,
Paris tremble, ô douleur, ô misère !
Poulmann, dans l'ossuaire
S'éveillant en fureur,

Dit à Mandrin : — Compère,
Paris tremble, ô douleur, ô misère !
Dit à Mandrin : — Compère,
Je veux être empereur !

— Je veux, dit Lacenaire,
Paris tremble, ô douleur, ô misère !
Je veux, dit Lacenaire,
Etre empereur et roi !

Et Soufflard déblatère,
Paris tremble, ô douleur, ô misère !
Et Soufflard déblatère,
Hurlant comme un beffroi :

— Au lieu de cette bière,
Paris tremble, ô douleur, ô misère !
Au lieu de cette bière,
Je veux le Louvre, moi !

Ainsi, dans leur poussière,
Paris tremble, ô douleur, ô misère !
Ainsi, dans leur poussière,
Parlent les chenapans.

— Ça, dit Robert Macaire,
Paris tremble, ô douleur, ô misère !
— Ça, dit Robert Macaire,
Pourquoi ces cris de paons ?

Pourquoi cette colère ?
Paris tremble, ô douleur, ô misère !
Pourquoi cette colère ?
Ne sommes-nous pas rois ?

Regardez, le Saint-père,
Paris tremble, ô douleur, ô misère !
Regardez, le Saint-père,
Portant sa grande croix.

Nous sacre tous ensemble,
O misère, ô douleur, Paris tremble !
Nous sacre tous ensemble
Dans Napoléon trois !

CHOSES DU SOIR

Le brouillard est froid, la bruyère est grise ;
Les troupeaux de bœufs vont aux abreuvoirs ;
La lune, sortant des nuages noirs,
Semble une clarté qui vient par surprise.

Je ne sais plus quand, je ne sais plus où,
Maître Yvon soufflait dans son biniou.

Le voyageur marche et la lande est brune ;
Un ombre est derrière, une ombre est devant ;
Blancheur au couchant, lueur au levant ;
Ici crépuscule, et là clair de lune.

Je ne sais plus quand, je ne sais plus où,
Maître Yvon soufflait dans son biniou.

La sorcière assise allonge sa lippe ;
L'araignée accroche au toit son filet ;
Le lutin reluit dans le feu follet
Comme un pistil d'or dans une tulipe.

Je ne sais plus quand, je ne sais plus où,
Maître Yvon soufflait dans son biniou.

On voit sur la mer des chasse-marées ;
Le naufrage guette un mât frissonnant ;
Le vent dit : demain ! l'eau dit : maintenant !
Les voix qu'on entend sont désespérées.

Je ne sais plus quand, je ne sais plus où,
Maître Yvon soufflait dans son biniou.

Le coche qui va d'Avranche à Fougère
Fait claquer son fouet comme un vif éclair ;
Voici le moment où flottent dans l'air
Tous ces fruits confus que l'ombre exagère.

Je ne sais plus quand, je ne sais plus où,
Maître Yvon soufflait dans son biniou.

Dans les bois profonds brillent des flambées ;
Un vieux cimetière est sur un sommet ;
Où Dieu trouve-t-il tout ce noir qu'il met
Dans les cœurs brisés et les nuits tombées ?

Je ne sais plus quand, je ne sais plus où,
Maître Yvon soufflait dans son biniou.

Des flaques d'argent tremblent sur les sables ;
L'orfraie est au bord des talus crayeux ;
Le pâtre, à travers le vent, suit des yeux
Le vol monstrueux et vague des diables.

Je ne sais plus quand, je ne sais plus où,
Maître Yvon soufflait dans son biniou.

Un panache gris sort des cheminées ;
Le bûcheron passe avec son fardeau ;

317

On entend, parmi le bruit des cours d'eau,
Des frémissements de branches traînées.

Je ne sais plus quand, je ne sais plus où,
Maître Yvon soufflait dans son biniou.

La faim fait rêver les grands loups moroses ;
La rivière court, le nuage fuit ;
Derrière la vitre où la lampe luit,
Les petits enfants ont des têtes roses.

Je ne sais plus quand, je ne sais plus où,
Maître Yvon soufflait dans son biniou.

AUTRE GUITARE

Comment, disaient-ils,
Avec nos nacelles,
Fuir les alguazils ?
— Ramez, disaient-elles.

Comment, disaient-ils,
Oublier querelles,
Misère et périls ?
— Dormez, disaient-elles.

Comment, disaient-ils,
Enchanter les belles
Sans philtres subtils ?
— Aimez, disaient-elles.

LA VACHE

Devant la blanche ferme où parfois vers midi
Un vieillard vient s'asseoir sur le seuil attiédi,
Où cent poules gaîment mêlent leurs crêtes rouges,
Où, gardiens du sommeil, les dogues dans leurs bouges
Ecoutent les chansons du gardien du réveil,
Du beau coq vernissé qui reluit au soleil,
Une vache était là, tout à l'heure arrêtée.
Superbe, énorme, rousse et de blanc tachetée,
Douce comme une biche avec ses jeunes faons
Elle avait sous le ventre un beau groupe d'enfants,
D'enfants aux dents de marbre, aux cheveux en broussailles,
Frais, et plus charbonnés que de vieilles murailles,
Qui, bruyants, tous ensemble, à grands cris appelant
D'autres qui, tout petits, se hâtaient en tremblant,
Dérobant sans pitié quelque laitière absente
Et sous leurs doigts pressant le lait par mille trous,
Tiraient le pis fécond de la mère au poil roux.
Elle, bonne et puissante et de son trésor pleine,
Sous leurs mains par moment faisant frémir à peine
Son beau flanc plus ombré qu'un flanc de léopard,
Distraite, regardait vaguement quelque part.

BESTIARIUM

Les anges effarés viennent voir notre cage,
Et se disent : « — Vois donc celui-ci, celui-là,
Voici Tibère, une hydre au fond d'un marécage ;
Regarde le Malthus auprès de l'Attila. » —

Ils répètent entre eux les noms dont on nous nomme,
Mêlés à d'autres noms que nous ne savons pas.
Ils disent : « — C'est donc là ce qu'on appelle l'homme !
Une main dans le crime, un pied dans le trépas.

« Voici l'orgueil ; voici le dol ; voici l'envie ;
Ce sont les plus mauvais qui sont les plus nombreux.
Ils rôdent dans la fosse immense de la vie,
Et la terre tressaille à leur pas ténébreux.

« Le faible est sous leurs pieds comme un grain sous les
                                                    [meules.
Voyez ! ils sont l'horreur, l'effroi, le mal sans frein ;
Ces cœurs sont des dragons, ces esprits ont des gueules,
Ces âmes à l'œil fauve ont des griffes d'airain.

« Ceci, c'est le Judas ; cela, c'est le Zoïle ;
Tous deux dans la nuit lâche on les voit se glisser ;
L'un baise et l'autre mord ; et, sanglante, âpre et vile,
La dent grince et rugit, jalouse du baiser.

« Ce maître foule aux pieds la femme sans défense,
Ou, limace du cœur, bave sur son printemps.
Ce vieux, pour s'enrichir, lie au travail l'enfance
Et rive à ce boulet des forçats de huit ans.

« Il leur fait du labeur tourner la sombre roue,
Et, gorgé d'or, se vautre en tous ses appétits
Pendant qu'en ses poings noirs la fatigue secoue
Les membres frissonnants de ces pauvres petits.

« Ceux-ci, sur les vaincus jetant un œil farouche,
Disent : — Percez, frappez, tuez jusqu'au dernier ! —
Les chiens de Montfaucon viennent lécher leur bouche,
Tant leurs discours sont pleins de l'odeur du charnier.

« Ceux-ci dressent sur l'ombre une épée enflammée ;
Ceux-ci sur les blés d'or et les villes en feu
Font vomir les canons hideux, dont la fumée
Se mêle, haillon noir, aux nuages de Dieu.

« Ceux-ci veulent glacer et brûler tout ensemble,
Et, tourmenteurs qu'on voit dans la nuit se pencher,
Soufflent en même temps sur la raison qui tremble
Et sur la vieille torche horrible du bûcher.

« Ceux-ci sont les heureux que tous les rayons dorent,
Et que les lâchetés servent à deux genoux ;
Regardez la beauté sans âme qu'ils adorent ;
Elle est Vénus pour eux et squelette pour nous.

« Ceux-là sont les bourreaux que l'ombre a sous son aile ;
L'espérance agonise et s'éteint devant eux ;
Avec la corde sainte où pend l'ancre éternelle
Ils font le nœud coulant du gibet monstrueux.

« Cette langue est serpent, cette idée est tigresse ;
Ce juif contre un doublon pèse une âme en sa main ;
Ceux-ci, fouettant le nègre et fouettant la négresse,
lâchent les chiens hurlants sur le bétail humain.

« Ils mettent l'affreux bât de la bête de somme
A des esprits, comme eux pensant, comme eux vivant.
La chair humaine saigne entre les mains de l'homme ;
Le sauvage la mange et le chrétien la vend.

« Ecoutez ces grands cris qui par moments s'élèvent ;
Voyez rire les uns et les autres trembler ;
Tous ne sont pas méchants, et quelques-uns qui rêvent
Ont des ailes dans l'ombre et voudraient s'envoler. — »

Et les anges, cachés sous leurs radieux voiles,
Frémissent, l'œil en pleurs et le front attristé.
Nous sommes là pensifs, regardant les étoiles
A travers les barreaux de notre humanité.

AVEC LE BOIS DE L'ARCHE

I

Il s'en retourna seul au désert ; et cet homme,
Ce chasseur, c'est ainsi que la terre le nomme,
Avait un projet sombre ; et les vagues démons
Se le montraient du doigt. Il prit, sur de grands monts
Que battaient la nuée et l'éclair et la grêle,
Quatre aigles qui passaient dans l'air, et sous leurs ailes
Il mit tout ce qu'il put de la foudre et des vents.
Puis il écartela, hurlant, mordant, vivants,
Entre ses poings de fer, quatre lions libyques,
Et suspendit leurs chairs au bout de quatre piques.
Puis le géant rentra dans Suze aux larges tours,
Et songea trente jour ; au bout des trente jours,
Nemrod prit dans sa main les aigles, sur sa nuque
Chargea les lions morts, et, suivi de l'eunuque,
S'en alla vers le mont Ararat, grand témoin.
Il monta vers la cime où les peuples de loin
Voyaient frémir au vent le squelette de l'arche.
Il fut sur ce sommet en deux heures de marche.
L'arche en voyant Nemrod trembla.

                                        Le dur chasseur
Prit ces débris, verdis dans leur lourde épaisseur
Par la terre mouillée, horrible marécage,
Et de ces madriers construisit une cage,
Chevillée en airain, carrée, à quatre pans,
Et sur les trous du bois mit des peaux de serpents ;

Et cette cage, vaste et sinistre tanière,
Pour toute porte avait deux trappes à charnière,
L'une dans le plafond, l'autre dans le plancher.

Et l'eunuque tremblait et n'osait approcher.

Nemrod debout foulait le pic inabordable.
Il allait et venait, charpentier formidable ;
La terre l'écoutait remuer sur le mont ;
Le bruit de son marteau, troublant l'éther profond,
Faisait au loin lever la tête aux monts Carpathes ;
Accroupis, devant Thèbe allongeant leurs deux pattes,
De leur œil fixe où l'ombre a l'air de rayonner,
Les sphinx le regardaient, cherchant à deviner.
Et la mer Caspienne en bas rongeait la grève.
Au bout d'un long sapin il attacha son glaive,
Puis posa dans sa main ce vaste javelot,
Et dit : — C'est bien. — Le mot qu'avait ouvert le flot
Et qui connaissait Dieu, frémit sous sa pensée.

II

Par une corde au sol la cage était fixée.
Il mit aux quatre coins les quatre aigles béants.
Il leur noua la serre avec ses doigts géants,
Et les bois entendaient les durs oiseaux se plaindre.
Puis il lia, si haut qu'ils n'y pouvaient atteindre,
Au-dessus de leurs fronts inondés de rayons,
Les piques où pendait la viande des lions.

Nemrod dans ce char, noir comme l'antique Erèbe,
Mit un siège pareil à son trône de Thèbe,
Et cent pains de maïs et cent outres de vin,
Zaïm n'essayait pas même un murmure vain.
Dans la cage, à côté de sa chaise thébaine,
Le roi fit accroupir l'eunuque au front d'ébène ;
Et les cèdres disaient : que va-t-il se passer ?
Sur la cage tremblante et prête à traverser
Des horizons nouveaux et d'étranges tropiques,
Les quatre aigles criaient au pied des quatre piques.

Alors, une tiare au front comme Mithra,
Nemrod, son arc au dos, sa flèche au poing, entra
Dans la cage, et le roc tressaillit sur sa base ;
Et lui, sans prendre garde aux frissons du Caucase,
Vieux mont qui songe à Dieu sous les soirs étoilés,
Coupa la corde, et dit aux quatre aigles : — Allez —

Et d'un bond les oiseaux effrayants s'envolèrent.

III

Et dans l'immensité que les astres éclairent
La cage s'éleva, liée à leurs pieds noirs.
Alors, tandis qu'en bas les lacs, vastes miroirs,
Les palmiers verts, les champs rayés par les cultures,
Horeb et Sinaï, sombres architectures,
Et les bois et les tours rampaient, et qu'emportés
Dans l'air, battant de l'aile au milieu des clartés,

326

Les quatre aigles cherchaient du bec la chair sanglante,
Il sortit presque hors de la cage volante.
Farouche, il regarda les montagnes d'Assur
Qui, s'enfonçant avec leurs forêts dans l'azur,
Semblaient tomber, dans l'ombre au loin diminuées,
Et s'écria, penché sur le gouffre :

                          — O nuées,

Nemrod, le conquérant de la terre, s'en va !
Je t'avertis là-haut, Jéhovah ! Jéhovah !
C'est moi.   C'est moi qui passe, ô monts aux cimes blanches.
Bois, regardez monter l'homme à qui sont vos branches,
Mer, regarde monter l'homme à qui sont tes flots,
Morts, regardez monter l'homme à qui sont vos os !
Terre, arbres que les vents courbent sous leurs haleines,
O déserts, noirs vallons, lacs, rochers, grandes plaines,
Levez vos fronts sans nombre et vos millions d'yeux ;
Nemrod va conquérir le ciel mystérieux ! —

IV

Et l'esquif monstrueux se ruait dans l'espace.
Les noirs oiseaux volaient, ouvrant leur bec rapace.
Les invisibles yeux qui sont dans l'ombre épars
Et dans le vague azur s'ouvrent de toutes parts,
Stupéfaits, regardaient la sinistre figure
De ces brigands ailés à l'énorme envergure ;
Et le char vision, tout baigné de vapeur,
Montait ; les quatre vents n'osaient souffler, de peur
De voir se hérisser le poitrail des quatre aigles.

Plus, sans frein, sans repos, sans relâche et sans règle,
Les aigles s'élançaient vers les lambeaux hideux,
Plus le but reculant montait au-dessus d'eux ;
Et, criant comme un bœuf qui réclame l'étable,
Les grands oiseaux, traînant la cage redoutable,
Le poursuivaient toujours sans l'atteindre jamais.
Et, pendant qu'ils montaient, gouffres noirs, clairs sommets,
Tout s'effarait ; l'étrusque, et l'osque, et le pélasge
Disaient : — Qu'est-ce que c'est que ce sombre attelage ?
Est-ce le char où sont les aquilons grondants ?
Est-ce un tombeau qui monte avec l'âme dedans ?
Pharan, Nachor, Sephar, solitudes maudites,
Les colosses gardiens des cryptes troglodytes,
Les faucons de la mer, les mouettes, les plongeons,
L'homme du bord des eaux dans sa hutte de joncs,
Chalanné, devant qui Thèbes semblait petite,
Gomorrhe, fiancée au noir lac asphalte,
Sardes, Ninive, Tyr, maintenant sombre amas,
Hoba, ville qu'on voit à gauche de Damas,
Edom sous le figuier, Saba sous le lentisque,
Avaient peur ; Ur tremblait ; et les joueurs de disque
S'interrompaient, levant la tête et regardant ;
Les chameaux, dont le cou dort sur le sable ardent,
Ouvraient l'œil ; le lézard se dressait sous le lierre,
Et la ruche disait : vois ! à la fourmilière.
Le nuage hésitait et rentrait son éclair
La cigogne lâchait la couleuvre dans l'air ;
Et la machine ailée en l'azur solitaire
Fuyait, et pour la voir vint de dessous la terre

Un oiseau qu'aujourd'hui nous nommons le condor ;
Et la mer d'Ionie, aux grandes îles d'or,
Ce gouffre bleu d'où sort l'odeur des violettes,
Frissonnait ; dans les champs de guerre, les squelettes
Se parlaient ; le pilône au fronton nubien,
Le chêne qui salue et dit à Dieu : c'est bien !
Et l'antre où les lions songent près des prophètes,
Tremblaient de voir courir cette ombre sur leurs têtes
Et regardaient passer cet étrange astre noir.
Et Babel s'étonnait. Calme comme le soir,
Nemrod rêvait au fond de la cage fermée,
Et les puissants oiseaux, la prunelle enflammée,
Montaient, montaient sans cesse, et volant, furieux,
Vers la chair, le faisaient envoler vers les cieux.

Symbole de nos sens lorsqu'allant vers la femme,
Effrénés, dans l'amour ils précipitent l'âme !

Mais l'amour n'était pas au cœur du dur chasseur.

Isis montrait ce char à Cybèle sa sœur.
Dans les temples profonds de Crète et de Tyrrhène,
Les dieux olympiens à la face sereine
Ecoutaient l'affreux vol des quatre alérions.
Même aujourd'hui, l'arabe, à l'heure où nous prions,
Cherche s'il ne va pas voir encor dans l'espace
La constellation des quatre aigles qui passe ;
Et dans l'Afrique ardente où meurt le doux gazon,
Morne terre qui voit toujours à l'horizon

Nemrod, l'homme effrayant, debout, spectre de gloire,
Le pâtre, si son œil trouve une tache noire
Sur le sable où vivaient Sidon et Sarepta,
Devient pensif et dit : — C'est l'ombre qu'il jeta —

V

Et les aigles montaient.

                        Leurs ailes éperdues
Faisaient, troublant au loin les calmes étendues,
Des oscillations dans l'immobilité ;
Autour du char vibrait l'éther illimité,
Mer que Dieu jusque-là seul avait remuée.

Comme ils allaient franchir la dernière nuée,
Les monts noirs qui gisaient sur terre, soucieux,
Virent le premier aigle, escaladant les cieux
Comme s'il ne devait jamais en redescendre,
Se tourner vers l'aurore et crier : Alexandre !
Le deuxième cria du côté du midi :
Annibal ! le troisième, à l'œil fixe et hardi,
Sur le rouge occident jeta ce cri sonore :
César ! le dernier, vaste et plus terrible encore,
Fit dans le sombre azur signe au septentrion,
Ouvrit son bec de flamme et dit : Napoléon !

330

LA TRAPPE D'EN BAS ET LA TRAPPE D'EN HAUT

I

L'infini se laissait pousser comme une porte ;
Et tout le premier jour se passa de la sorte ;
Et des aigles montaient.

                       Et Nemrod, sans le voir,
Sentit, au souffle obscur qui se répand le soir,
Que la nuit froide allait ouvrir sa pâle crypte ;
Les mains sur les genoux comme les dieux d'Egypte,
Il dit au noir : — Hibou que ma droite soutient,
Vois comment est la terre et ce qu'elle devient, —
L'eunuque ouvrit la trappe en bas, et dit : — La terre,
Tachée et jaune ainsi qu'une peau de panthère,
Emplit l'immensité ; dans l'espace changeant
Les fleuves sont épars comme des fils d'argent ;
Notre ombre flotte et court sur les collines vertes ;
De vos ennemis morts les plaines sont couvertes
Comme d'épis fauchés au temps de la moisson ;
Les villes sont en flamme autour de l'horizon ;
O roi, vous êtes grand. Malheur à qui vous brave !
— Approchons-nous du ciel ? — dit Nemrod. Et l'esclave
Ouvrit la trappe haute et dit : — Le ciel est bleu.

II

Et les aigles montaient.

                       L'espace sans milieu
Ne leur résistait pas et cédait à leurs ailes ;

L'ombre, où les soleils sont comme des étincelles,
Laissait passer ce char plein d'un sombre projet.
Lorsque l'eunuque avait faim ou soif, il mangeait ;
Et Nemrod regardait, muet, cette chair noire
Prendre un pain et manger, percer une outre et boire ;
Le chasseur infernal qui se croyait divin
Songeait, et, dédaignant le maïs et le vin,
Il buvait et mangeait, cet homme de désastres,
L'orgueil d'être traîné par des aigles aux astres.
Sans dire un mot, sans faire un geste, il attendit,
Rêveur, une semaine entière, puis il dit :
— Vois comment est la terre. — Et l'eunuque difforme
Dit : — La terre apparaît comme une sphère énorme
Et pâle, et les vapeurs, à travers leurs réseaux,
Laissent voir par moments les plaines et les eaux. —
Nemrod dit : — Et le ciel ? — Zaïm reprit : — Roi sombre,
Le ciel est bleu. —

III

       Le vent soufflait en bas dans l'ombre
Et les aigles montaient.
       Et Nemrod attendit
Un mois, montant toujours, puis il cria : — Maudit,
Regarde en bas et vois ce que devient la terre. —
Zaïm dit : — Roi, sous qui la foudre doit se taire,
La terre est un point noir et semble un grain de mil. —
Et Nemrod fut joyeux. — Nous approchons, dit-il.

Vois ! regarde le ciel maintenant. Il doit être
Plus près. — Zaïm leva la trappe, et dit : — O maî're,
Le ciel est bleu.

IV

                Le vent triste soufflait en bas ;
Et les aigles montaient.
                Nemrod, roi des combats,
Attendit, sans qu'un souffle échappât à son âme,
Trois mois, montant toujours ; puis : — Chien que hait la
                           [femme,
Cria-t-il, vois ! la terre a-t-elle encor décrû ? —
L'eunuque répondit : — La terre a disparu.
Roi, l'on ne voit plus rien dans la profondeur sombre. —
Nemrod dit : — Que m'importe une terre qui sombre !
Vois comment est le ciel. Approchons-nous un peu ?
Regarde. — Et Zaïm dit : — O roi, le ciel est bleu. —

V

Le vent soufflait en bas.
                    Tournant son cou rapide,
Un aigle alors cria : — J'ai faim, homme stupide ! —
Et Nemrod leur donna l'eunuque à dévorer.

Les aigles montaient.
                    Rien ne venait murmurer
Autour de la machine en sa course effrénée.

Nemrod, montant toujours, attendit une année.
Dans l'ombre, et le géant, durant ce noir chemin,
Compta les douze mois sur les doigts de sa main.
Quand l'an fut révolu, le sinistre satrape
Resté seul, n'ayant plus l'eunuque, ouvrit la trappe
Que le soleil dora d'une lueur de feu,
Et regarda le ciel, et le ciel était bleu.

VI

Alors, son arc en main, tranquille, l'homme énorme
Sortit hors de la cage et sur la plate-forme
Se dressa tout debout et cria : — Me voilà —
Son œil ne chercha point la terre ; il contempla,
Pensif, les bras croisés, le ciel toujours le même ;
Puis calme et sans qu'un pli tremblât sur son front blême,
Il ajusta la flèche à son arc redouté.
Les aigles frissonnants regardaient de côté.
Nemrod éleva l'arc au-dessus de sa tête ;
Le câble lâché fit le bruit d'une tempête,
Et, comme un éclair meurt quand on ferme les yeux,
L'effrayant javelot disparut dans les cieux.
Et la terre entendit un long coup de tonnerre.

VII

Un mois après, la nuit, un pâtre centenaire
Qui songeait dans la plaine où Caïn prit Abel,
Champ hideux d'où l'on voit le front noir de Babel,

334

Vit tout à coup tomber des cieux, dans l'ombre étrange,
Quelqu'un de monstrueux qu'il prit pour un archange ;
C'était Nemrod.

VIII

            Couché sur le dos, mort, puni,
Le noir chasseur tournait encor vers l'infini
Sa tête aux yeux profonds que rien n'avait courbée.
Auprès de lui gisait sa flèche retombée.
La pointe, qui s'était enfoncée au ciel bleu,
Etait teinte de sang.   Avait-il blessé Dieu ?

LES MAGES ATTENTIFS

Nemrod en s'en allant n'emporta pas la Guerre.
Elle resta, parlant plus haut que le tonnerre ;
Son regard au sillon faisait rentrer l'épi ;
Et ce spectre, mille ans, sur le monde accroupi,
Lugubre, et comme un chien mâche un os, rongeant l'homme,
Couva l'œuf monstrueux d'où sortit l'aigle Rome.
Et pendant ce temps-là, comme parfois aux yeux
Une vapeur trahit un feu mystérieux,
Il sortait par endroits de la terre où nous sommes
D'affreux brouillards vivants qui devenaient des hommes,
Puis des dieux, qu'on nommait Teutatès, Mars, Baal,
Et qui semblaient avoir en eux l'âme du mal.
L'horreur, le sang, le deuil couvraient la race humaine ;
Et les mages, que Dieu dans le désert amène,
Collaient l'oreille au sable, et, de terreur ployés,
Frémissants, sous la terre, au-dessous de leurs pieds,
Ils entendaient Satan dans les nuits éternelles
Qui volait, et heurtait la voûte de ses ailes.

/prose

UTILITÉ DU BEAU

Un homme a, par don de nature ou par développement d'éducation, le sentiment du Beau. Supposez-le en présence d'un chef-d'œuvre, même d'un de ceux qui semblent inutiles, c'est-à-dire qui sont créés sans souci direct de l'humain, du juste et de l'honnête, dégagés de toute préoccupation de conscience et faits sans autre but que le Beau ; c'est une statue, c'est un tableau, c'est une symphonie, c'est un édifice, c'est un poème. En apparence, cela ne sert à rien ; à quoi bon une Vénus ? à quoi bon une flèche d'église ? à quoi bon une ode sur le printemps ou l'aurore, etc., avec ses rimes ? Mettez cet homme devant cette œuvre. Que se passe-t-il en lui ? Le Beau est là. L'homme regarde ; voit ; il fait plus qu'écouter, il entend. Le mystère de l'art commence à opérer ; toute œuvre d'art est une bouche de chaleur vitale ; l'homme se sent dilaté. La lueur de l'absolu, si prodigieusement lointaine, rayonne à travers cette chose, lueur sacrée et presque formidable à force d'être pure. L'homme s'absorbe de plus en plus dans cette œuvre ; il la trouve belle ; il la sent s'introduire en lui. Le Beau est vrai de droit. L'homme, soumis à l'action du chef-d'œuvre, palpite, et son cœur ressemble à l'oiseau qui, sous la fascination, augmente son battement d'ailes.

Qui dit belle œuvre dit œuvre profonde ; il a le vertige de cette merveille entrouverte. Les doubles fonds du
Beau sont innombrables. Sans que cet homme, soumis à
l'épreuve de l'admiration, s'en rende bien clairement compte
peut-être, cette religion qui sort de toute perfection, la
quantité de révélation qui est dans le Beau, l'éternel af-
firmé par l'immortel, la constatation ravissante du triomphe
de l'homme dans l'art, le magnifique spectacle, en face de
la création divine, d'une création humaine, émulation inouïe
avec la nature, l'audace qu'a cette chose d'être un chef-
d'œuvre à côté du soleil, l'ineffable fusion de tous les
éléments de l'art, la ligne, le son, la couleur, l'idée, en une
sorte de rythme sacré, d'accord avec le mystère musical du
ciel, tous ces phénomènes le pressent obscurément et ac-
complissent, à son insu même, on ne sait quelle perturbation
en lui. Perturbation féconde. Une inexprimable pénétra-
tion du Beau lui entre par tous les pores. Il creuse et
sonde de plus en plus l'œuvre étudiée ; il se déclare que
c'est une victoire pour une intelligence de comprendre cela,
et que tous peut-être n'en sont pas capables ni dignes ;
il y a de l'exception dans l'admiration, une espèce de fierté
améliorante le gagne ; il se sent élu ; il lui semble que
ce poème l'a choisi. Il est possédé du chef-d'œuvre. Par
degrés, lentement, à mesure qu'il contemple ou à mesure
qu'il lit, d'échelon en échelon, montant toujours, il assiste,
stupéfait, à sa croissance intérieure ; il voit, il comprend, il
accepte, il songe, il pense, il s'attendrit, il veut ; les sept
marches de l'initiation ; les sept notes de la lyre auguste
qui est nous-mêmes. Il ferme les yeux pour mieux voir,

il médite ce qu'il a contemplé, il s'absorbe dans l'intuition, et tout à coup, net, clair, incontestable, triomphant, sans trouble, sans brume, sans nuage, au fond de son cerveau, chambre noire, l'éblouissant spectre solaire de l'idéal apparaît ; et voilà cet homme qui a un autre cœur.

Quelque chose en lui se redresse et quelque chose se penche ; la contemplation est devenue pitié. Il semble que cet esprit ait renouvelé sa provision d'infini. Il se sent meilleur, il déborde de miséricorde et de mansuétude. S'il était juge, il absoudrait ; s'il était soldat, il dirait à l'ennemi : mon frère ; s'il était prêtre, il éteindrait l'enfer. Le chef-d'œuvre, inconscient, a donné à cet homme toutes sortes de conseils sérieux et doux. Une mystérieuse impulsion dans le sens du bien lui est venue de ce bloc de pierre, de cette mélodie qui ressemble à une vocalise de fauvette, de cette strophe où il n'y a que des fleurs et de la rosée. La bonté a jailli de la beauté. Il y a de ces étranges effets de source qui tiennent à la communication des profondeurs entre elles.

Lady Montagu, après avoir vu au Trippenhaus d'Amsterdam L'Amalthée de Jordaëns, s'écriait : Je voudrais avoir là un pauvre pour lui vider ma bourse dans les mains !

Etre grand et inutile, cela ne se peut. L'art, dans les questions de progrès et de civilisation, voudrait garder la neutralité qu'il ne pourrait. L'humanité ne peut être en travail sans être aidée par la force principale, la pensée. L'art contient l'idée de liberté, arts libéraux ; les lettres contiennent l'idée d'humanité, humaniores litteræ. L'amélioration humaine et terrestre est une résultante de l'art, inconscient parfois, plus souvent conscient. Les mœurs s'adoucissent, les cœurs se rapprochent, les bras embrassent, les énergies s'entresecourent, la comparaison germe, la sympathie éclate, la fraternité se révèle, parce qu'on lit, parce qu'on pense, parce qu'on admire. Le Beau entre dans nos yeux rayon et sort larme. Aimer est au sommet de tout.

L'art émeut. De là sa puissance civilisatrice. Les émus sont les bons ; les émus sont les grands. Tout martyr a été ému ; c'est par l'émotion qu'il est devenu impassible. Les grandes fermetés viennent des pleurs. Le héros songe à la patrie ; et ses yeux se mouillent. Caton commence par l'attendrissement.

Insistons sur cette vérité ignorée et surprenante : l'art, à la seule condition d'être fidèle à sa loi, le Beau, civilise les hommes par sa puissance propre, même sans intention, même contre son intention.

Certes, si jamais un esprit, au milieu des misères terrestres, en face des catastrophes et des attentats, en présence de toutes ces choses que nous nommons droit, honneur, vérité, dévouement, devoir, a représenté la volonté absolue d'indifférence, c'est Horace. Cette vaste rage de Juvénal contre le mal, cette écume du lion juste, cherchez-la dans Horace ; vous trouverez le sourire. Horace, c'est le neutre ; il veut l'être du moins. Un esprit qui se veut eunuque, quel froid terrible ! S'il a une foi, elle est contraire au progrès. C'est l'indifférence implacable. La satiété, voilà le fond de sa sérénité. Horace fait sa digestion. Il a le contentement accablé du repu. L'intestin-colon devient sécrétion en bas et idée en haut, c'est là tout le travail de sa machine. Il a bien soupé chez Mécène, ne lui en demandez pas plus ; ou il vient de faire une partie de paume avec Virgile, chassieux comme lui. On s'est fort diverti. Quant aux temps présents ou passés, quant au fas et au nefas, quant au bien et au mal, quant au faux et au vrai, il n'en a cure. Sa philosophie se borne à l'acceptation bienveillante du fait, quel qu'il soit ; l'iniquité qui donne de bons dîners est son amie ; il est le commensal né du crime réussi. Prendre l'horreur publique au sérieux, fi donc ! Cela nuancerait d'une teinte foncée son style qui veut rester transparent ; son hexamètre, si libre devant la prosodie, est esclave devant César ; cette danse s'achève à plat ventre. Ses épîtres ont cette surface de sagesse qu'a eue La Fontaine plus tard : « Le sage dit selon le temps : Vive le roi ! vive la ligue ! ». Ses satires n'exercent sur les lois et les mœurs aucune surveillance ; l'affreux spectacle permanent des Esquilies obtient de lui en passant un vers insouciant ; ses odes mentionnent les dieux, font écho presque machinalement à l'ode sacerdotale grecque, et mettent en équilibre Jupiter et César ; et quant à l'amour, le *puer* auquel elles s'adressent volontiers est frère de Bathylle d'Anacréon et du Corydon de Virgile. Ajoutez, à chaque instant, l'obscénité toute crue. Voilà le poète. Qu'est-ce que l'homme ? un poltron qui a jeté son bouclier dans la bataille, un sophiste des appétits, n'ayant qu'un but, la jouissance, un douteur ne croyant qu'à la possession de l'heure, un enfant du peuple en domesticité chez le Tyran, un badin du lendemain de la république morte, un romain qui a derrière lui Rome tuée par Octave et qui ne retourne

343

même pas regarder le cadavre sacré de sa mère. C'est
là Horace.

Eh bien, lisez-le. Ce sceptique vous consolidera, ce
lâche vous enflammera, ce corrompu vous assainira et de la
lecture de cet homme qui n'est pas bon, vous sortirez
meilleur.

Pourquoi ? c'est qu'Horace, c'est beau.

Et qu'à travers le mal, qui est à la surface, le Beau,
qui est au fond, agit.

Forma, la beauté. Le Beau, c'est la forme. Preuve
étrange et inattendue que la forme, c'est le fond. Confondre forme avec surface est absurde. La forme est essentielle et absolue ; elle vient des entrailles mêmes de
l'idée. Elle est le Beau ; et tout ce qui est le Beau manifeste le vrai.

Insistons sur ces évidences très difficiles à admettre.

L'émotion de lire Horace est exquise. C'est une jouissance toute littéraire, et singulièrement profonde. On s'absorbe dans ce rare langage ; chaque détail a une saveur
à part. Une forte quantité de bon sens est malheureusement
conciliable avec l'abaissement moral ; tout ce bon sens-là
est dans Horace. Entre les quatre murs du fait accompli,
comme il raisonne juste ! Mais c'est ici qu'on apprend à
distinguer justesse de justice. Du reste, il n'est pas bon,
nous venons de le dire ; mais il n'est pas méchant. Etre
méchant, c'est un effort ; Horace ne fait pas d'effort.

Son style se place entre le lecteur et lui, d'abord comme
un voile, puis comme une clarté, puis comme une forme
d'autre chose qui n'est plus Horace, qui est le Beau. Une

certaine disparition d'Horace se fait. Le côté méprisable se développe sous le côté aimable. La turpitude devient bagatelle : Nescio quid meditans nugarum. Cette philosophie lâche dans ce style défait de Vénus ; nul moyen de faire la grosse voix contre cet enchantement. Ce vers Phryné montre sa gorge, et il n'y a plus là de juges ; il y a des hommes vaincus. Cette victoire du style sur le lecteur est-elle malsaine ? Loin de là. L'extase littéraire est essentiellement honnête. Il est impossible de la mal prendre et de s'en mal trouver. Une certaine chasteté se dégage de toute poésie vraie. Peu à peu le bon sens d'Horace perd la mauvaise odeur de son origine, ce style pur le filtre, et l'on ne sent plus que l'ascendant de cette raison. Horace est limpide et net. Le lecteur est tout à la joie de voir si clair dans un esprit, à travers une épaisseur de deux mille ans. Horace est un composé de raison qui peut être divine et de sensualité qui peut être bestiale ; ce composé, espèce d'être mixte fort humain d'ailleurs, discute dans l'épître, rit dans la satire, chante dans l'ode, se condense dans ce vers, y produit on ne sait quelle lumière, et s'y transfigure en sagesse. C'est de la sagesse d'oiseau. Boire, manger, dormir, gazouiller à l'aube, faire le nid et l'amour. Cette sagesse, qui, avant d'être celle d'Horace, était celle de Salomon, devient bonne dans cette poésie, tant cette poésie est saine. Dans cette poésie il y a du parfum, il y a du baiser, il y a du rayon.

Toutes les révoltes contre la pédanterie sont là : prosodie disloquée, césure dédaignée, mots coupés en deux ; mais dans cette licence que de science ! Tel hémistiche est une joie, et l'on se récrie. Le contact de ce vers fin et fort est toute éducation pour la pensée ; c'est une volupté de manier ces hexamètres avec les doigts de lumière de l'esprit ; on devient délicat à toucher ce divin style ; et le plus barbare en sort civilisé. Louis XVIII, philosophe relatif, disait : C'est Horace qui m'a rendu libéral.

On médite ces ressources infinies de légèreté et de force. Le vers, familier, se tourne, se dresse, saute, va, vient, se fouille du bec, et n'a qu'un souci : être beau. Quoi de plus charmant qu'un moineau-franc tout à l'arrangement de ses plumes ! Horace arrive à cette toute-puissance qu'a la gentillesse des enfants ; il s'impose indolemment et insolemment ; il a la pleine liberté de la grâce ; le despotisme de l'élégance est en lui. C'est le railleur, qui, à volonté, est le lyrique ; et quand il lui plaît d'être lyrique, il devient, cette aventure-là lui arrive, presque grand. Telle de ses odes est un triomphe. Les odes d'Horace font vaguement songer à des vases d'albâtre. Telle strophe semble portée par deux bras blancs au-dessus d'une tête lumineuse. C'est ainsi que de certains versets de la Bible semblent revenir de La Fontaine.

Tel est Horace. D'autres ont des dons plus augustes, le flamboiement terrible, la foudre aux serres, la vertu fière et planante, l'offensive aux méchants, les colères du sublime, tous les glaives qu'on peut tirer de ce fourreau, l'indignation, les grands espaces, les grands essors, une réverbération de Cocyte ou d'Apocalypse ; Horace, lui, règne par le charme serein. Il a ce qu'on pourrait nommer la blancheur du style.

Chose merveilleuse, et ce sont là les étonnements crois-
sants de l'art contemplé, oui, l'on peut affirmer les idées dans
Horace, ce qu'on nomme le fond, ce n'est que la surface, et
que le vrai fond c'est la forme, cette forme éternelle qui, dans
le mystère insondable du Beau, se rattache à l'absolu.

Voulez-vous un autre exemple ?   Prenez Virgile.

Qu'y a-t-il de plus misérable comme idée que ceci :
Octave-Auguste admis parmi les astres et des étoiles se
rangeant pour lui faire place.   Jamais la flatterie fut-elle plus
abjecte ?   C'est l'idée, c'est le fond, n'est-ce pas ?   Et c'est
plat, et honteux.   Voici la forme :

Tuque adeo, quem mox quæ sint habitura dœrum
Concilia, incertum est ; urbesne invisere, Cæsar.
Terrarumque velis, curam et te maximus orbis
Auctorem frugum tempestatumque potentem
Accipiat, cingens materna tempora myrto ;
An deus immensi venias maris ; ac tua nautæ
Numina sola colant, tibi serviat ultima Thule,
Teque sibi gnenerum Tethys emat omnibus undis ;
Anne novum tardis sidus te mensibus addas,
Qua locus Erigonen inter Chelasque sequentes
Panditur : ipse tibi jam brachia contrahit ardens
Scorpius, et cœli justa plus parte relinquit :
Quidquid eris (nam te nec sperent Tartara regem,
Nec tibi regnandi veniat tam dira cupido,
Quamvis Elysios miretur Græcia campos,
Nec repetita sequi curet Proserpina matrem),

Da facilem cursum, atque audacibus annue cœptis,
Ignarosque viæ mecum miseratus agrestes,
Ingredere, et votis jam nunc assuesce vocari.

Je lis ces vers, je subis cette forme, et quel est son
premier effet ? J'oublie Auguste, j'oublie même Virgile ; le
lâche tyran et le chanteur lâche s'effaçent, comme Horace
tout à l'heure, le poète s'éclipse dans la poésie ; j'entre en
vision ; le prodigieux ciel s'ouvre au-dessus de moi, j'y plonge, j'y plane, je m'y précipite, je vois la région incorruptible
et inaccessible, l'immanence splendide, les mystérieux astres,
cette voie lactée, ce zodiaque amenant chaque mois au zénith
un archipel de soleils, ce scorpion qui contracte ses bras
énormes, la profondeur, l'azur ; et, par l'idée, par ce que
vous nommez le fond, j'étais dans le petit, et par le style, par
ce que vous nommez la forme, me voilà dans l'immense.

Que dites-vous de vos distinctions, forme et fond ?

Il y a deux hommes dans cet homme, un courtisan et un
poète ; le poète esclave du courtisan, hélas ! comme l'âme
de la bête dans la machine humaine. Le courtisan a eu une
idée vile, il l'a confiée au poète, l'aigle avec un ver de terre
dans le bec n'en vole pas moins au soleil, et de l'idée basse
le poète a fait une page sublime. O sainteté involontaire de
l'art ! splendeur propre à l'esprit de l'homme ! Beauté du
Beau !

Tous les développements qu'on donne à une vérité convergent, et c'est pourquoi nous sommes ramenés ici à une
observation déjà faite à propos d'Horace : il y a dans cette
page superbe une surface et un fond ; la surface, c'est ce

que vous appelez l'idée première, c'est la louange courtisane à Auguste ; le fond, c'est la forme. Par la vertu du grand style, la surface, la flatterie au maître, immonde écorce du sublime, se brise et s'ouvre, et par la déchirure, le fond étoilé de l'art, l'éternel Beau, apparaît.

Idéal et Beauté sont identiques ; idéal correspond à idée et beauté à forme ; donc idée et fond sont congénères.

Nous voici arrivés, la logique le voulant, à une vérité presque dangereuse : l'art civilise par sa puissance propre. L'œuvre, participant de l'influence générale du beau, a une action indépendante au besoin de la volonté de l'ouvrier, et, même à travers le vice de l'artiste, la vertu de l'art rayonne. La Fontaine, immoral, civilise ; Horace, impur, civilise ; Aristophane, inique et cynique, civilise.

C'est là, au premier abord, répétons-le, une vérité d'aspect mauvais.

En réalité, si l'on veut s'élever, pour regarder l'art, à cette hauteur qui résume tout et où les distinctions comme les collines s'effacent, en réalité, il n'y a ni fond ni forme. Il y a, et c'est là tout, le puissant jaillissement de la pensée apportant l'expression avec elle, le jet du bloc complet, bronze par la fournaise, statue par le moule, l'éruption immédiate et souveraine de l'idée armée du style. L'expression sort comme l'idée, d'autorité ; non moins essentielle que l'idée, elle fait avec elle sa rencontre mystérieuse dans les profondeurs, l'idée s'incarne, l'expression s'idéalise, et elles arrivent toutes deux si pénétrées l'une de l'autre que leur accouplement est devenu adhérence. L'idée, c'est le style ; le style, c'est l'idée. Essayez d'arracher le mot, c'est la pensée que vous emportez. L'expression sur la pensée est ce qu'il faut qu'elle soit, vêtement de lumière à ce corps d'esprit. Le génie, dans cette gésine sacrée qui est l'inspiration, pense le mot en même temps que l'idée. De là ces profonds sens inhérents au mot ; de là ce qu'on appelle le mot de génie.

C'est une erreur de croire qu'une idée peut être rendue de plusieurs façons différentes. Tout en maintenant, bien entendu, au poète souverain, le droit magnifique de développement, cette haute faculté, qui tient à l'habitation des sommets, de mettre en lumière autour de la pensée centrale toutes les idées circonvoisines, tout en maintenant cette faculté et ce droit, qui sont l'essence même de la poésie, nous affirmons ceci : une idée n'a qu'une expression. C'est cette expression-là que le genre trouve. Comment la trouve-t-il ? d'en haut. Par le souffle. Parfois sans savoir comment, mais toujours avec certitude. Instincts d'aigle. Pour lui, créateur, l'idée avec l'expression, le fond avec la forme, c'est l'unité. L'idée sans le mot serait une abstraction ; le mot sans l'idée serait un bruit ; leur jonction est leur vie. Le poète ne peut les concevoir distincts. L'Alphée idée et l'Aréthuse expression, l'Arve jaune et le Rhône bleu coulant côte à côte des lieues entières sans se confondre, non certes, rien de pareil. Il n'y a point, dans le miracle de l'idée faite style, deux phénomènes, quelque chose comme un embrassement de jumeaux, si étroit qu'il soit. C'est la fusion où la fonte n'a pas laissé de veine, c'est le mélange à sa plus haute puissance, c'est l'amalgame à ne plus reconnaître l'un de l'autre, c'est l'intimité élevée à l'identité.

Ceux qui tentent de défaire brin à brin cette torsion divine, les vivisecteurs de la critique, n'ont même pas la satisfaction que donne la table de dissection à l'anatomiste, voir des entrailles ici, de la cervelle là, des éclaboussures de sang, une tête dans un panier ; d'un côté le fond, de l'autre la forme. Point. Ils arrivent tout de suite, s'ils sont de bonne foi et s'ils ont le grand sens critique, à l'indivisible, fond et forme sont le même fait de vie.

Le Beau est un.

Le Beau est âme.

Il y a de l'irradiation dans le Beau, et par conséquent du mystère, car toute irradiation vient de plus loin que l'homme. Lors même que l'irradiation vient de l'intérieur de l'homme, elle vient de plus loin que lui. Il y a dans l'homme un autre que l'homme, et cet autre est situé dans les profondeurs. En deçà, au-delà, plus haut, plus bas. Qui oserait dire que notre conscience, c'est nous ?

Or la notion du Beau est, comme la notion du bon, un fait de conscience. Le Beau s'impose souverainement. Disons plus, divinement. Avant de penser le Beau, on le sent. C'est là le propre de tout ce qui appartient à l'absolu.

L'absolu s'appelle aussi infini. L'infini dépasse l'intelligence terrestre qui est pourtant contrainte de l'accepter, au moins en tant que fait et réalité. Pourquoi ? parce qu'elle le sent. Ce sentiment-là est en toute chose la grande lumière. Il révèle le juste, et il révèle le beau. Faire son devoir, c'est accepter l'infini.

La pression de l'infini sur l'homme fait jaillir de l'homme le grand.

Le raisonnement suit le sentiment, et l'infini que le sentiment a proclamé, le raisonnement le démontre. Le raisonnement prouve l'infini comme le flot prouve l'écueil, en s'y brisant. La raison en vient à ceci que, tout en n'imaginant point comment l'infini peut être, elle ne saurait admettre que l'infini ne soit pas. C'est là, dans la mesure humaine, ce que nous appelons comprendre. L'invincible nécessité se promulgue dans sa toute-puissance sidérale. Elle est patente. Qui que vous soyez, regardez-là par cette ouverture, le ciel. Voyez-là encore par cette autre ouverture, la conscience. La philosophie lève la tête, puis l'incline et tout est dit. L'infini est. Etant, il règne. N'y pas croire, c'est ne plus penser. La notion de l'infini devient l'élément même de l'entendement, et notion implique relativement compréhension. A la condition d'être aidée par l'intuition, l'intelligence arrive à cette surprenante victoire : comprendre l'incompréhensible.

Cette compréhension, saturée de sentiment, s'applique au mystère de l'art comme aux autres phénomènes. L'infini irradie le beau comme le vrai. De l'infinie source il coule du surhumain. De là la quantité d'inexplicable qui est dans le sublime. D'où cela vient-il ? Quel est ce jaillissement ? Qu'est-ce que c'est que cet éclair ? Autant lueur de Dieu que clarté de l'homme ! Où ce génie a-t-il trouvé cela ? Questions faites à l'inconnu. L'œil du prophète brille comme l'œil du tigre ; mais dans le tigre il y a l'enfer, dans le poète il y a le ciel. Ici prunelle féline, là prunelle stellaire. C'est la différence du monstre au prodige, et de Busiris à Homère.

Une fois cette vaste fenêtre de l'absolu ouverte sur l'intelligence humaine, l'aurore abonde, les révélations resplendissent de toute part. Tout reste mystère et devient clarté. De sorte que la destinée peut être employée à la civilisation, et Dieu mis au service de l'homme. L'énigme dit son mot, qui est le Verbe. La route dit son mot, qui est le Progrès. Un fil de feu, mystérieux guide, serpente dans tous les labyrinthes. Philosophie, histoire, langue, Humanité, passé, avenir, ces dédales s'éclairent. L'utopie apparaît praticable. Les merveilleux linéaments de l'harmonie universelle s'ébauchent dans un demi-jour de sanctuaire. Toutes les ressemblances de l'unité éclatent dans les innombrables formes de la nature et de la destinée. Poésie devient identique à vertu. La symphonie du vrai et du grand se manifeste. Le beau, comme le bien, fait partie de l'immense vision de l'idéal. L'idéal rayonne au-dessus de l'homme à ces hauteurs inouïes où le regard des contemplateurs entrevoit béants, incadescents, presque terribles, tous les porches de la lumière.

Il y a deux sortes de beau : le beau qui naît du sentiment du fini, et le beau qui naît du sentiment de l'infini.

Le sentiment du fini, le sentiment de l'infini, ce sont là les deux principales notions de l'homme, et celles d'où découlent toutes les autres.

De là, dans l'art, deux idéals différents ; l'idéal grec et l'idéal chrétien. Ou, pour employer des expressions qui circonscrivent moins l'esprit, l'idéal antique et l'idéal moderne.

Dans le vieux monde qui, nous l'avons dit ailleurs, était le monde enfant, le sentiment du fini dominait. Tout avait une limite, une frontière, un contour, un alpha et un oméga. Rien ne se perdait dans l'ombre, rien ne s'en allait au-delà, rien ne s'enfonçait. Tout était éclairé jusqu'au bout. Ceci commençait ici et finissait là. La voix des forêts était une voix humaine. La mer était une figure qui portait une fourche. Le soleil avait quatre chevaux dont on savait les noms. Le vent habitait une caverne d'où il soufflait à pleines joues. Chez les Grecs, tout était homme, même les dieux.

Le sentiment de l'infini plane sur le monde moderne. Tout y participe de je ne sais quelle vie immense, tout y plonge dans l'inconnu, dans l'illimité, dans l'indéfini, dans le mystérieux. Ce que nous appelons la vie n'est autre chose qu'une aspiration à l'éternité ; tant que nous vivons, nous sentons la chaîne à notre pied et l'aile de l'âme bat la terre pour s'envoler. Nous sentons en nous ce qui ne meurt pas. Pour nous tout est Dieu. Même l'homme.

L'idéal antique produit dans l'art la mesure, la proportion, l'équilibre des lignes, ce qu'on nomme le goût, l'achevé, le fini, deux mots qui disent tout cet art.

L'idéal moderne, ce n'est pas la ligne correcte et pure, c'est l'épanouissement de l'horizon universel ; c'est le vaste, le puissant, le sublime, l'indéterminé, l'entrevu, l'obscur et le splendide, les ténèbres mêlées à la clarté, quelquefois le monstrueux, quelquefois le divin, l'immensité ébauchée en grandeur.

L'idéal antique, pur, bleu, charmant, clair, joyeux, lumineux, circonscrit, ressemble à la Méditerranée ; l'idéal moderne ressemble à l'Océan.

De ces deux idéals lequel vaut le mieux pour l'art ? C'est celui qui vaut le mieux pour l'âme.

Or le sentiment du fini pousse l'homme au plaisir, à la satisfaction des caprices, aux joies de la matière, jouissez, l'heure est courte, à la volupté, à l'égoïsme, au vice.

Le sentiment de l'infini relève l'homme de la terre et le tourne vers le ciel, vers la tombe, vers la douleur, vers l'abnégation, vers le sacrifice, vers la souffrance utile, vers la vertu.

Choisissez.

Il suffit de fixer les yeux sur ce fait frappant que nous venons d'énoncer plus haut, que chez les anciens tout était homme, même les dieux et que chez les modernes tout est Dieu, même l'homme, pour se rendre compte du profond changement d'aspect que cet univers, toujours le même pourtant, peut offrir à l'âme humaine, selon qu'elle est dominée par le sentiment du fini ou par le sentiment de l'infini.

MORT DE BALZAC

Le 18 août 1850, ma femme, qui avait été dans la journée pour voir Mme de Balzac, me dit que M. de Balzac se mourait. J'y courus.

M. de Balzac était atteint depuis dix-huit mois d'une hypertrophie du cœur. Après la révolution de février, il était allé en Russie et s'y était marié. Quelques jours avant son départ, je l'avais rencontré sur le boulevard ; il se plaignait déjà et respirait bruyamment. En mai 1850, il était revenu en France, marié, riche et mourant. En arrivant, il avait déjà les jambes enflées. Quatre médecins consultés l'auscultèrent. L'un deux, M. Louis, me dit le 6 juillet : il n'a pas six semaines à vivre. C'était la même maladie que Frédéric Soulié.

Le 18 août, j'avais mon oncle, le général Louis Hugo, à dîner. Sitôt levé de table, je le quittai et je pris un fiacre qui me mena avenue Fortunée, No 14, dans le quartier Beaujon. C'était là que demeurait M. de Balzac. Il avait acheté ce qui restait de l'hôtel de M. de Beaujon, quelques corps de logis bas échappés par hasard à la démolition ; il avait magnifiquement meublé ces masures et s'en était fait un charmant petit hôtel, ayant porte cochère sur l'avenue Fortunée et pour tout jardin une cour longue et étroite où les pavés étaient coupés çà et là de plates-bandes.

Je sonnai. Il faisait un clair de lune voilé de nuages. La rue était déserte. On ne vint pas. Je sonnai une seconde fois. La porte s'ouvrit. Une servante m'apparut avec une chandelle.

— Que veut monsieur ? dit-elle.

Elle pleurait.

Je dis mon nom. On me fit entrer dans le salon qui était au rez-de-chaussée, et dans lequel il y avait, sur une console opposée à la cheminée, le buste colossal en marbre de Balzac par David. Une bougie brûlait sur une riche table ovale posée au milieu du salon et qui avait en guise de pieds six statuettes dorées du plus beau goût.

Une autre femme vint qui pleurait aussi et qui me dit :

— Il se meurt. Madame est rentrée chez elle. Les médecins l'ont abandonné depuis hier. Il a une plaie à la jambe gauche. La gangrène y est. Les médecins ne savent ce qu'ils font. Ils disaient que l'hydropisie de Monsieur était une hydropisie couenneuse, une infiltration, c'est leur mot, que la peau et la chair étaient comme du lard et qu'il était impossible de lui faire la ponction. Eh bien, le mois dernier, en se couchant, Monsieur s'est heurté à un meuble historié, la peau s'est déchirée, et toute l'eau qu'il avait dans le corps a coulé. Les médecins ont dit : Tiens ! Cela les a étonnés et depuis ce temps-là ils lui ont fait la ponction. Ils ont dit : Imitons la nature ! Mais il est venu un abcès à la jambe. C'est M. Roux qui l'a opéré. Hier on a levé l'appareil. La plaie, au lieu d'avoir suppuré, était rouge, sèche et brûlante. Alors ils ont dit : Il est perdu ! et ne sont plus revenus. On est allé chez quatre ou cinq inutilement. Tous ont répondu : Il n'y a rien à faire. La nuit a été mauvaise. Ce matin, à neuf heures, Monsieur ne parlait plus. Madame a fait chercher un prêtre. Le prêtre est venu et a donné à Monsieur l'extrême-onction. Monsieur a fait signe qu'il comprenait. Une heure après, il a serré la main à sa sœur, Mme de Surville. Depuis onze heures il râle et ne voit plus rien. Il ne passera pas la nuit. Si vous voulez, Monsieur, je vais aller chercher M. de Surville, qui n'est pas encore couché.

La femme me quitta. J'attendis quelques instants. La bougie éclairait à peine le splendide ameublement du salon et de magnifiques peintures de Porbus et de Holbein suspendues aux murs. Le buste de marbre se dressait vaguement dans cette ombre comme le spectre de l'homme qui allait mourir. Une odeur de cadavre emplissait la maison.

M. de Surville entra et me confirma tout ce que m'avait dit la servante. Je demandai à voir M. de Balzac.

Nous traversâmes un corridor, nous montâmes un escalier couvert d'un tapis rouge et encombré d'objets d'art, vases, statues, tableaux, crédences portant des émaux, puis un autre corridor, et j'aperçus une porte ouverte. J'entendis un râlement haut et sinistre.

J'étais dans la chambre de Balzac.

Un lit était au milieu de cette chambre. Un lit d'acajou ayant au pied et à la tête des traverses et des courroies qui indiquaient un appareil de suspension destiné à mouvoir le malade. M. de Balzac était dans ce lit, la tête appuyée sur un monceau d'oreillers auxquels on avait ajouté des coussins de damas rouge empruntés au canapé de la chambre. Il avait la face violette, presque noire, inclinée à droite, la barbe non faite, les cheveux gris et coupés court, l'œil ouvert et fixe. Je le voyais de profil, et il ressemblait ainsi à l'empereur.

Une vieille femme, la garde, et un domestique se tenaient debout deux deux côtés du lit. Une bougie brûlait derrière le chevet sur une table, une autre sur une commode près de la porte. Un vase d'argent était posé sur la table de nuit.

Cet homme et cette femme se taisaient avec une sorte de terreur et écoutaient le mourant râler avec bruit.

La bougie au chevet éclairait vivement un portrait d'homme jeune, rose et souriant, suspendu près de la cheminée.

Une odeur insupportable s'exhalait du lit. Je soulevai la couverture et je pris la main de Balzac. Elle était couverte de sueur. Je la pressai. Il ne répondit pas à la pression.

C'était cette même chambre où je l'étais venu voir un mois auparavant. Il était gai, plein d'espoir, ne doutant pas de sa guérison, montrant son enflure en riant.

Nous avions beaucoup causé et disputé politique. Il me reprochait « ma démagogie ». Lui était légitimiste. Il me disait : « Comment avez-vous pu renoncer avec autant de sérénité à ce titre de pair de France, le plus beau après le titre de roi de France ! ».

Il me disait aussi : « J'ai la maison de M. de Beaujon, moins le jardin, mais avec la tribune sur la petite église du coin de la rue. J'ai là dans mon escalier une porte qui ouvre sur l'église. Un tour de clef et je suis à la messe. Je tiens plus à cette tribune qu'au jardin ».

Quand je l'avais quitté il m'avait reconduit jusqu'à cet escalier, marchant péniblement, et m'avait montré cette porte, et il avait crié à sa femme : — « Surtout, fais bien voir à Hugo tous mes tableaux ».

La garde me dit :

— Il mourra au point du jour.

Je redescendis, emportant dans ma pensée cette figure livide ; en traversant le salon, je retrouvai le buste immobile, impassible, altier et rayonnant vaguement, et je comparai la mort à l'immortalité.

Rentré chez moi, c'était un dimanche, je trouvai plusieurs personnes qui m'attendaient, entre autres Riza-Bey, le chargé d'affaires de Turquie, Navarette, le poète espagnol, et le comte Arrivabene, proscrit italien. Je leur dis : Messieurs, l'Europe va perdre un grand esprit.

Il mourut dans la nuit. Il avait cinquante et un ans.

On l'enterra le mercredi.

Il fut d'abord exposé dans la chapelle Beaujon, et il passa par cette porte dont la clef lui était à elle seule plus précieuse que tous les jardins-paradis de l'ancien fermier-général.

Giraud, le jour même de sa mort, avait fait son portrait. On voulait faire mouler son masque, mais on ne le put, tant la décomposition fut rapide. Le lendemain de la mort, le matin, les ouvriers mouleurs qui vinrent trouvèrent le visage déformé et le nez tombé sur la joue. On le mit dans un cercueil de chêne doublé de plomb.

Le service se fit à Saint-Philippe-du-Roule. Je songeais, à côté de ce cercueil, que c'était là que ma seconde fille avait été baptisée, et je n'avais pas revu cette église depuis ce jour-là. Dans nos souvenirs la mort touche la naissance.

Le ministre de l'Intérieur, Baroche, vint à l'enterrement. Il était assis à l'église près de moi devant le catafalque et de temps en temps il m'adressait la parole.

Il me dit : C'était un homme distingué.

Je lui dis : C'était un génie.

Le convoi traversa Paris et alla par les boulevards au Père-Lachaise. Il tombait des gouttes de pluie quand nous partîmes de l'église et quand nous arrivâmes au cimetière. C'était un de ces jours où il semble que le ciel verse quelques larmes.

Je marchais à droite en tête du cercueil, tenant un des glands d'argent du poêle ; Alexandre Dumas de l'autre côté.

Quand nous parvîmmes à la fosse, qui était tout en haut, sur la colline, il y avait une foule immense, la route était âpre et étroite, les chevaux avaient peine en montant à retenir le corbillard qui recula. Je me trouvai pris entre une roue et une tombe. Je faillis être écrasé. Des spectateurs qui étaient debout sur le tombeau me hissèrent par les épaules près d'eux.

Nous fîmes tout le trajet à pied.

On descendit le cercueil dans la fosse, qui était voisine de Charles Nodier et de Casimir Delavigne. Le prêtre dit la dernière prière et je prononçai quelques paroles.

Pendant que je parlais, le soleil baissait. Tout Paris m'apparaissait au loin dans la brume splendide du couchant. Il se faisait, presque à mes pieds, des éboulements dans la fosse, et j'étais interrompu par le bruit sourd de cette terre qui tombait sur le cercueil.

CECI TUERA CELA

Nos lectrices nous pardonneront de nous arrêter un moment pour chercher quelle pouvait être la pensée qui se dérobait sous ces paroles énigmatiques de l'archidiacre : Ceci tuera cela. Le livre tuera l'édifice.

A notre sens, cette pensée avait deux faces. C'était d'abord une pensée de prêtre. C'était l'effroi du sacerdoce devant un agent nouveau, l'imprimerie. C'était l'épouvante et l'éblouissement de l'homme du sanctuaire devant la presse lumineuse de Gutenberg. C'était la chaire et le manuscrit, la parole parlée et la parole écrite, s'alarmant de la parole imprimée ; quelque chose de pareil à la stupeur d'un passereau qui verrait l'ange Légion ouvrir ses six millions d'ailes. C'était le cri du prophète qui entend déjà bruire et fourmiller l'humanité émancipée, qui voit dans l'avenir l'intelligence saper la foi, l'opinion détrôner la croyance, le monde secouer Rome. Pronostic du philosophe qui voit la pensée humaine, volatilisée par la presse, s'évaporer du récipient théocratique. Terreur du soldat qui examine le bélier d'airain et qui dit : La tour croulera. Cela signifiait qu'une puissance allait succéder à une autre puissance. Cela voulait dire : La presse tuera l'église.

Mais sous cette pensée, la première et la plus simple sans doute, il y en avait à notre avis une autre, plus neuve, un corollaire de la première moins facile à apercevoir et plus facile à contester, une vue, tout aussi philosophique, non plus du prêtre seulement, mais du savant et de l'artiste. C'était un pressentiment que la pensée humaine en changeant de forme allait changer de mode d'expression, que l'idée capitale de chaque génération ne s'écrirait plus avec la même matière et de la même façon, que le livre de pierre, si solide et si durable, allait faire place au livre de papier, plus solide et plus durable encore. Sous ce rapport, la vague formule de l'archidiacre avait un second sens ; elle signifiait qu'un art allait détrôner un autre art. Elle voulait dire : L'imprimerie tuera l'architecture.

En effet, depuis l'origine des choses jusqu'au quinzième siècle de l'ère chrétienne inclusivement, l'architecture est le grand livre de l'humanité, l'expression principale de l'homme à ses divers états de développement soit comme force, soit comme intelligence.

Quand la mémoire des premières races se sentit surchargée, quand le bagage des souvenirs du genre humain devint si lourd et si confus que la parole, nue et volante, risque d'en perdre en chemin, on les transcrivit sur le sol de la façon la plus visible, la plus durable et la plus naturelle à la fois. On scella chaque tradition sous un monument.

Les premiers monuments furent de simples quartiers de roche « que le fer n'avait pas touchés », dit Moïse. L'architecture commença comme toute écriture. Elle fut d'abord alphabet. On plantait une pierre debout, et c'était une lettre, et chaque lettre était un hiéroglyphe, et sur chaque hiéroglyphe reposait un groupe d'idées comme le chapiteau sur la colonne. Ainsi firent les premières races, partout, au même moment, sur la surface du monde entier. On retrouve la pierre levée des Celtes dans la Sibérie d'Asie, dans les pampas d'Amérique.

Plus tard on fit des mots. On superposa la pierre à la pierre, on accoupla ces syllabes de granit, le verbe essaya quelques combinaisons. Le dolmen et le cromlech celtes, le tumulus étrusque, le galgal hébreu, sont des mots. Quelques-uns, le tumulus surtout, sont des noms propres. Quelquefois même, quand on avait beaucoup de pierre et une vaste plage, on écrivait une phrase. L'immense entassement de Karnac est déjà une formule tout entière.

Enfin on fit des livres. Les traditions avaient enfanté des symboles, sous lesquels elles disparaissaient comme le tronc de l'arbre sous son feuillage ; tous ces symboles, auxquels l'humanité avait foi, allaient croissant, se multipliant, se croisant, se compliquant de plus en plus ; les premiers monuments ne suffisaient plus à les contenir ; ils en étaient débordés de toutes parts ; à peine ces monuments exprimaient-ils encore la tradition primitive, comme eux simple, nue et gisante sur le sol. Le symbole avait besoin de s'épanouir dans l'édifice. L'architecture alors se développa avec la pensée humaine ; elle devint géante à mille têtes et à mille bras, et fixa sous une forme éternelle, visible, palpable, tout ce symbolisme flottant. Tandis que Dédale, qui est la force, mesurait, tandis qu'Orphée, qui est l'intelligence, chantait, le pilier qui est une lettre, l'arcade qui est une syllabe, la pyramide qui est un mot, mis en mouvement à la fois par une loi de géométrie et par une loi de poésie, se groupaient, se combinaient, s'amalgamaient, descendaient, montaient, se juxtaposaient sur le sol, s'étageaient dans le ciel, jusqu'à ce qu'ils eussent écrit, sous la dictée de l'idée générale d'une époque, ces livres merveilleux qui étaient aussi de merveilleux édifices : la pagode d'Eklinga, le Rhamseïon d'Egypte, le temple de Salomon.

L'idée mère, le verbe, n'était pas seulement au fond de tous ces édifices, mais encore dans la forme. Le temple de Salomon, par exemple, n'était point simplement la reliure du livre saint, il était le livre saint lui-même. Sur chacune de ses enceintes concentriques les prêtres pouvaient lire le verbe traduit et manifesté aux yeux, et ils suivaient ainsi ses transformations de sanctuaire en sanctuaire jusqu'à ce qu'ils le saisissent dans son dernier tabernacle sous sa forme la plus concrète qui était encore de l'architecture : l'arche. Ainsi le verbe était enfermé dans l'édifice, mais son image était sur son enveloppe comme la figure humaine sur le cercueil d'une momie.

Et non seulement la forme des édifices mais encore l'emplacement qu'ils se choisissaient révélait la pensée qu'ils représentaient. Selon que le symbole à exprimer était gracieux ou sombre, la Grèce couronnait ses montagnes d'un temple harmonieux à l'œil, l'Inde éventrait les siennes pour y ciseler ces difformes pagodes souterraines portées par de gigantesques rangées d'éléphants de granit.

Ainsi, durant les six mille premières années du monde, depuis la pagode la plus immémoriale de l'Hindoustan jusqu'à la cathédrale de Cologne, l'architecture a été la grande écriture du genre humain. Et cela est tellement vrai que non seulement tout symbole religieux, mais encore toute

pensée humaine a sa page dans ce livre immense et son monument.

Toute civilisation commence par la théocratie et finit
par la démocratie. Cette loi de la liberté succédant à l'unité
est écrite dans l'architecture. Car, insistons sur ce point,
il ne faut pas croire que la maçonnerie ne soit puissante
qu'à édifier le temple, qu'à exprimer le mythe et le symbolisme sacerdotal, qu'à transcrire en hiéroglyphes sur ses pages
de pierre les tables mystérieuses de la loi. S'il en était ainsi,
comme il arrive dans toute société humaine un moment où
le symbole sacré s'use et s'oblitère sous la libre pensée, où
l'homme se dérobe au prêtre, ou l'excroissance des philoso-
phies et des systèmes ronge la face de la religion, l'architecture ne pourrait reproduire ce nouvel état de l'esprit humain,
ses feuillets, chargés au recto, seraient vides au verso, son
œuvre serait tronquée, son livre serait incomplet. Mais non.

Prenons pour exemple le moyen-âge, où nous voyons
plus clair parce qu'il est plus près de nous. Durant sa
première période, tandis que la théocratie organise l'Europe,
tandis que le Vatican rallie et reclasse autour de lui les
éléments d'une Rome faite avec la Rome qui gît écroulée
autour du Capitole, tandis que le christianisme s'en va recher-
chant dans les décombres de la civilisation antérieure tous les
étages de la société et rebâtit avec ses ruines un nouvel
univers hiérarchique dont le sacerdoce est la clef de voûte,
on entend sourdre d'abord dans ce chaos, puis on voit peu à
peu sous le souffle du christianisme, sous la main des barbares,
surgir des déblais des architectures mortes, grecque et romaine, cette mystérieuse architecture romane, sœur des ma-

366

çonneries théocratiques de l'Egypte et de l'Inde, emblème inaltérable du catholicisme pur, immuable hiéroglyphe de l'unité papale. Toute la pensée d'alors est écrite en effet dans ce sombre style roman. On y sent partout l'autorité, l'unité, l'impénétrable, l'absolu, Grégoire VII; partout le prêtre, jamais l'homme; partout la caste, jamais le peuple. Mais les croisades arrivent. C'est un grand mouvement populaire; et tout grand mouvement, quels qu'en soient la cause et le but, dégage toujours de son dernier précipité l'esprit de liberté. Des nouveautés vont se faire jour. Voici que s'ouvre la période orageuse des Jacqueries, des Paqueries et des Ligues. L'autorité s'ébranle, l'unité se bifurque. La féodalité demande à partager avec la théocratie, en attendant le peuple qui surviendra inévitablement et qui se fera, comme toujours, la part du lion. Quia nominor leo. La seigneurie perce donc sous le sacerdoce, la commune sous la seigneurie. La face de l'Europe est changée. En bien! la face de l'architecture est changée aussi. Comme la civilisation, elle a tourné la page, et l'esprit nouveau des temps la trouve prête à écrire sous sa dictée. Elle est revenue des croisades avec l'ogive, comme les nations avec la liberté. Alors, tandis que Rome démembre peu à peu, l'architecture romane meurt. L'hiéroglyphe déserte la cathédrale et s'en va blasonner le donjon pour faire un prestige à la féodalité. La cathédrale elle-même, cet édifice autrefois si dogmatique, envahie désormais par la bourgeoisie, par la commune, par la liberté, échappe au prêtre et tombe au pouvoir de l'artiste. L'artiste la bâtit à sa guise. Adieu le mystère, le mythe, la loi. Voici la fantaisie et le caprice. Pourvu que le prêtre ait sa basili-

367

que et son autel, il n'a rien à dire. Les quatre murs sont à l'artiste. Le livre architectural n'appartient plus au sacerdoce, à la religion, à Rome ; il est à l'imagination, à la poésie, au peuple. De là les transformations rapides et innombrables de cette architecture qui n'a que trois siècles, si frappantes après l'immobilité stagnante de l'architecture romane qui en a six ou sept. L'art cependant marche à pas de géant. Le génie et l'originalité populaires font la besogne que faisaient les évêques. Chaque race écrit en passant sa ligne sur le livre ; elle rature les vieux hiéroglyphes romans sur le frontispice des cathédrales, et c'est tout au plus si l'on voit encore le dogme percer çà et là sous le nouveau symbole qu'elle y dépose. La draperie populaire laisse à peine deviner l'ossement religieux. On ne saurait se faire une idée des licences que prennent alors les architectes, même envers l'église. Ce sont des chapiteaux tricotés de moines et de nonnes honteusement accouplés, comme à la salle des Cheminées du Palais de Justice à Paris. C'est l'aventure de Noé sculptée en toutes lettres comme sous le grand portail de Bourges. C'est un moine bachique à oreilles d'âne et le verre en main riant au nez de toute une communauté, comme sur le lavabo de l'abbaye de Bocherville. Il existe à cette époque, pour la pensée écrite en pierre, un privilège tout à fait comparable à notre liberté actuelle de la presse. C'est la liberté de l'architecture.

Cette liberté va très loin. Quelquefois un portail, une façade, une église tout entière présente un sens symbolique absolument étranger au culte, ou même hostile à l'église. Dès le treizième siècle Guillaume de Paris, Nicolas Flamel au quinzième, ont écrit de ces pages séditieuses. Saint-Jacques-de-la-Boucherie était toute une église d'opposition.

La pensée alors n'était libre que de cette façon, aussi ne s'écrivait-elle tout entière que sur ces livres qu'on appelait édifices. Sans cette forme édifice, elle se serait vu brûler en place publique par la main du bourreau sous la forme manuscrit, si elle avait été assez imprudente pour s'y risquer. La pensée portail d'église eût assisté au supplice de la pensée livre. Aussi n'ayant que cette voie, la maçonnerie, pour se faire jour, elle s'y précipitait de toutes parts. De là l'immense quantité de cathédrales qui ont couvert l'Europe, nombre si prodigieux qu'on y croit à peine, même après l'avoir vérifié. Toutes les forces matérielles, toutes les forces intellectuelles de la société convergeaient au même point : l'architecture. De cette manière, sous prétexte de bâtir des églises à Dieu, l'art se développait dans des proportions magnifiques.

Alors, quiconque naissait poète se faisait architecte. Le génie épars dans les masses, comprimé de toutes parts sous la féodalité comme sous une testudo de boucliers d'airain, ne trouvant issue que du côté de l'architecture, débouchait par cet art, et ses Iliades prenaient la forme de cathédrales. Tous les autres arts obéissaient et se mettaient en discipline sous l'architecture. C'étaient les ouvriers du grand œuvre. L'architecture, le poète, le maître totalisaient en sa personne la sculpture qui lui ciselait ses façades, la peinture qui lui enluminait ses vitraux, la musique qui mettait sa cloche en branle et soufflait dans ses orgues. Il n'y avait pas jusqu'à la pauvre poésie proprement dite, celle qui s'obstinait à végéter dans les manuscrits, qui ne fût obligée pour être quelque chose de venir s'encadrer dans l'édifice sous la forme d'hymne ou de prose ; le même rôle, après tout, qu'avaient joué les tragédies d'Eschyle dans les fêtes sacerdotales de la Grèce, la Genèse dans le temple de Salomon.

Ainsi, jusqu'à Gutenberg, l'architecture est l'écriture principale, l'écriture universelle. Ce livre granitique commencé par l'Orient, continué par l'antiquité grecque et romaine, le moyen-âge en a écrit la dernière page. Du reste, ce phénomène d'une architecture de peuple succédant à une architecture de caste que nous venons d'observer dans le moyen-âge, se reproduit avec tout mouvement analogue dans l'intelligence humaine aux autres grandes époques de l'histoire. Ainsi, pour n'énoncer ici que sommairement une loi qui demanderait à être développée en des volumes, dans le haut Orient, berceau des temps primitifs, après l'architecture hindoue, l'architecture phénicienne, cette mère opulente de l'architecture arabe ; dans l'antiquité, après l'architecture égyptienne dont le style étrusque et les monuments cyclopéens ne sont qu'une variété, l'architecture grecque, dont le style romain n'est qu'un prolongement surchargé du dôme carthaginois ; dans les temps modernes, après l'architecture romane, l'architecture gothique. Et en dédoublant ces trois séries, on retrouvera sur les trois sœurs aînées, l'architecture hindoue, l'architecture égyptienne, l'architecture romane, le même symbole : c'est-à-dire la théocratie, la caste, l'unité, le dogme, le mythe, Dieu ; et pour les trois sœurs cadettes, l'architecture phénicienne, l'architecture grecque, l'architecture gothique, quelle que soit du reste la diversité de forme inhérente à leur nature, la même signification aussi : c'est-à-dire la liberté, le peuple, l'homme.

Qu'il s'appelle bramine, mage ou pape, dans les maçonneries hindoue, égyptienne ou romane, on sent toujours le prêtre, rien que le prêtre. Il n'en est pas de même dans les architectures de peuple. Elles sont plus riches et moins saintes. Dans la phénicienne, on sent le marchand ; dans la grecque, le républicain ; dans la gothique, le bourgeois.

Les caractères généraux de toute architecture théocratique sont l'immutabilité, l'horreur du progrès, la conservation des lignes traditionnelles, la consécration des types primitifs, le pli constant de toutes les formes de l'homme et de la nature aux caprices incompréhensibles du symbole. Ce sont des livres ténébreux que les initiés seuls savent déchiffrer. Du reste toute forme, toute difformité même y a un sens qui la fait inviolable. Ne demandez pas aux maçonneries hindoue, égyptienne, romane, qu'elles réforment leur dessin ou améliorent leur statuaire. Tout perfectionnement leur est impiété. Dans ces architectures, il semble que la roideur du dogme se soit répandue sur la pierre comme une seconde pétrification. Les caractères généraux des maçonneries populaires au contraire sont la variété, le progrès, l'originalité, l'opulence, le mouvement perpétuel. Elles sont déjà assez détachées de la religion pour songer à leur beauté, pour la soigner, pour corriger sans relâche leur parure de statues ou d'arabesques. Elles sont du siècle. Elles ont quelque chose d'humain qu'elles mêlent sans cesse au symbole divin sous lequel elles se produisent encore.

371

De là des édifices pénétrables à toute âme, à toute intelligence, à toute imagination, symboliques encore, mais faciles à comprendre comme la nature. Entre l'architecture théocratique et celle-ci, il y a la différence d'une langue sacrée à une langue vulgaire, de l'hiéroglyphe à l'art, de Salomon à Phidias.

Si l'on résume ce que nous avons indiqué jusqu'ici très sommairement en négligeant mille preuves et aussi mille objections de détail, on est amené à ceci : que l'architecture a été jusqu'au quinzième siècle le registre principal de l'humanité, que dans cet intervalle il n'est pas apparu dans le monde une pensée un peu compliquée qui ne se soit fait édifice, que toute idée populaire comme toute loi religieuse a eu ses monuments ; que le genre humain enfin n'a rien pensé d'important qu'il ne l'ait écrit en pierre. Et pourquoi ? C'est que toute pensée, soit religieuse, soit philosophique, est intéressée à se perpétuer, c'est que l'idée qui a remué une génération veut en remuer d'autres, et laisser trace. Or quelle immortalité précaire que celle du manuscrit ! Qu'un édifice est un livre bien autrement solide, durable, et résistant ! Pour détruire la parole écrite il suffit d'une torche et d'un turc. Pour démolir la parole construite, il faut une révolution sociale, une révolution terrestre. Les barbares ont passé sur le Colisée, le déluge peut-être sur les Pyramides.

Au quinzième siècle tout change.

La pensée humaine découvre un moyen de se perpétuer non seulement plus durable et plus résistant que l'architecture, mais encore plus simple et plus facile. L'architecture est détrônée. Aux lettres de pierre d'Orphée vont succéder les lettres de plomb de Gutenberg.

Le livre va tuer l'édifice.

L'invention de l'imprimerie est le plus grand événement de l'histoire. C'est la révolution mère. C'est le mode d'expression de l'humanité qui se renouvelle totalement. C'est la pensée humaine qui dépouille une forme et qui en revêt une autre, c'est le complet et définitif changement de peau de ce serpent symbolique qui, depuis Adam, représente l'intelligence.

Sous la forme imprimerie, la pensée est plus impérissable que jamais ; elle est volatile, indestructible. Elle se mêle à l'air. Du temps de l'architecture, elle se faisait montagne et s'emparait puissamment d'un siècle et d'un lieu. Maintenant elle se fait troupe d'oiseaux, s'éparpille aux quatre vents, et occupe à la fois tous les points de l'air et de l'espace.

Nous le répétons, qui ne voit que de cette façon elle est bien plus indélébile ? De solide qu'elle était elle devient vivace. Elle passe de la durée à l'immortalité. On peut démolir une masse, comment extirper l'ubiquité ? Vienne un déluge la montagne aura disparu depuis longtemps sous les flots que les oiseaux voleront encore ; et, qu'une seule arche flotte à la surface du cataclysme, ils s'y poseront, surnageront avec elle, assisteront avec elle à la décrue des eaux, et le nouveau monde qui sortira de ce chaos verra en s'éveillant planer au-dessus de lui, ailée et vivante, la pensée du monde englouti.

Et quand on observe que ce mode d'expression est non seulement le plus conservateur, mais encore le plus simple, le plus commode, le plus praticable à tous, lorsqu'on songe qu'il ne traîne pas un gros bagage et ne remue pas un lourd attirail, quand on compare la pensée obligée pour se traduire en un édifice de mettre en mouvement quatre ou cinq autres arts et des tonnes d'or, toute une montagne de pierres, toute une forêt de charpentes, tout un peuple d'ouvriers, quand on la compare à la pensée qui se fait livre, et à qui il suffit d'un peu de papier, d'un peu d'encre et d'une plume, comment s'étonner que l'intelligence humaine ait quitté l'architecture pour l'imprimerie ? Coupez brusquement le lit primitif d'un fleuve d'un canal creusé au-dessous de son niveau, le fleuve désertera son lit.

Aussi voyez comme à partir de la découverte de l'imprimerie, l'architecture se dessèche peu à peu, s'atrophie et se dénude. Comme on sent que l'eau baisse, que la sève s'en va, que la pensée des temps et des peuples se retire d'elle ! Le refroidissement est à peu près insensible au quinzième siècle, la presse est trop débile encore, et soutire tout au plus à la puissante architecture une surabondance de vie. Mais, dès le seizième siècle, la maladie de l'architecture est visible ; elle n'exprime déjà plus essentiellement la société ; elle se fait misérablement art classique ; de gauloise, d'européenne, d'indigène, elle devient grecque et romaine, de vraie et de moderne, pseudo-antique. C'est cette décadence qu'on appelle la renaissance. Décadence magnifique pourtant, car le vieux génie gothique, ce soleil qui se couche derrière la gigantesque presse de Mayence, pénètre encore quelque temps de ses derniers rayons tout cet entassement hybride d'arcades latines et de colonnades corinthiennes.

C'est ce soleil couchant que nous prenons pour une aurore.

Cependant, du moment où l'architecture n'est plus qu'un art comme un autre, dès qu'elle n'est plus l'art total, l'art souverain, l'art tyran, elle n'a plus la force de retenir les autres arts. Ils s'émancipent donc, brisent le joug de l'architecture, et s'en vont chacun de leur côté. Chacun d'eux gagne à ce divorce. L'isolement grandit tout. La sculpture devient statuaire, l'imagerie devient peinture, le canon devient musique. On dirait un empire qui se démembre à la mort de son Alexandre et dont les provinces se font royaumes.

De là, Raphaël, Michel-Ange, Jean Goujon, Palestrina, ces splendeurs de l'éblouissant seizième siècle.

En même temps que les arts, la pensée s'émancipe de tous côtés. Les hérésiarques du moyen-âge avaient déjà fait de larges entailles au catholicisme. Le seizième siècle brise l'unité religieuse. Avant l'imprimerie, la réforme n'eut été qu'un schisme, l'imprimerie la fait révolution. Otez la presse, l'hérésie est énervée. Que ce soit fatal ou providentiel, Gutenberg est le précurseur de Luther.

Cependant, quand le soleil du moyen-âge est tout à fait couché, quand le génie gothique s'est à jamais éteint à l'horizon de l'art, l'architecture va se ternissant, se décolorant, s'effaçant de plus en plus. Le livre imprimé, ce ver rongeur de l'édifice, la suce et la dévore. Elle se dépouille, elle s'effeuille, elle maigrit à vue d'œil. Elle est mesquine, elle est pauvre, elle est nulle. Elle n'exprime plus rien, pas même le souvenir de l'art d'un autre temps. Réduite à elle-même, abandonnée des autres arts parce que la pensée humaine l'abandonne, elle appelle des manœuvres à défaut d'artistes. La vitre remplace le vitrail. Le tailleur de pierre succède au sculpteur. Adieu toute sève, toute originalité, toute vie, toute intelligence. Elle se traîne, lamentable mendiante d'atelier, de copie en copie. Michel-Ange, qui dès le seizième siècle la sentait sans doute mourir, avait eu une dernière idée, une idée de désespoir. Ce titan de l'art avait entassé le Panthéon sur le Parthénon, et fait Saint-Pierre de Rome. Grande œuvre qui méritait de rester unique, dernière originalité de l'architecture, signature d'un artiste géant au bas du colossal registre de pierre qui se fermait. Michel-Ange mort, que fait cette misérable architecture qui se survivait à elle-même à l'état de spectre et d'ombres ? Elle prend Saint-Pierre de Rome, et le calque, et le parodie. C'est une manie. C'est une pitié. Chaque siècle a son Saint-Pierre de Rome ; au dix-septième siècle le Val-de-Grâce, au dix-huitième Sainte-Geneviève. Chaque pays a son Saint-Pierre de Rome. Londres a le sien. Pétersbourg a le sien. Paris en a deux ou trois. Testament insignifiant, dernier radotage d'un grand art décrépit qui retombe en enfance avant de mourir.

Si au lieu de monuments caractéristiques comme ceux dont nous venons de parler nous examinons l'aspect général de l'art du seizième au dix-huitième siècle, nous remarquons les mêmes phénomènes de décroissance et d'étisie. A partir de François II, la forme architecturale de l'édifice s'efface de plus en plus et laisse saillir la forme géométrique, comme la charpente osseuse d'un malade amaigri. Les belles lignes de l'art font place aux froides et inexorables lignes du géomètre. Un édifice n'est plus un édifice, c'est un polyèdre. L'architecture cependant se tourmente pour cacher cette nudité. Voici le fronton grec qui s'inscrit dans le fronton romain et réciproquement. C'est toujours le Panthéon dans le Parthénon, Saint-Pierre de Rome. Voici les maisons de Henri IV à coins de pierre ; la place Royale, la place Dauphine. Voici les églises de Louis XIII, lourdes, trapues, surbaissées, ramassées, chargées d'un dôme comme d'une bosse. Voici l'architecture mazarine, le mauvais pasticcio italien des Quatre-Nations. Voici les palais de Louis XIV, longues casernes à courtisans, roides, glaciales, ennuyeuses. Voici enfin Louis XV, avec les chicorées et les vermicelles, et toutes les verrues et tous les fongus qui défigurent cette vieille architecture caduque, édentée et coquette. De François II à Louis XV, le mal a crû en progression géométrique. L'art n'a plus que la peau sur les os. Il agonise misérablement.

Cependant que devient l'imprimerie ? Toute cette vie qui s'en va de l'architecture vient chez elle. A mesure que l'architecture baisse, l'imprimerie s'enfle et grossit. Ce capital de forces que la pensée humaine dépensait en édifices, elle le dépense désormais en livres. Aussi dès le seizième siècle la presse, grandie au niveau de l'architecture décroissante, lutte avec elle et la tue. Au dix-septième, elle est déjà assez souveraine, assez triomphante, assez assise dans sa victoire pour donner au monde la fête

377

d'un grand siècle littéraire. Au dix-huitième, longtemps reposée à la cour de Louis XIV, elle ressaisit la vieille épée de Luther, en arme Voltaire, et court, tumultueuse, à l'attaque de cette ancienne Europe dont elle a déjà tué l'expression architecturale. Au moment où le dix-huitième siècle s'achève, elle a tout détruit. Au dix-neuvième, elle va reconstruire.

Or, nous le demandons maintenant, lequel des deux arts représente réellement depuis trois siècles la pensée humaine ? Lequel la traduit ? Lequel exprime, non pas seulement ses manies littéraires et scolastiques, mais son vaste, profond, universel mouvement ? Lequel se superpose constamment sans rupture et sans lacune, au genre humain qui marche, monstre à mille pieds ? L'architecture ou l'imprimerie ?

L'imprimerie. Qu'on ne s'y trompe pas, l'architecture est morte, morte sans retour, tuée par le livre imprimé, tuée parce qu'elle dure moins, tuée parce qu'elle coûte plus cher. Toute cathédrale est un milliard. Qu'on se représente maintenant quelle mise de fonds il faudrait pour écrire le livre architectural ; pour faire fourmiller de nouveau sur le sol des milliers d'édifices ; pour revenir à ces époques où la foule des monuments était telle qu'au dire d'un témoin oculaire « on eût dit que le monde en se secouant avait rejeté ses vieux habillements pour se couvrir d'un blanc vêtement d'églises ». Erat enim ut si mundus, ipse excutiendo semet, rejecta vetustate, candidam ecclesiarum vestem indueret (Glaber Radulphus).

Un livre est sitôt fait, coûte si peu, et peut aller si loin ! Comment s'étonner que toute la pensée humaine s'écoule par cette pente ? Ce n'est pas à dire que l'architecture n'aura pas encore çà et là un beau monument, un chef-d'œuvre isolé. On pourra bien encore avoir de temps en temps, sous le règne de l'imprimerie, une colonne faite, je suppose, par toute une armée avec des canons amalgamés, comme on avait, sous le règne de l'architecture, des Iliades et des Romanceros, des Mahabâhrata et des Niebelungen, faits par tout un peuple avec des rapsodies amoncelées et fondues. Le grand accident d'un architecte de génie pourra survenir au vingtième siècle, comme celui de Dante au treizième. Mais l'architecture ne sera plus l'art social, l'art collectif, l'art dominant. Le grand poème, le grand édifice, le grand œuvre de l'humanité ne se bâtira plus, il s'imprimera.

Et désormais, si l'architecture se relève accidentellement, elle ne sera plus maîtresse. Elle subira la loi de la littérature qui la recevait d'elle autrefois. Les positions respectives des deux arts seront interverties. Il est certain que dans l'époque architecturale les poèmes, rares, il est vrai, ressemblent aux monuments. Dans l'Inde, Vyasa est touffu, étrange, impénétrable comme une pagode. Dans l'orient égyptien, la poésie a, comme les édifices, la grandeur et la tranquillité des lignes ; dans la Grèce antique, la beauté, la sérénité, le calme ; dans l'Europe chrétienne, la majesté catholique, la naïveté populaire, la riche et luxuriante végétation d'une époque de renouvellement. La Bible ressemble aux Pyramides, L'Iliade au Parthénon,

Homère à Phidias. Dante au treizième siècle, c'est la dernière église romane ; Shakespeare au seizième, la dernière cathédrale gothique.

Ainsi, pour résumer ce que nous avons dit jusqu'ici d'une façon nécessairement incomplète et tronquée, le genre humain a deux livres, deux registres, deux testaments, la maçonnerie et l'imprimerie, la bible de pierre et la bible de papier. Sans doute, quand on contemple ces deux bibles si largement ouvertes dans les siècles, il est permis de regretter la majesté visible de l'écriture de granit, ces gigantesques alphabets formulés en colonnades, en pylônes, en obélisques, ces espèces de montagnes humaines qui couvrent le monde et le passé depuis la pyramide jusqu'au clocher, de Chéops à Strasbourg. Il faut relire le passé sur ces pages de marbre. Il faut admirer et refeuilleter sans cesse le livre par l'architecture ; mais il ne faut pas nier la grandeur de l'édifice qu'élève à son tour l'imprimerie.

Cet édifice est colossal. Je ne sais quel faiseur de statistique a calculé qu'en superposant l'un à l'autre tous les volumes sortis de la presse depuis Gutenberg on comblerait l'intervalle de la terre à la lune ; mais ce n'est pas de cette sorte de grandeur que nous voulons parler. Cependant, quand on cherche à recueillir dans sa pensée une image totale de l'ensemble des produits de l'imprimerie jusqu'à nos jours, cet ensemble ne nous apparaît-il pas comme une immense construction, appuyée sur le monde entier, à laquelle l'humanité travaille sans relâche, et dont la tête monstrueuse se perd dans les brumes profondes de l'avenir ? C'est la fourmilière des intelligences. C'est la ruche où toutes les imaginations, ces abeilles dorées, arrivent avec leur miel. L'édifice a mille étages. Çà et là, on voit déboucher sur ses rampes les cavernes ténébreuses de la science qui s'entrecoupent dans ses entrailles. Partout sur sa surface l'art fait luxurier à l'œil ses arabesques, ses rosaces et ses dentelles. Là chaque œuvre individuelle, si capricieuse et si isolée qu'elle semble, a sa place et sa saillie. L'harmonie résulte du tout. Depuis la cathédrale de Shakespeare jusqu'à la mosquée de Byron, mille clochetons s'encombrent pêle-mêle sur cette métropole de la pensée universelle. A sa base, on a écrit quelques anciens titres de l'humanité que l'architecture n'avait pas enregistrés. A gauche de l'entrée, on a scellé le vieux bas-relief en marbre blanc d'Homère, à droite la Bible polyglotte dresse ses sept têtes. L'hydre du Romanceri se hérisse plus loin, et quelques autres formes hybrides, les Védas et des Niebelungen. Du reste le prodigieux édifice demeure toujours inachevé. La presse, cette machine géante, qui pompe sans relâche toute la sève intellectuelle de la société, vomit incessamment de nouveaux matériaux pour son œuvre. Le genre humain tout entier est sur l'échafaudage. Chaque esprit est maçon. Le plus humble bouche son trou ou met sa pierre. Rétif de la Bretonne apporte sa hottée de plâtras. Tous les jours une nouvelle assise s'élève. Indépendamment du versement original et individuel de chaque écrivain, il y a des contingents collectifs. Le dix-huitième siècle donne l'Encyclopédie, la révolution donne le Moniteur. Certes, c'est là aussi une construction qui grandit et s'amoncelle en spirales sans fin ; là aussi il y a confusion des langues, activité incessante, labeur infatigable, concours acharné de l'humanité toute entière, refuge promis à l'intelligence contre un nouveau déluge, contre une submersion de barbares. C'est la seconde tour de Babel du genre humain.

BIBLIOGRAPHIE SOMMAIRE

Première partie

Le temps de la contemplation, Jean Gaudon, Editions Flammarion, 1970.

La religion ésotérique de Victor Hugo, Jean Saurat, La Colombe, 1958.

La création mythologique chez Victor Hugo, Pierre Albouy, Librairie José Corti, 1963.

Histoire d'un éditeur et de ses auteurs, P. J. Hetzel, Editions Albin Michel, 1953.

Victor Hugo, poète de Satan, Paul Zumthor, Editions Robert Laffont, 1946.

Trois essais de mythologie romantique, Georges Poulet, Librairie José Corti, 1966.

Les tables tournantes de Jersey, Gustave Simon, Louis Conard, 1923.

L'urbanisme, utopies et réalités, Françoise Choay, Editions du Seuil, 1965.

Les idées philosophiques de Victor Hugo, Jacques Roos, Librairie Nizet, 1958.

Hugo et la poésie pure, Alfred Glauser, Librairie E. Droz, 1957.

Hommage à Victor Hugo, Faculté des lettres de Strasbourg, 1962.

Le mythe du peuple dans Les Misérables, René Journet et Guy Robert, Editions Sociales, 1962.

Répertoire II, Michel Butor, Les Editions de Minuit, 1964.

Victor Hugo raconté par les papiers d'Etat, Pierre Angrand, Gallimard, 1961.

Victor-Marie Comte Hugo, Charles Péguy, Gallimard, 1934.

Victor Hugo, romancier, Georges Piroué, Denoël, 1964.

Victor Hugo à Hauteville House, Jean Delalande, Editions Albin Michel, 1947.

La bataille de Dieu, Henri Guillemin, Editions du Milieu du monde, 1944.

Avez-vous lu Victor Hugo, Louis Aragon, Les Editeurs Français Réunis, 1952.

Hugo et la sexualité, Henri Guillemin, Gallimard, 1954.

Victor Hugo, J.B. Barrière, Hatier, 1967.

Victor Hugo dessinateur, préface de Gaétan Picon, Editions du Minotaure, 1963.

Victor Hugo, dessinateur génial et halluciné, Jean Delalande, Nouvelles Editions Latines.

Deuxième partie

Mémoires intimes, Louis Fréchette, Editions Fides, 1961.

Originaux et détraqués, Louis Fréchette, Beauchemin, 1943.

La Légende d'un peuple, Louis Fréchette, Darveau, 1887.

La Voix d'un exilé, Louis Fréchette.

Mélanges historiques et littéraires, Edmond Lareau, Sénéchal, 1877.

Histoire de la littérature canadienne, Edmond Lareau, Lovell, 1874.

Critique littéraire, H. R. Casgrain, Darveau, 1872.

Oeuvres complètes, H. R. Casgrain, Beauchemin et Fils, 1896.

Histoire du Canada, Michel Bibaud, Jones et Lowell, 1878.

Dans le camp ennemi, L'Abbé Lacasse, Sénéchal, 1879.

Journal du siège de Paris, (in Oeuvres complètes), Octave Crémazie, Beauchemin et Fils, 1896.

Causeries du dimanche, Basile Routhier, Beauchemin et Valois, 1871.

Les Grands drames, Basile Routhier, Beauchemin et Fils, 1889.

Conférences et discours, Basile Routhier, Beauchemin et Valois, 1904.

Louis Fréchette, romantique canadien, Marcel Dugas, Beauchemin, 1946.

Le Lauréat, William Chapman, L. Brousseau, 1904.

Deux copains : *Réplique à MM. Fréchette et Sauvelle,* William Chapman, L. Brousseau, 1894.

Les Québecquoises, William Chapman, Darveau, 1876.

Michel Bibaud, publiciste canadien, Gérard Malchelosse, Montréal, 1945.

Journaux consultés

La Presse, L'Etendard, La Patrie, Le Nouvelliste, La Vérité, Le Courrier du Canada, Le Foyer canadien, Le Courrier de Québec, La Minerve, Le Canadien.

Troisième partie

Oeuvres poétiques complètes de Victor Hugo, chez Jean-Jacques Pauvert, 1961.

Oeuvres politiques complètes de Victor Hugo, chez Jean-Jacques Pauvert, 1961.

Oeuvres romanesques complètes de Victor Hugo, chez Jean-Jacques Pauvert, 1961.

Oeuvres dramatiques et œuvres diverses complètes de Victor Hugo, chez Jean-Jacques Pauvert, 1961.

TABLE DES ILLUSTRATIONS

DOSSIER

LA VIE EST UNE PHRASE INTERROMPUE

par Victor-Lévy Beaulieu

1

À l'orée du texte, je m'interdis toute tentation de rétention et je laisse couler le fleuve, pour y boire par grandes bolées. C'est que 25 ans après avoir lu pour la première fois *Les misérables*, il ne m'est pas encore de plus grand complice que Victor Hugo. Et quand je dis complicité, j'entends par là tout ce qui de ses mots continue encore de voyager en moi, dans la fulgurance qu'est toute métaphore quand elle t'habite et te nourrit. Or, de toutes les littératures, Victor Hugo est la plus énorme des métaphores, si prodigieuse en vérité que pour en faire seulement le tour, il faudrait être autrement greyé que je ne le suis, moi nain de lecture alors que, comme le prétendait Tchekhov, il serait grand temps que là comme ailleurs, j'apprenne à devenir un aigle.

2

En attendant, et pour m'y préparer sans doute, je me sens un peu comme Javert devait être, c'est-à-dire que, depuis l'âge de 14 ans, je ne laisse pas Victor Hugo d'une semelle: je le chasse, je lui tombe dessus à l'improviste, je le bourre de coups et puis je le caresse, je le mange et je le suce. Lui, il me laisse faire. Je veux dire: tant qu'il n'en a pas assez de moi, il me laisse faire. Et quand on en est là, il se rebiffe, ce qui est normal puisque même la solitude écrite, morte et enterrée depuis cent ans, n'a que faire de la poursuite. Alors, Victor Hugo me met sous les yeux quelque plat poème ou un bout de pièce de théâtre mélodramatique, il me fait un souverain pied de nez et, pareil à Cyrano de Bergerac bouteillé des pieds à la tête de petites bouteilles de rosée, il fend l'air, me laissant dégoûté de lui, mal amoureux, pour ne pas dire désenchanté à mort. Ça dure le temps que ça dure et, dans ce temps-là, je ne veux rien savoir de Victor Hugo. Je trouve qu'il est comme Dieu et qu'il m'est de trop dans mon paysage. Dans un siècle où les béquilles sont tout, préservatives et conservatrices, je n'en ai rien à faire, préférant cet élargissement de la conscience qu'est la mécréance.

3

Mais la mécréance finit toujours par se muer en douleur, de sorte que veux veux pas, je reviens toujours à Victor Hugo, ce qui le différencie de ce Dieu de camelote d'une religion catholicarde contre laquelle d'ailleurs l'auteur de *L'âne* n'y est pas allé avec le dos de la cuiller. Voyez voir, rien que pour que pisse la pinte de bon sang:

« La créature humaine est faite pour marcher, pour créer et pour penser, dit Victor Hugo. J'ai horreur de la voir partout châtrer, par les pieds selon le procédé chinois, par le ventre selon le procédé turc, ou par le cerveau selon le procédé catholique. »

Car le Dieu de Victor Hugo, c'était celui de la sagacité supérieure du coeur, ce dont manquaient pour lui le prêtre et singulièrement « le jésuite hideux, faiseur d'esprits eunuques ». Quant au pape comme institution religieusarde et représentation de l'institution religieusarde, il ne fut pas la moindre des victimes du poète. Voyez voir encore:

« Qui donne aux pauvres prête à dieu.
Pour le pape et sa tire-lire,
Mon vers se modifie un peu:
Qui donne au riche prête à rire. »

J'aime bien ce Victor Hugo de la mécréance, pourtant

religieux comme pas un ainsi qu'on le sait depuis qu'on a lu *Dieu* et *La fin de Satan*, ces deux grandes machines de mots brûlants sortant la France et l'Occident de sa longue tradition judéo-chrétienne afin qu'arrive enfin la prodigieuse lumière noire dont il parlait vers la fin de sa vie. Ça n'a rien à voir avec la presse dont il a aussi dit: « La presse a succédé au catéchisme dans le gouvernement du monde. Après le pape, le papier. » Si je voulais ajouter à la mécréance de Victor Hugo, je dirais: « Et après le papier, cette paperasse sondée que nous sommes tous devenus pour n'importe quel gouvernement. » Ça serait toutefois me faire dériver bien loin. Aussi, me reprenant aussi bien du chignon que de la trogne, je m'en reviens, dans le grand naturel du galop, au centre même du voyage.

4

À 14 ans, ce que j'aimais en Victor Hugo, c'était, bien plus que la démesure, l'habitation même de cette démesure, dans une apparente tranquillité qui, pour m'avoir toujours manqué, m'était joyeusement stimulante. Moi qui venais de l'arrière-pays déboisé et rocheux, tout décrianché dans ma bougrine, Victor Hugo m'a fait découvrir et aimer la ville. Et ce qui est dit dans *Notre-Dame-de-Paris* et dans *Les misérables* du ventre de Paris, que ce soit par sa cour de miracles ou par le labyrinthe de ses égouts, a été pour moi une si grande leçon de choses qu'une fois devenu journaliste, l'un de mes premiers reportages a consisté à me promener dans les souterrains de Montréal pour essayer d'y voir à mon tour ce que Victor Hugo avait remarqué bien avant moi. Je veux dire: quelle connaissance de son peuple avait Victor Hugo! Tout ce chapitre sur la langue verte, encore dans *Les misérables*, comment pourrais-je ne pas y revenir régulièrement, quand le stylo feutre me tombe des mains, par manquement qu'il m'arrive souvent d'avoir envers les mots? Et quelle entreprenante fureur qui, lorsque j'avais 14 ans, me faisait me colletailler directement avec la sur-Anecdote dès que l'épique la gonfle par sublimation! Jean Valjean, c'est bien plus qu'un personnage et c'est pourquoi il ne meurt pas dans l'imagination populaire, parce qu'il est toujours une grande force en marche, et non pas vers le pire, mais vers une liberté toujours mieux qualifiée, donc plus exigeante, donc infiniment entraînante. Ce qui explique sans doute que je ne passe pas une année sans relire des grands bouts de son histoire, fasciné encore par ce qui, à l'origine, n'était qu'un immense bégaiement (ce brouillon maladroit qui s'est appelé *Les misères*) et qui, grâce à Victor Hugo, est devenu un grand langage.

5

Mais pourquoi commenter sans fin ce que tout le monde sait? comme a écrit lui-même Victor Hugo. Pourquoi redire encore tout ce qui ne fait que m'habiter depuis 25 ans quand, après huit week-ends longs de travail dans cette sombre épicerie du bonhomme Chartrand, j'ai pu enfin acheter *Les misérables* en format poche chez Marabout, le premier livre payé grâce à mes mollets de livreur sur un vieux bicycle? Pourquoi redire ici encore que de cette lecture m'est venu le besoin d'écrire, d'écrire fort et grand, pour que le roman de moi-même s'ajoute à tous ceux qu'a écrits Victor Hugo? Je n'en sais rien, puisque la passion, lorsqu'elle dure, ne saurait s'expliquer autrement qu'en se redisant. Je veux dire: c'est aussi une question d'amitié, du genre de celle qui te donne tout. Le roman de Victor Hugo est le roman de la persévérance, c'est ce courage long dont il parle, lorsque le centre même de l'horrible travailleur qu'il a toujours été se perçoit comme une poétique, c'est-à-dire ce qu'il y a d'absolu quand le fond et la forme créent du rassemblement des mots cette énorme musique de *La légende des siècles*, celle des *Contemplations* ou bien celle encore des *Châtiments*. Et le mieux, c'est encore de plonger au hasard dans cet océan (puisque les grands lecteurs sont pareils aux grands artistes, qu'ils ont du hasard dans leur talent et du talent dans leur hasard). Alors, on est balayé par cette intelligence en érection qu'est l'imagination hugolienne, et l'on va de *L'épopée du ver à Ceux qui dorment*, et du *Sacre à L'année terrible*, et l'on va n'importe où ailleurs, dans le court comme dans le long, et si l'on n'y trouve pas son plaisir, c'est vraiment qu'il n'y a rien à faire avec soi et qu'on est sans talent. Quelques très petites choses, deux ou trois lignes, rien que pour le démontrer, telles:

Deux boeufs inégaux vont sous les grands sapins verts
Tristes d'être accouplés la tête de travers.

Et cependant, pensif, j'écris à ma fenêtre
Je regarde le flot naître, expirer, renaître,
Et les goélands fendre l'air.
Les navires au vent ouvrent leurs envergures,
Et ressemblent de loin à de grandes figures
Qui se promènent sur la mer.

Moi, j'aime. J'aime cette poésie comme j'aime celle qui s'établit dans *Choses du soir* ou bien dans *À propos d'Horace*, pour toutes sortes de raisons et d'abord parce que ça coule comme fleuve et que, dedans, jamais le dire ne saurait s'abolir dans son dé.

L'espace fuit toutefois et bientôt va me manquer alors que j'aimerais faire très laxatif. Il en va ainsi avec la fureur: peu importe leurs longueurs, les manches ne lui conviennent pas, même quand je suis dans l'un de mes mauvais jours, ce qui m'arrive parfois et me rend à peu près inadéquat pour n'importe quelle lecture. Ça se produit quand le pays me monte sur le dos, à moitié fait ou à moitié défait je ne sais pas, et qu'il se met à peser de toutes ses forces sur mes épaules d'homme et d'écrivain. Avec un pays qui serait vraiment un pays, il y aurait toujours moyen de moyenner, comme Victor Hugo a fait avec le sien, ne serait-ce que pour refuser par l'exil ce qui pourrait être inacceptable de lui. Mais avec un pays comme le nôtre, plus proche de la salle paroissiale que de l'État, quoi faire donc dans le malgré tout où je me trouve? Pas grand-chose, je ne le crains, sinon rester, ainsi que disait le Victor Hugo de l'exil, le créancier de mon propre enthousiasme! Et relire aussi en attendant que la colère s'enfle trois des plus beaux textes que je connaisse sur le pays et la politique, venus de la main infatigable de l'horrible travailleur. Ces trois textes sont *Paris, Le droit et la loi* et *Ce que c'est que l'exil*. S'ils ne vous convainquent pas de la grandeur de Victor Hugo, sinon de sa singularité (au sens proustien du terme), faites comme moi quand je ne suis pas disponible pour rien, feuilletez au hasard son oeuvre politique, glanez les courtes phrases-poignards et vengez-vous de l'esprit de salle paroissiale qu'est souvent le Québec en trafiquant les noms du temps de Victor Hugo pour les noms du nôtre. Voyez voir: « Un parti frénétique qui s'appelle le Parti québécois et qui veut absolument dévorer quelque chose. Seulement il oublie qu'il n'a plus de dents. » Et: « Quant au Parti libéral, je n'ai jamais eu pour idéal un damier. Je veux l'infinie variété humaine. » Et: « René Lévesque? Un à peu près de premier ministre. » Et: « Le révisionnisme péquiste? C'est la première fois qu'une souris fait une souricière. » Et, pour finir, ceci: « Il y a des gens qui sont nés pour servir leur pays, et d'autres qui sont nés pour servir à table. »

7

J'ai l'air de m'amuser, et c'est vrai. Rien que de penser à ce qu'écrirait un Victor Hugo de ce qui du Québec se satisfait du complexe de la salle paroissiale, j'en bave. Bien sûr, lui aussi en a bavé pour son pays, mais autrement, à la manière de l'homme qui rit, parce qu'on lui avait fendu la gueule jusqu'aux oreilles et que pas encore content de la mutilation, on lui avait aussi donné vingt ans d'exil. Et pourquoi donc? Peut-être seulement parce que les génies vivent de l'enthousiasme alors que généralement les pays, même ceux qui résistent au complexe de la salle paroissiale, finissent si bien par s'y atrophier qu'ils en meurent de honte!

8

Mais il faut que je termine maintenant. La vie est une phrase interrompue, a dit le Victor Hugo que je préfère à tous les autres, celui de l'exil, celui qui entendait des frappements dans sa chambre quand il dormait, celui qui faisait tourner les Tables, celui dont les hallucinations se dessinaient, tantôt ectoplasmes et tantôt Goulatromba. Il était normal qu'en un tel homme tout finît par s'entremêler, dans ce prodigieux amalgame que devient la fiction quand elle recouvre tous les champs possibles. Aussi, ce que je relis maintenant de Victor Hugo, dans le renouvellement pour ainsi dire toujours garanti de mon plaisir, c'est son *William*

Shakespeare, oeuvre extraordinaire dont pourtant on ne parle presque jamais, et c'est *Mes fils*, et c'est *Littérature et philosophie mêlées* (ne serait-ce que pour l'étonnant essai sur Mirabeau qui s'y trouve), et c'est le *Maglia* inachevé des *Comédies cassées*, et c'est *Océan*, et c'est aussi *Le tas de pierres*, ou du moins ce qui n'est pas advenu de lui. À 30 ans, Victor Hugo envisageait d'écrire le livre total, celui de tous les langages, celui où tous ces fragments que constituent le poème, le drame, le roman, la philosophie et la politique se chevauchent dans le même corps unifié du texte pour produire l'oeuvre inédite et révolutionnaire. Pris dans le hasard et le talent de son génie, Victor Hugo s'est détourné de ce projet pourtant absolument moderne, se contentant d'ouvrir sur l'inconnu cette porte lumineuse. Sachant cela, on comprendra que je mette ce Hugo-là au-dessus de tout parce qu'il est bien davantage que mon contemporain, mais un énorme devancier dont les racines du dire labouraient jusqu'au ciel même, dans la plus grande leçon de choses que je connaisse. C'est pourquoi il me plaît de citer ici ce petit bout de poème que l'on trouve dans *Océan:*

Songeurs du lac et du rocher,
Bardes, mages, hommes des voiles,
Il faut de plus en plus pencher
Le genre humain vers les étoiles.

9

Et, en guise de post-scriptum, ce mot de Victor Hugo dans le fin bout de son âge, grande vérité sur la création, dans l'infatigabilité de la solitude: « Tout le sondage de l'inconnu est à recommencer », puisque la vie, ainsi qu'il l'a dit aussi, est une phrase interrom —

Article paru dans *Le Devoir*, le 30 mars 1985.

EXTRAITS DE LA CRITIQUE

Il y a plus cependant. Et c'est ici que je souhaiterais que tous nos étudiants en littérature prennent la peine de lire ce livre. Les professeurs de littérature savent que beaucoup d'étudiants rêvent de devenir écrivains. C'est leur affaire et personne ne pourra jamais leur donner le bon conseil qui les fera parvenir à leur but. Ils apprendront cependant une chose dans le livre de Victor-Lévy Beaulieu. C'est qu'on ne devient pas écrivain en désirant plus ou moins vaguement devenir écrivain. On le devient parce qu'on sent en soi qu'il n'en peut être autrement et que d'une façon ou l'autre, il faut finir par casser les coquilles. Beaulieu, dans cet hommage à Hugo, nous indique avec une franchise totale la route qu'il a suivie.

Adrien Thério
Livres et auteurs québécois, 1971

La sexualité et le sens historique chez Beaulieu m'intéressent beaucoup, parce qu'il s'agit d'un Québécois de ma génération, de ma ville; un Québécois qui n'a pas l'air d'avoir perdu son temps; et qui, par surcroît, s'exprime dans une langue qui nous est plus ou moins commune. La sexualité et le sens historique de Victor Hugo m'intéressent moins. Tout le monde n'a pas lu dans son enfance les mêmes livres. Si vous vous sentez pareillement désavantagés, rassurez-vous et achetez tout de même ce gros volume. Je vous le recommande pour trois raisons: premièrement, Hugo en a imposé à Beaulieu, mais Beaulieu ne cherche pas à nous imposer Hugo. Deuxièmement, lorsque vous aurez repéré l'essentiel, la lecture de ce livre deviendra plus facile, enrichissante — et courte. Troisièmement, cet essentiel contient, comme la soupe de grand-maman, plusieurs bonnes choses. Les bonnes choses nous concernent, notre pays, nos écrits, notre milieu. Paris et son époque romantique disparaissent, fondent dans le décor du récit.

Robert-Guy Scully
Le Devoir, 11 septembre 1971

Revenons à la première partie, dont on devrait faire un tiré à part vendable à prix populaire. On y apprend, à travers des aveux qu'aucun test de vérité ne saurait infirmer ou confirmer, comment Beaulieu a appris le sens de sa condition d'homme, d'abord, d'homme écrivant, ensuite. Si l'ironie m'était accessible, je cacherais sous elle l'émotion réelle qu'a provoquée la lecture de certaines pages. J'ai l'impression, en relisant les passages que j'ai soulignés en cours de lecture, de percevoir l'envers de l'oeuvre ou, peut-être, son endroit. L'oeuvre de Beaulieu, évidemment; car Hugo n'est qu'un élément accessoire de ce roman différent, camouflé sous un genre qui fait chic. Chez un libraire complaisant, lisez le chapitre onze: tout y est — ou presque.

Réginald Martel
La Presse, 25 septembre 1971

OEUVRES DE VICTOR-LÉVY BEAULIEU

La vraie saga des Beauchemin

1. Race de monde
2. Satan Belhumeur
3. Jos Connaissant
4. Les grands-pères
5. Don Quichotte de la Démanche
6. Steven le Hérault
7. Histoire de Steven (en préparation)
8. Le livre de Joyce (en préparation)
9. Le sorcier de Longue-Pointe (en préparation)
10. La grande tribu (en préparation)
11. Bibi (en préparation)
12. Le clan ultime (en préparation)

Les voyageries

1. Blanche forcée
2. N'évoque plus que le désenchantement de ta ténèbre, mon si pauvre Abel
3. Sagamo Job J
4. Monsieur Melville
    1. Dans les aveilles de Moby Dick
    2. Lorsque souffle Moby Dick
    3. L'après Moby Dick ou la souveraine poésie
5. Una
6. Discours de Samm

Autres romans

La nuitte de Malcomm Hudd
Un rêve québécois

Oh Miami, Miami, Miami
L'Irlande trop tôt

Théâtre

En attendant Trudot
Ma Corriveau
La tête de Monsieur Ferron
Cérémonial pour l'assassinat d'un ministre
Monsieur Zéro
Votre fille Peuplesse par inadvertance (à paraître)
In terra aliena (à paraître)

Essais

Pour saluer Victor Hugo
Jack Kerouac
Manuel de la petite littérature du Québec
Entre la sainteté et le terrorisme

ÉTUDES SUR L'OEUVRE DE
VICTOR-LÉVY BEAULIEU

Gérard Bessette, *Trois romanciers québécois*, Montréal, Éditions du jour, 1973.

Gabrielle Poulin, *Romans du pays*, Montréal, Éditions Bellarmin, 1980.

Québec français, Québec (n° 45), mars 1982.

Voix et images, Les presses de l'université du Québec, Montréal, vol. III, n° 2, décembre 1977. (Ce numéro contient un dossier essentiel sur Victor-Lévy Beaulieu.)

Études françaises, Les presses de l'Université de Montréal, vol. XIX, n° 1, deuxième trimestre 1983. (Numéro spécial consacré à Victor-Lévy Beaulieu.)

Québec
10/10

Roch CARRIER

La trilogie de l'âge sombre:
1. La guerre, yes sir ! (33)
2. Floralie, où es-tu ? (34)
3. Il est par là, le soleil (35)

La céleste bicyclette (82)
La dame qui avait des chaînes aux chevilles (76)
Le deux millième étage (62)
Les enfants du bonhomme dans la lune (63)
Il n'y a pas de pays sans grand-père (16)
Le jardin des délices (70)
Jolis deuils (56)

Pierre CHÂTILLON

La mort rousse (65)

Marcel DUBÉ

Un simple soldat (47)

Gratien GÉLINAS

Bousille et les justes (49)
Tit-Coq (48)

Claude-Henri GRIGNON

Un homme et son péché (1)

Lionel GROULX

La confédération canadienne (9)
Lendemains de conquête (2)
Notre maître le passé, *trois volumes* (3,4,5)

Jean-Charles HARVEY

Les demi-civilisés (51)
Sébastien Pierre (78)

Claude JASMIN

Délivrez-nous du mal (19)
Éthel et le terroriste (57)
La petite patrie (60)

Albert LABERGE

La scouine (45)